कला का सौन्दर्य

(साहित्य तथा अन्य कलाएँ)

खण्ड-4

कला का सौन्दर्य

(साहित्य तथा अन्य कलाएँ)

खण्ड-4

सम्पादक

यतीन्द्र मिश्र

वाणी प्रकाशन

वाणी प्रकाशन

4695, 21-ए, दरियागंज, नयी दिल्ली 110 002

शाखा

अशोक राजपथ, पटना 800 004

फ़ोन : +91 11 23273167 फ़ैक्स : +91 11 23275710

www.vaniprakashan.in
vaniprakashan@gmail.com
sales@vaniprakashan.in

KALA KA SAUNDARYA-4
(Sahitya Tatha Anya Kalayen)
edited by Yatindra Mishra

ISBN : 978-81-8143-891-1
Art

संस्करण 2008, 2012
आवृत्ति 2017

मूल्य : ₹2000 (चारों खण्ड)

एस.जी. प्रिंटर्स, दिल्ली-110 093 में मुद्रित

वाणी प्रकाशन का लोगो मक़बूल फ़िदा हुसेन की कूची से

अनुक्रम

'कंकाल' (उपन्यास) की रचना-प्रक्रिया

स्व. राय कृष्णदास

उन दिनों प्रसाद जी अपने परम्परागत व्यवसाय से निराश हो चुके थे, उनके ही शब्दों में "अब यह 'पट' हो गया है, इसमें कुछ रहा नहीं।" उस समय उन्होंने और भी जो-जो उद्यम किए, उन्हें हानि ही हानि हुई, यहाँ तक कि वे अपना पारम्परिक व्यवसाय तक को बेचने को उद्यत हो चुके थे। जब वे 'कंकाल' को (अपने मन में) गढ़ रहे थे तब उन्हें यह विचार आया कि क्यों न शहर से तनिक हटकर एक आश्रम की तरह की चीज खोलें, वहाँ स्थानीय बालकों के लिए एक पाठशाला चलावें। यही बात बहुत कुछ 'तितली' में एक स्थल पर आई है। प्रसाद जी के मन में था कि वहाँ कुछ खेती बारी कराएँगे जिससे उनका निजी खर्च चले और उस आश्रम का भी। वे कहते कि गाँव के उस जीवन में थोड़े खर्च में काम चल जावेगा। उन्होंने इसके लिए काशी से लगे ही दो-एक स्थान चुने थे और कहा करते : "एक दिन चलो, चलकर देख आवें।" पर यह सब टलता गया।

उस समय देश में कई आश्रम बने, जैसे बापू का साबरमती, रवीन्द्रनाथ का शान्ति निकेतन, आर्य समाज का गुरुकुल काँगड़ी आदि। ये आश्रम इस बात के द्योतक हैं कि इन व्यक्तित्वों ने महसूस किया था कि केवल उपदेश से आदर्श नहीं चल सकता, जब तक कि लोक-जीवन में ऐसे व्यक्ति नहीं उतरते जिनके जीवन में वे आदर्श सक्रिय न हो उठें। तभी लोक उन्हें ग्रहण करेगा। किन्तु समाज की दशा ऐसी विकृत हो उठी है कि ऐसे प्रयोग विशेष सफल नहीं हुए। यही कारण है कि बापू ने अपने साबरमती आश्रम को छोड़कर सेवाग्राम स्थापित किया। प्रसाद जी के 'कंकाल' वाले निरंजन का मोह भंग इसी वास्तविकता को दिखलाता है।

वस्तुतः प्रसाद जी की आश्रम (जैसी संस्था) पर तो आस्था न थी। फिर भी वे आदर्श बस्ती में विश्वास करते थे और चालीस-पचास परिवारों की जिनकी मनोवृत्ति एवं प्रवृत्ति में साम्य हो एक बस्ती बसाना चाहते थे जो स्कूल चिकित्सालय आदि में स्वावलम्बी हो। 'तितली' में शैला का 'धामपुर ग्राम संगठन' इसी प्रकार की चीज़ है। 'कंकाल' में मंगलदेव की पाठशाला है। किन्तु प्रसाद जी निजी झंझटों से छुटकारा न पा सके और यह चीज़ विचार के स्तर तक ही रही। शहर से दूर रहने का उनका यह विचार कई और कारणों से भी था। वे इस नकली संस्कृति से ऊब से रहे थे, प्रायः 1928 से उनका स्वास्थ्य धीरे-धीरे गिर रहा था। मेरा अनुमान है कि तभी से उन्हें आंशिक यक्ष्मा हो चुका था। अक्सर वे कहते, "तबीयत ठीक नहीं रहती, पेट में भारीपन और दर्द-सा रहता है।" पुरी की जलवायु उन्हें पसन्द थी, इसी कारण तनिक बाद वे पुरी गए भी। उनके मन में था कि मुक्त वातावरण में रहकर स्वास्थ्य लाभ कर लेंगे। शायद वे शहर से बाहर चले जाते तो यक्ष्मा के प्राणघातक प्रकोप से बच भी जाते पर होनी कुछ और ही थी।

'कंकाल' में समाज का वर्ग-संकरी रूप उपस्थित हुआ है। प्रसाद जी सृष्टि को ही वर्ण-संकरी मानते थे। 'कंकाल' में उन्होंने समूचे समाज के भीतरी कंकाल का प्रकट किया है। इसीलिए जहाँ 'तितली' में सौन्दर्य और कोमल भावना

की अभिव्यक्ति है वहीं कंकाल में कठोर और वीभत्स तत्त्वों का प्रकाशन है। इसके साथ-साथ 'कंकाल' प्रसाद जी का मैनिफेस्टो है, उनके धार्मिक विचारों का, उनके भीतर चल रही उथल-पुथल की इसमें एक उद्घोषणा-सी है। पहले तो आर्य परम्पराओं की उदात्तता, जो उनके सभी नाटकों, काव्यों आदि में अजस्र मिलती है, उसकी व्याख्या निरन्तर की गई है। क्या सनातन धर्म अपने वर्तमान रूप में उसी उदात्त परम्परा की रक्षा कर रहा था अथवा एक सड़े-गले समाज को ढो रहा था?

हिन्दू धर्म के अन्दर जो आन्दोलन हुए, जिनमें आर्य समाज वाला सुधारवादी आन्दोलन था, वह कहाँ तक सफल हुआ? 'कंकाल' में प्रारम्भ में ही उस पर प्रसाद जी ने अपना लम्बा वक्तव्य दिया है। वे आर्य समाज के उदात्त रूप को स्वीकार करते और उस वर्ग के व्यक्तियों को 'आर्य' कहते, जन-साधारण को 'आर्य समाजी' कहते और जो प्रचारक किस्म के शास्त्रार्थी प्रकार के लोग थे उन्हें 'आरिया समाजी' कहते।

'कंकाल' और 'तितली' में उन्होंने समाज को, विशेष रूप से हिन्दू समाज को जो चुनौतियाँ दी थीं वे उनके ही उद्धरणों से स्पष्ट हो जाती हैं, ''क्यों, क्या हिन्दू होना परम सौभाग्य की बात है? जब उस समाज का अधिकांश पद्दलित दुर्दशाग्रस्त है...उसकी संस्कृति विडम्बना...है। जब संसार की अन्य जातियाँ सार्वजनिक भ्रातृभाव और साम्यवाद को लेकर खड़ी हैं तब आपके इन खिलौनों से भला उसकी सन्तुष्टि होगी?'' (कंकाल)। (इसी उपन्यास का पात्र) यही विजय आगे कहता है, ''इन...कुसंस्कारों का नाश करना मैं अपना कर्त्तव्य समझता हूँ क्योंकि ये ही रूढ़ियाँ आगे चलकर धर्म का रूप धारण कर लेती हैं।''

'तितली' के इन्द्रदेव के भी यही उद्‌गार तो हैं, वह बेचैन है पर निराश नहीं। यह प्रसाद जी की परिपक्व मानसिकता है। इन्द्रदेव भी कहता है, ''इससे तो अच्छी है पश्चिम की आर्थिक या भौतिक सभ्यता जिसमें ईश्वर के न रहने पर भी मनुष्य की सब तरह की सुविधाओं की योजना है।...'' इसी साम्यवादी (समाजवादी) विचारधारा का प्रतीक इन्द्रदेव कहता है, ''...दरिद्र किसानों से...चूसकर एक धनी कहीं थोड़ा-सा दान कभी-कभी दया...उपकार करके सहज ही आप जैसे निरीह लोगों का विश्वासपात्र बन सकता है।'' इन्द्रदेव के नैराश्य को हम यहाँ पाते हैं, ''...मैं तो अपने धर्म और संस्कृति से भीतर से निराश हूँ। मैं सोचता हूँ कि मेरा सामाजिक बन्धन इतना विशृंखल है कि उसमें मनुष्य केवल ढोंगी बन सकता है।...''

इसे चुनौती-भरे स्वर में ध्रुवस्वामिनी[1] हमारे सामने प्रश्न उपस्थित करती है, ''...आपका कर्मकांड और आपके शास्त्र क्या सत्य हैं...?''

'तितली' में प्रसाद जी ने एक पात्र से कहलाया है, ''...पाखंडी लोग अभाव पीड़ितों को सब तरह से नाच नचा रहे हैं।...'' अथवा ''धर्म के नाम पर भूखे मरना है तो चले आओ गंगा किनारे। लाखों पर हाथ साफ करनेवाले सबेरे नहानेवाले किसी धार्मिक की दृष्टि पड़ जाएगी तो एक पाई तुम्हें दे देगा।''... निश्चय ही ये प्रश्न आज भी ताजे हैं।

हम लोगों की मंडली में कई प्रकार के लोग थे, भाई काशीप्रसाद जायसवाल का तो मत था कि ब्राह्मणवाद ने ही हिन्दू धर्म को इस 'गर्त' में ला पटका। रामचन्द्र शुक्ल जी भी ब्राह्मण पौरोहित्य की हँसी उड़ाते, वे कहते, ''दुःख इसका है कि इन लोगों ने धर्म को व्यवसाय बना लिया है...ये लोग सुधार की बातों का विरोध इसलिए करते हैं क्योंकि इससे उनके रोजगार पर आघात पहुँचता है।'' वे सनातन धर्म की रूढ़िवादिता और बाह्याचार के वर्तमान स्वरूप का 'सड़ा-तन' धर्म कहते। प्रसाद जी इलाहाबाद वाले गिरिजाशंकर की यह उक्ति अकसर दुहराया करते : ''दीवार पर पानी का छींटा मारा, सफेदी पर अपनी चार अँगुलियाँ रगड़ीं और मस्तक पर फेर लीं। उज्ज्वल और उन्नत ललाट देदीप्यमान हो उठा।'' प्रेमचन्द की वर्णाश्रम धर्म पर अनावश्यक आस्था न थी (दे. प्रसाद के नाम पत्र, पृ. 62 ''किस बात पर गर्व करें वर्णाश्रम धर्म पर, जिसने हमारी जड़ खोद डाली।'') 'कंकाल' में 'भारत संघ' (नाम साम्य के लिए देखिए 'भारत धर्म महामंडल') के विज्ञापनों में बहुत कुछ ऐसी ही बातें कही गई हैं। (आचार्य) केशव जी भी धर्म में सुधारवाद के समर्थक थे पर धर्मशास्त्र की परिधि के भीतर ही। वे कहते : ''धर्मशास्त्र में इतनी व्यापकता है कि सभी समस्याओं का समाधान मिल जाता है, फिर उसे हम क्यों छोड़ें?'' अथवा कहते : ''धर्मशास्त्र

1. प्रसाद जी के नाटक 'ध्रुवस्वामिनी की नायिका।

ने जो मर्यादाएँ बना रखी हैं वही तो हिन्दुत्व है उसे छोड़कर हिन्दुत्व कहाँ रहेगा?'' 'कंकाल' में विशेष रूप से प्रसाद जी ने इन प्रश्नों को बड़े मौलिक रूप में उपस्थित किया है और उनकी अपनी निजी प्रतिक्रियाएँ भी दी हैं।

उन दिनों पौराणिक उपाख्यानों की तार्किक व्याख्या का युग था। 'कंकाल' में इसका बार-बार प्रयोग है, जैसे अहल्या की कथा का। प्रसाद जी कहते कि अपने पाप के प्रायश्चित स्वरूप जब वह जड़वत हो गई, हवा पीकर भस्म पर सोने वाली आदि हो गई, यही तो पाषाणमयी हो जाने का लक्षण है। 'कंकाल' में ऐसे कई प्रकरण आए थे। प्रसाद जी की यह बात थी कि वे प्रकाशन पूर्व अपनी रचनाओं को अपनी मित्र मंडली को सुनाया करते। उन्होंने 'कंकाल' भी हम लोगों को कई बैठकों में सुनाया था। उसमें इस प्रकार की सामग्री बहुत अधिक थी। तीस-चालीस पृष्ठों में कृष्ण चरित था। उसमें बहुत से आख्यानों द्वारा मानव समाज के विकास क्रम को भी दिखलाया गया था। उनमें से एक याद आता है : गोवर्धन धारण। शायद यह था कि गोपों की अर्ध-यायावर अवस्था से घर बसाकर एक नई सामाजिक संस्कृति का निर्माण था जो प्रलंयकारी वर्षा से उत्पन्न हुई। हम लोगों को यह अंश बहुत पसन्द आया। पर इसके कारण कथा-प्रवाह में कुछ कुछ गतिरोध हो जाता था। मैंने सुझाव दिया कि इस प्रकार की सामग्री को स्वतन्त्र छापो। उन्होंने उक्त अंश निकाल तो दिए पर वे कहाँ गए, पता नहीं।

प्रसाद जी के नाटकों में भी ऐसी व्याख्याएँ हैं। जहाँ प्रसाद जी ने पौराणिक उपाख्यानों को आधुनिक सन्दर्भ में, नई दृष्टि से देखा है उनके मौलिक समाधान दिए हैं। मैं कह चुका हूँ कि प्रायः 1920-21 में उनके यशोधर्मा नाटक में अवतार की भी ऐसी ही व्याख्या थी।[1]

'कंकाल' के लेखन में उन पर उनके एक मथुरा प्रवास का भी प्रभाव था। (मुझे यह स्मरण नहीं आता कि वे कभी हरिद्वार गए भी या नहीं--सम्भवतः नहीं गए थे) 'कंकाल' के सन्दर्भ में उनके इस प्रवास की चर्चा हुआ करती, प्रसाद जी कहते : ''वहाँ चौबे के साथ एक विचित्र-सी लड़की अकसर आती रहती। उसी को आधार बनाकर 'घंटी' का चरित्र है। 'कंकाल' में 'देवी मरियम और शिशु ईसा' के एक चित्र का भी प्रसंग आता है। मैं कला परिषद् की स्थापना (1920) के पूर्व से ही चित्र-संग्रह किया करता था। इसे लेकर कई चित्र-विक्रेता आते रहते, हर दूसरे तीसरे पखवारे उनका चक्कर लगता रहता। इनमें से लखनऊ के एक बड़े बुजुर्ग थे, बाबू भोलानाथ कपूर और दूसरे थे, बम्बई के पोपलीजी। ये दोनों ही बड़े शाइस्ता क़िस्म के लोग थे। प्रसाद जी की इन लोगों से खूब पटती थी। उन दिनों मुगल चित्रों की नकलें भी बहुतायत से आती रहती थीं। इसकी भी 'कंकाल' में चर्चा आई है। पर 1925 के आसपास मुझे वस्तुतः 'देवी मरियम और शिशु ईसा' का एक लघु आकार का, पर बहुत ही उत्कृष्ट चित्र मिल गया, अब वह कलाभवन संग्रह की शोभा बढ़ा रहा है। इसमें देवी के वात्सल्य और शिशु के भोलेपन को प्रसादजी (और हम लोग) निहारा करते थे, मेरे अनुरोध पर उस्ताद रामप्रसाद ने इसकी एक-दो प्रतिकृतियाँ बनाई थीं जिनमें से एक तो मैंने अपने एक मित्र को भेंट कर दीं, एक मेरे पास है। प्रसाद जी ने इसी को लेकर एक काल्पनिक वातावरण प्रस्तुत किया है। इस प्रसंग में प्रसाद जी मूल पांडुलिपि में एक भयंकर भूल कर गए थे मैंने उसकी ओर उनका ध्यान आकृष्ट किया तो वह अंश उन्होंने निकाल दिया। चित्र-विधान में चेहरे के रंग को चेहरई कहते हैं, उस्ताद रामप्रसाद की बातचीत में इस शब्द का प्रायः प्रयोग होता रहता। पर प्रसाद जी के मन में इसका भ्रामक अर्थ ही बैठ गया था, वे 'चेहरई' का अर्थ समझते : चेहरे का आकार। इस रूप में उन्होंने 'कंकाल' के इस प्रसंग में प्रयोग भी किया था, मेरे अनुरोध पर वह अंश निकाल दिया।

'कंकाल' में जन्माष्टमी के उत्सव की चर्चा है। जब प्रसाद जी 'कंकाल' को मन में गढ़ रहे थे उन दिनों काशी में एक गोसाई...पुरी थे। उनकी गणना रईसों में होती थी। वे कुरता-धोती-शेरवानी तो पहनते, पर गेरूए रंग की, रेशमी। उनकी एक धनाढ्य रक्षिता थी, इस प्रेम-प्रसंग ने काशी का वातावरण बोझिल हो रहा था। यद्यपि मेरी प्रसाद जी से कभी इस विषय में बातचीत न हुई--होती तो वे कोई दुराव नहीं रखते मुझे अवश्य बताते पर मेरी समझ में 'कंकाल' में प्रसाद जी ने जन्माष्टमी उत्सव का जो चित्रण किया है, उस पर उक्त गोसाईंजी के यहाँ का तत्कालीन बहुचर्चित जन्माष्टमी

1. 'प्रसाद की याद' पुस्तक में पूर्व भाग में इसका उल्लेख है। यह अप्रकाशित ही रहा, इसकी पांडुलिपि भी अप्राप्य है।

उत्सव का प्रभाव अवश्य था।

प्रसाद जी ने इन दो उपन्यासों में अपने अनेक विचारों को इस प्रकार रख दिया है कि वे मानो उनके भावी प्रकाशन के सिनाप्सिस हों। मैं लिख चुका हूँ कि प्रसादजी के प्रारम्भिक जीवन से ही उनके घनिष्ठ मित्रों में पं. विश्वम्भरनाथ जिज्जा थे वे बाद में घोर साम्यवादी हो गए थे—लेनिन भक्त अक़सर हम लोगों को साम्यवाद का पाठ पढ़ाया करते। प्रसाद जी ने उसे किस रूप में ग्रहण किया, उसका किस प्रकार समाधान किया वह 'तितली' में रामनाथ (नाम साम्य के लिए पं. विश्वम्भरनाथ) के उस वक्तव्य में है जो उन्होंने इन्द्रदेव को दिया है (पृ. 128-129)। इसी प्रकार शराबियों का घृणित व्यवहार ('तितली', पृ. 201) पर मेरे चचेरे भाई राय शिवप्रसाद की घटना की छाया है जिसका ऊपर उल्लेख हो चुका है। प्रसाद जी उसे कभी न भुला सके, अक़सर जुगुप्सापूर्वक उसे याद करते। ऐसा दृश्य 'कंकाल' में भी है। इस प्रकार ऐसे अनेक प्रसंग हैं जो तत्कालीन जीवन को 'कंकाल' और 'तितली' में प्रतिबिम्बित करते हैं। यदि उनकी विस्तृत चर्चा की जाए तो यह वक्तव्य लम्बा हो जाएगा। उसे कभी भविष्य में उपस्थित किया जाएगा।

'कंकाल' को देखकर प्रेमचन्द प्रमुदित हुए (दे. प्रसाद के नाम पत्र, पृ. 61-62) : "मैंने इसे आदि से अन्त पढ़ा और मुग्ध हो गया।...जो लेखनी वर्तमान समस्याओं को इतने आकर्षक ढंग से जनता के सामने रख सकती, इस तरह दिलों को हिला सकती है, उसे... ।"

'कंकाल' में एक समाज के सच्चे हितैषी की आँखों का गर्म बड़ी-बड़ी बूँदों वाला आँसू है। घंटी और यमुना दोनों का क्या कहना है। मैं 'हंस' में उसकी वृहद आलोचना करूँगा। 'हंस' का नाम याद आ गया। आपसे उसके लिए कुछ याचना करूँ? मैं छोटे-छोटे 'कंकाल' चाहता हूँ। या कोई उपन्यास हो तो वह भी प्रेम और आदर से प्रकाशित करूँगा।..." कई वर्ष बाद प्रेमचन्द बम्बई में थे। उन्होंने वहाँ से प्रसादजी को, अपने पत्र में, फिल्मी जगत के हास्यास्पद वातावरण का अच्छा चित्र खींचा है। प्रेमचन्द चाहते थे कि सीता के चरित्र पर प्रसाद जी कुछ लिखें, उन्होंने लिखा : "...मेरे खयाल में सीता का जितना सुन्दर चित्र आप खींच सकते हैं, दूसरा कोई नहीं खींच सकता। ...उसका स्वागत होगा।...मैंने 'तितली' नहीं देखी। उसकी एक प्रति भेजवा दीजिए।...(प्रसाद के नाम पत्र, पृ. 63)। उक्त उद्धरण से स्पष्ट है कि प्रेमचन्द तक प्रसादजी के इस साहित्य के कायल थे।

अपने घर में रज़ा

❑ अशोक वाजपेयी

पेरिस के द शारोन्न में सिते दु कूवाँ एक पुरानी और अब स्मारक के रूप में अधिसूचित इमारत है। वह सत्रहवीं शताब्दी में बनी थी और उसमें ईसाई ननों का एक कान्वेण्ट था। फ्रेंच क्रान्ति के बाद उसमें सामान्य नागरिकों की रिहायश होने लगी। उसकी दूसरी मंज़िल पर भारतीय चित्रकार सैयद हैदर रज़ा का स्टूडियो और घर है। दो अपार्टमेंट हैं जिनमें से एक रज़ा और उनकी फ्रेंच कलाकार-पत्नी जानीन मोंज़िला का घर और रज़ा का स्टूडियो है और ठीक बगल में दूसरा, जिसमें जानीन का स्टूडियो है। रज़ा की फ्रेंच शिक्षा पेरिस के चाक्षुष मूल्यों और दृष्टि में हुई है और एक ज़माने में वे पेरिस स्कूल के चित्रकार के रूप में जाने-पहचाने जाते थे। निश्चय ही बाद में रज़ा उससे एक अधिक मूलधर्मी दृष्टि की ओर झुके जिसमें चाक्षुष बोध आत्मसात् किया गया है और कई भारतीय विचार और प्रत्ययों का पुनराविष्कार शामिल है। वह कुछ इस तरह पल्लवित हुई है कि अद्वितीय रूप से वह रज़ा की है—ऐसी समावेशी दृष्टि जिसकी कीमियागिरी इस तरह की है कि वह सिर्फ़ फ्रेंच तत्त्व या भारतीय विशिष्टता का अतिक्रमण करती है। वह तथाकथित फ़्यूजन संगीत की तरह का मेल नहीं है—वह एक सर्जनात्मक संग्रथन है जिसमें शामिल तत्त्व अपनी आवयविकता में इस तरह उपस्थित हैं कि एक नई तात्कालिकता सामने आती है। वे ऐसा कुछ हैं जिसका कोई पूर्वोदाहरण नहीं है—वह रज़ा का अपना स्पेस है जिसमें फ्रांस और भारत के जुड़वाँ भूगोल बिना किसी तनाव या विसंगति के सहवास करते हैं, पूरी समरसता में, मानों यह उनका घर हो। फ्रांस में घर, भारत में जड़ें। दोनों के बीच एक आवास—विचारपूर्वक और सर्जनात्मक ढंग से बीच में और फिर भी, अपने सार में, रज़ा का घर।

रज़ा के स्टूडियो का वर्णन करना कठिन है। फ़र्श के एक हिस्से पर पड़े रंगों के ट्यूबों, ब्रशों, कपों, कई तरह के औजारों के अलावा ईजलों पर कई आकार के सफ़ेद कैनवास, फिर पुस्तकों के रैक्स—कला, हिन्दी और फ्रेंच कविता की पुस्तकें, कैटलाग, पत्रिकाओं का ढेर, चिट्ठियाँ, पाम्पेदू सेण्टर, मेगेट फाउण्डेशन आदि के निमंत्रण-पत्र, एक कामकाजी मेज़ जिस पर कई घड़ियाँ हैं जिनमें से एक हमेशा भारत का समय दिखाती है। एक शिवलिंग, कुछ जैन लघुचित्र, एक शंख, महात्मा गाँधी का चित्र, एक शालिग्राम, काँसे के कई गणेश, किसी देवी की एक काष्ठ मूर्ति (सदियों पुरानी दीवार पर), पाब्लो पिकासो का एक स्कैच, कोने में एक छोटा-सा मन्दिर, दीवारों पर कुछ पोस्टर, कबीर, तुकाराम, अज्ञेय, शमशेर बहादुर सिंह, मुक्तिबोध, ग़ालिब, इक़बाल, सूरदास, महादेवी, मजाज़, रिल्के, रिम्बो, आदि के कवितासंग्रह आदि। मेज़ पर एक फ़ोन, बगल की छोटी मेज़ पर एक फ़ैक्स मशीन। हर सुबह कैनवास पर काम शुरू करने के पहले रज़ा कुछ क्षण ध्यान लगाते और प्रार्थना करते हैं—अक्सर रिल्के की एक कविता के फ्रेंच अनुवाद की कुछ पंक्तियाँ दुहराते हुए, ''मौन से निसृत होते निरन्तर सन्देश को पकड़ने के लिए।'' और कई बार एक कामना कि 'ईश्वर और सब कुछ ले ले, आत्मा के इस ताप को छोड़कर।'

उस सोफ़े पर बैठकर, जिस पर अक्सर रज़ा दोपहर को कुछ देर आराम करते हैं, जून 2001 के मध्य में हम बात करते

हैं। बार-बार फ़ोन बजने और फ़ैक्स सन्देश आने से बाधा पड़ती है। मित्रों के अलावा, सैन फ्रांसिस्को, न्यूयार्क, बर्लिन, मुम्बई, चेन्नई आदि से संग्राहकों के काल आते हैं, नये चित्रों की माँग करते हुए। रज़ा विनम्रता लेकिन दृढ़तापूर्वक धीमे काम आदि के आधार पर अपनी असमर्थता व्यक्त करते चलते हैं। जब-तब कोई प्रवासी भारतीय दम्पत्ति पेरिस आ टपकते हैं, रज़ा के चित्रों को अग्रिम देकर आरक्षित करने के इरादे से। रज़ा अनुग्रहीत होते हैं और अपने काम के लिए उनकी ललक से प्रभावित भी, पर वे कोई कारोबार करने से साफ़ इन्कार कर देते हैं। वे अपनी सारी ऊर्जा संचित करना चाहते हैं, उस तरह का काम करने के लिए जो वे करना चाहते हैं, बिना धन, बाज़ार या प्रसिद्धि की परवाह किए।

अपने अन्तिम चरण में रज़ा का शास्त्र सादगी, उत्कटता और राग का शास्त्र है। वे मानों हमेशा रंग में होने का उत्सव मना रहे हैं। आत्मविश्वास और क्षमता में बद्धमूल अचूक विनम्रता है। चाक्षुष सौन्दर्यदृष्टि और आध्यात्मिक चिन्ता समरस है। जीवन और कला के बीच दूरी घट गई है। रज़ा चित्र बनाने के लिए जीवित हैं और जीवित रहने के लिए चित्र बना रहे हैं। भौतिक काया का जीवन और कैन्वास का जीवन सुन्दर ढंग से एकतान हैं। आधुनिकतावादी प्रोजेक्ट का अंग रहने के बाद रज़ा एक स्वविकसित प्रोजेक्ट की ओर बढ़ रहे हैं जो निरन्तरता और अनन्त का है। जहाँ तक उनका सम्बन्ध है, इतिहास को अपने लिए स्थगित करते हुए। अब उन्हें अपने एक चित्रकार के रूप में पहचान की चिन्ता नहीं रही। वे पेरिस में हैं और फिर भी भारत में। वे गर्टूड स्टाइन के इस मत से बिल्कुल इत्तफ़ाक रखते हैं कि 'जड़ों का क्या मतलब, अगर आप उन्हें अपने साथ न ले जा सकें!' रज़ा अपनी जड़ें साथ ले गए हैं और वे उन्हें आज भी कलात्मक और आध्यात्मिक रूप से पोस रही हैं। जैसे कि जीवन में वैसे ही कला में, वे अपने घर में हैं।

रज़ा से पेरिस में एक बातचीत

❑ अशोक वाजपेयी—मैं उस काम के बारे में जानना चाहता हूँ जिसे आप अपना अन्तिम चरण कहते हैं। अगर आप भारत में होते तो किस प्रकार का काम कर रहे होते? आपका इधर का काम इतना भारतीय लगता है मानो कि वह पेरिस के अस्तित्व के प्रति उदासीन हो, मानो वह संयोगवश ही पेरिस में किया जा रहा हो। क्या यह कहना सही है?

सैयद हैदर रज़ा—नहीं। मैं इसे यों कहूँगा कि कला की बुनियादी समस्याओं और विशेषतः अपने काम के सन्दर्भ में मेरी जो समझ बनी है उसमें पेरिस की बड़ी भूमिका है। फ्रांस में मेरे प्रवास ने मुझे बहुत कुछ दिया है और अगर मैं अमेरिका या लन्दन में रहा होता तो कहानी दूसरी होती। मुझे पेरिस में रहना था, यह काफ़ी सोच-विचार कर तय हुआ था। यहाँ बहुत ऊँचे दर्जे के उदाहरण थे जिन्होंने यह महत्त्वाकांक्षा दी कि हम ऐसे प्रतिमानों पर पहुँच सकते हैं जो दुनिया में कहीं भी सबसे ऊँचे हों। पर यह सिर्फ़ सोचने भर से नहीं हो सकता, आपको क्षमता के एक स्तर पर पहुँचना होगा। भरतनाट्यम नाचना या हिन्दी कविता लिखना आसान नहीं है जब तक कि आपको उनकी भाषा बहुत अच्छी तरह न आती हो। फ्रांस में मेरे रहने ने मेरी मदद की, न सिर्फ़ यह देखने में मदद की कि निकोला द स्टाल, मोन्द्रियान या सूलाज के चित्रों में क्या श्रेष्ठ है बल्कि अपनी सम्भावनाएँ विकसित करने, अपने तकनीकी कौशल का विकास करने और उस भाषा पर अधिकार करने में भी, जो मेरी चित्र-भाषा है। मैं अपना बचपन और जवानी नहीं भूलता और न ही उन सबकों को जो मैंने यहाँ पाए—रंग, रेखा, आकृति, स्पेस आदि की प्रारंभिक समस्याओं को लेकर फ्रांस एक ऐसा देश है जिसमें अनुपात का बोध असाधारण है : इमारतों में, कला में, साहित्य में और ज़िन्दगी में। वह कला और चित्रकला में बहुत महत्त्वपूर्ण है। अगर मैं इस सुयोग तक नहीं आता तो मैंने 'तमशून्य' या 'बिन्दुनाद' जैसे चित्र न बनाए होते : विकीर्ण होते काले रंग में। मुझे काले के महत्त्व का अहसास हुआ। मैं उसे भारतीय चिन्तन से जोड़ता हूँ। मुझे लगता है कि काला रंग मातृरंग है, वह रंगों की जननी है। वह विकिरण है और यह सम्भव है, मैं यहाँ चित्र बनाऊँ या भारत में, इस बोध का उद्गम फ्रांस में है जिसे मैं नहीं भूलता।

अब आपने जो सवाल पूछा मैं अगर भारत में होता तो क्या यही काम कर रहा होता। सीधा जवाब यह है कि हाँ, मैं यही कर रहा होता। लेकिन मैंने सत्तर और अस्सी के दशकों में जो स्वायत्त किया था वह उस काम में प्रक्षेपित हो रहा है जो मैं अब कर रहा हूँ। मैं किसी भी क़ीमत पर भारतीय होने की कोशिश नहीं कर रहा हूँ। ऐसा नहीं है कि मैं पगड़ी

पहन लूँ या कि कुर्ता-पायजामा तो मैं भारतीय हो जाऊँगा। ऐसा भी नहीं है कि मैं भारत के कुछ प्रतीकों और चिह्नों आदि का उपयोग करता हूँ तो मैं भारतीय कलाकार हो गया। न, ऐसा नहीं है। वह उसके मूलतत्व में है। अगर कोई कृति कुछ प्रतीकों, चिह्नों का बाहरी प्रदर्शन भर हो तो उसमें मूलतत्व नहीं हो सकता। हर कोई एक बिन्दु बना सकता है या त्रिभुज या वृत्त खींच सकता है। यह वही नहीं है। सवाल यह है कि नादबिन्दु स्पेस में ऐसे विकीर्ण हो सकता है जैसे भारतीय गायन या वाद्य संगीत होता है।

आप किसी भारतीय मन्दिर में जो ध्वनियाँ सुनते हैं क्या उसे किसी प्रोस्टेस्टैण्ट देवघर या चर्च में सुन सकते हैं? यह कान्वेण्ट, जिसमें अब मैं रहता हूँ, 1640-50 में बना था। मेरे घर के अन्दर इतने सारे भारतीय विचार, ध्वनियाँ, भावनाएँ आदि रहते हैं कि इसका कोई महत्त्व नहीं रह जाता कि मैं फ्रांस में रहता और चित्र बनाता हूँ या कि दिल्ली या मुम्बई में चित्र बना रहा होऊँ। सवाल दरअसल यह है कि उन सारे विचारों को आत्मसात् कर जो हमारी परम्परा में आते हैं और जिन्हें व्यक्त करने के लिए उन कला-मूल्यों की व्यावसायिक समझ और चाक्षुषता के अवबोध से मदद मिलती है कि अपने कैनवास रंगों के संगीत से भर सकूँ। मैं सोचता हूँ कि मैं मण्डला में ही हूँ, मैं अमरकण्टक या नीलकण्ठ चित्रित कर रहा हूँ जो इन सबकों से आते हैं जिन्हें मैंने अपने बचपन से सीखा है और जिनके बारे में मेरी चेतना विकसित हुई है भले मैं उन सबसे भौतिक रूप से इतनी दूर रहा हूँ। मैं मूलतत्व तक जाना चाहता हूँ और यह देखना भी कि जिन साधनों का उपयोग किया जाता है उन पर पूरा अधिकार है। साधन जो सरल हैं, लक्ष्य जो सरल है—उनके बारे कुछ भी परिष्कृत या जटिल नहीं है। लेकिन सतह पर नहीं, गहराई में।

❑ अशोक वाजपेयी—भारत छोड़ने और फ्रांस में रहने के बाद इधर के बरसों में आप लगभग हर बरस भारत जाते रहे हैं। आपने भौतिक रूप से इस दौरान भारत में कभी चित्र बनाए हैं?

रज़ा—सिर्फ़ एक बार। गम्भीर रूप से सिर्फ़ एक बार जब 1963 में बाल छाबड़ा ने नेपियन सी रोड पर अपना स्टूडियो-अपार्टमेण्ट, जहाँ वे खुद काम करते थे, मुझे दिया था। मेरी पत्नी जानीन मेरे साथ थीं। वह एकमात्र ऐसी अवधि है जब लगभग तीन महीनों तक मैंने चित्र भारत में रहकर बनाए थे। अलबत्ता, छोटी-मोटी यात्राओं के दौरान कुछ स्केच बनाता रहा हूँ। पर उन्हें चित्र नहीं कहा जा सकता। मैंने प्रयोग के तौर पर कुछ कम्प्यूटर ग्राफिक्स भी बनाए। नहीं, मेरा ऐसा अनुभव नहीं है कि मैं, मसलन, राजस्थान या बनारस या दक्षिण भारत से आऊँ और स्थानिक प्रेरणा के तहत बन्द होकर कुछ करने लग जाऊँ।

❑ अशोक वाजपेयी—कई दूसरे चित्रकार हैं जो विदेशों में रहते हैं जैसे नटवर भावसार या मोहन सामन्त पर जाने क्यों उन्हें उस तरह से विशिष्ट रूप से भारतीय दृश्य का हिस्सा नहीं माना जाता जैसे आपको! जब भी समकालीन भारतीय कला की बात होती है, दूसरों के साथ, आपकी चर्चा ज़रूर होती है।

रज़ा—मैं इसे दूसरी तरह से देखता हूँ। मुझे लगता है कि नटवर भावसार, सामन्त या कृष्ण रेड्डी या पेरिस में रहने वाले राजेन्द्र धवन, विश्वनाथन, सतीश पांचाल और अन्य देशों और भारत में भी रहने वाले कलाकारों की अपनी-अपनी संवेदना है। कुछ कलाकार कला-जगत् में सफल हुए हैं। कुछ ने भारत का, उसके कलाप्रेमियों और संग्राहकों का ध्यानाकर्षण किया है। लेकिन सभी सक्रिय हैं। भले वे न्यूयार्क में रहते हैं, नटवर भावसार को मैं सबसे महत्त्वपूर्ण भारतीय कलाकारों में गिनता हूँ, कभी न कभी उनके महत्त्व को स्वीकार ज़रूर किया जाएगा। मुझे लगता है कि समकालीन कला के बारे में सबसे दिलचस्प बात यह है कि अपनी संवेदना, स्वभाव और आकांक्षाओं के मुताबिक कलाकार अपनी-अपनी निजी खोज में लगे हैं। यह तो लोगों पर, किसी पर भी है कि वे अपनी राय बनाएँ। न्यूयार्क में ही फ्रांसिस न्यूटन सूज़ा हैं जो महत्त्वपूर्ण काम कर रहे हैं। फिर हुसेन, बाल छाबड़ा, तैयब मेहता, अकबर पदम्सी, भूपेन खक्खर, के.जी. सुब्रहमण्यम, अंजलि इला मेनन, जोगेन चौधरी हैं। मेरा मतलब है कि अभिव्यक्ति की इतनी बहुलता है, एक दूसरे से इतनी अलग! मुझे लगता है कि यही समकालीन भारतीय कला की समृद्धि का मूलाधार है। यथार्थवादी है, आकृतिवादी, अमूर्तनकार आदि सभी हैं। आप मेरी निजी राय पूछें तो मैं कहूँगा कि गायतोण्डे और तैयब मेहता जैसे

चित्रकार भारतीय कला के मूर्धन्य हैं और उन्हें संसार के किसी भी संग्रहालय में रखा जा सकता है। पर यह मेरी निजी राय होगी। मैं सोचता हूँ कि एक दिन ऐसा आएगा जब हम भारतीय कला पर अभिमान कर सकेंगे। हर कलाप्रेमी को अपनी प्रतिक्रिया और संवेदना के आधार पर यह तय करना है कि वह किन कलाकारों का आदर करता है। मुझे सचमुच खुशी होती है कि मेरा काम सिर्फ़ भारत में भारतीय नागरिकों द्वारा ही नहीं पसन्द किया जाता क्योंकि उसमें कुछ ऐसे चिह्न और प्रतीक हैं जो उन्हें शायद आसानी से समझ में आते हैं बल्कि अन्तरराष्ट्रीय कलाजगत् में भी। मैं अपना कुछ करता हूँ और दूसरे अपनी सम्भावनाओं, सामर्थ्य, दृष्टि और संवेदनाओं के अनुसार काम कर रहे हैं।

❑ **अशोक वाजपेयी–अपनी दो आखर कही जाने वाली नोटबुक के सन्दर्भ में, जिसमें आपने इतनी सारी चीज़ें नोट कर रखी हैं, आप कह रहे थे कि आपको प्राचीन भारतीय परम्परा से आई अवधारणाओं और विचारों से प्रेरणा मिलती है जिन्हें आप अपने काम में आत्मसात् करने या जिनका पुनराविष्कार करने की कोशिश करते रहे हैं। अब आप एक आदर्श हैं, भारतीय कला में आधुनिक आन्दोलन के अग्रदूत रहे हैं और यहाँ आप परम्परा की ओर लौट रहे हैं। आपको इसमें कोई अन्तर्विरोध दीखता है?**

रज़ा–बिल्कुल नहीं। दरअसल यह एक अच्छा विषय है जिस पर सोचना चाहिए। मेरी नोटबुक में पहला शब्द है 'समाधान' जो भारत में सदियों पार से चला आ रहा है। 'समाधान' सदियों पुराना है लेकिन इतना आधुनिक, इतना आज का विचार है। अगर मैं ठीक समझ पाया हूँ तो समाधान का आशय है किसी एक चीज़ पर एकाग्रता, बिना किसी हिचक के एकाग्रता, मन के यहाँ-वहाँ भटकने से बचकर। यह किसी भी व्यक्ति के लिए इतना आधुनिक है। हम जिस समय को समझने की कोशिश कर रहे हैं उसे उद्घाटित करने के लिए खाने की मेज़ पर यों ही होने गपशप में भी यह प्रासंगिक है। यह महत्त्वपूर्ण है जब मैं अपने पंचतत्त्व के सामने हूँ और रंग और अवकाश के बारे में निर्णय कर रहा होऊँ कि उसे काला होना चाहिए या लाल, पीला या उजला। मैं उन नामों के बारे में सोचने में डूबा हूँ जो इन पंचतत्त्वों को घेरे रहेंगे। पूरी तरह से वहीं मौजूद रहना नितांत अनिवार्य है। यही समाधान है। मेरी नोटबुक के पहले पृष्ठ पर एक दूसरा शब्द है–उपनिषद्। मैंने इसे एक फ्रेंच अनुवाद से लिया है। कल्पना कीजिए! फ्रेंच अनुवाद में लिखा है कि इसके मायने हैं स्वामी/गुरु के सामने सम्पूर्ण एकाग्रता और आज्ञाकारिता के साथ बैठना। यह अद्भुत है! इस्लाम क्या है? इस्लाम ईश्वर के प्रति पूर्ण समर्पण है। ये सभी विचार सुसंगत हैं न कि असंगत, ये वर्षों से इसी प्रकार से चले आ रहे हैं और मेरी समझ से अपरिवर्तनीय और अनश्वर हैं। हमें अपने देश की प्रचलित उक्तियों को आज महसूस करने की आवश्यकता है; क्योंकि वे सत्य पर आधारित हैं। मैं कहना चाहूँगा कि 'सत्य' और 'अहिंसा' पहले भी महत्त्वपूर्ण थे, आज भी हैं और कल भी रहेंगे। मीराबाई का उदाहरण 'मेरे तो गिरधर गोपाल दूसरो न कोई' सभी पर लागू होता है। यह स्वयं को केवल एक-दूसरे पर नहीं वरन् सम्पूर्ण मानवजाति पर अभिव्यक्त करता है। मैक्सिको, उत्तरी अमेरिका और इंग्लैण्ड में मीराबाई के भक्त ठीक उसी प्रकार हो सकते हैं, जिस प्रकार भारत में क्योंकि किसी चीज़ के प्रति ऐसी भक्ति और एकनिष्ठ भाव महानतम जातियों का लक्षण है। दूसरा उदाहरण है ईसा मसीह जो सम्पूर्ण विश्व में किसी भी मनुष्य, धार्मिक अथवा उत्साही व्यक्ति के लिए प्रेरणा का स्रोत है।

❑ **अशोक वाजपेयी–आप की नोटबुक में ज़्यादातर सामग्री काव्य, दर्शन, धार्मिक एवं आध्यात्मिक ग्रन्थों से संकलित की गई है। इन पुस्तकों में यदा-कदा चित्रकारों एवं कला-समीक्षकों की टिप्पणियाँ भी मिलती हैं। इससे ऐसा लगेगा कि कम से कम आपके विचारों अथवा चिन्तन को चित्रकारों अथवा कला की दुनिया से उतनी अधिक प्रेरणा नहीं मिलती, जितनी कि साहित्य, काव्य की दुनिया और दार्शनिक, आध्यात्मिक एवं धार्मिक विचारों से।**

रज़ा–बहुत ही कम बातें हैं जिन्हें मैंने स्वयं अपने शब्दों में लिखा है। जैसे 'चित्र बनाए नहीं जाते बल्कि बन जाते हैं।' मेरा मानना है कि मुझे सबसे अधिक प्रेरणा कविता से प्राप्त हुई है। भारतीय कविता के अन्तर्गत हिन्दी तथा उर्दू कविता में तथा फ्रेंच कविता में ऐसी अद्भुत बातें कही गई हैं, जो हृदय की गहराइयों से दृढ़ विश्वास के साथ जन्म लेती हैं तथा जिन्हें केवल शब्दों के माध्यम से ही व्यक्त किया जा सकता है। चित्रकार के लिए वे बातें कहना बहुत कठिन है; क्योंकि

उसका माध्यम शब्द हैं, रंग नहीं। चित्रकारों, यहाँ तक कि संगीतकारों के वे विचार रहे हैं, जैसे कि उस्ताद, जिन्होंने कहा है—'देखो अपने कानों से, सुनो अपनी आँखों से।' आज यह बहुत ही सुन्दर और अद्‌भुत मत बन गया है। समय-समय पर प्रत्येक व्यक्ति को अपनी आँखें बन्द करके सुनने और समझने का प्रयास करना चाहिए। मैं अज्ञेय, गजानन माधव मुक्तिबोध और मीर को पढ़कर अभिभूत हो जाता हूँ। 'तम शून्य में तैरती है जगत्‌-समीक्षा'—जैसी पंक्तियाँ! कवियों और चित्रकारों द्वारा बहुत सी अद्‌भुत बातें कही गई हैं। जब सुन्दर बातों को रोचक ढंग से कहा जाता है, तो मुझे अधिक आकर्षित करती हैं।

❑ अशोक वाजपेयी—आप भारत में थे तब आपने एक बार कहा था कि अब मैं जहाँ तक हो सके सफ़ेद रंग का प्रयोग करना चाहता हूँ। आपने सीमा घुरैया के साथ मुम्बई में एक प्रदर्शनी भी की थी लेकिन आजकल (जून-दिसम्बर 2001) स्टूडियो में जो काम आप कर रहे हैं वह रंगों से सराबोर है। सफ़ेद रंग की ओर वापसी यहाँ नहीं दीखती।

रज़ा—बहुत ही प्रासंगिक प्रश्न है। मैं जानता था कि यह प्रश्न उठ सकता है लेकिन इस विषय पर मेरे विचार बिल्कुल स्पष्ट हैं। सम्भवतः यह मेरी सीमा है और यही तथ्य है। मेरे विचार से यह बिल्कुल सच है कि जीवन में तुम्हें आध्यात्मिकता और सांसारिकता के बीच सामंजस्य बनाकर रखना चाहिए। तुम बहुत ऊँचे उठ सकते हो लेकिन तुम्हें धरती पर वापस आना होगा, कम से कम मुझे तो बार-बार धरती पर आना ही है। अगर मुझे सिर और पैर में दर्द है तो मुझे काम करने में कठिनाई होगी। जीवन विभिन्न स्थितियों और परिस्थितियों से बना है। जब मेरी पत्नी अस्पताल जा रही होती है तो मैं अध्यात्म की ओर उन्मुख नहीं हो पाता। मेरे कार्य का यह भाग सबसे अधिक गम्भीर है। मैं प्रार्थना और आशा करता हूँ कि मैं अपने इस कार्य का निर्वाह पूरी तरह से कर सकूँ; यह अभी-अभी शुरू हुआ है परन्तु इसके लिए बहुत अधिक मानसिक शान्ति की आवश्यकता है। इसके लिए सांसारिक विषयों, समस्याओं और कठिनाईयों से मुक्ति की आवश्यकता है। मेरे विचार से अपनी पत्नी की सेवा करना और उसे ऐसे समय पर सहायता देना जब कि वह बहुत कठिन समय से गुज़र रही है, मेरा कर्त्तव्य है। मैं धीरे-धीरे अपनी शक्ति को फिर से जुटाने का प्रयास कर रहा हूँ लेकिन साथ ही साथ मुझे बहुत से अवरोधों का भी सामना करना पड़ रहा है। ये आने वाले बड़े चित्रों के लिए प्रारम्भिक नोट्स हैं। अगर मैं कहूँ कि यह मेरी सीमा है तो ऐसा इसलिए है क्योंकि मैं ज़िन्दगी से प्यार करता हूँ, मैं खूबसूरत चीज़ों से प्यार करता हूँ और मैं रंगों से प्यार करता हूँ। मैं बार-बार रंगों की ओर लौट रहा हूँ। सर्वोत्कृष्ट क्षणों के आने की प्रतीक्षा करने वाले चित्र से अधिक रोचक और क्या चीज़ हो सकती है। इससे अधिक उत्तेजक और क्या होगा कि मेरे अपने चित्र की विषयवस्तु 'पंचतत्त्व' है जिसमें सभी 5 रंग सम्मिलित हैं, कि मैं फिर से उन पाँच रंगों की यशोगाथा, कहूँ या गुणगान करूँ। सभी लोग पंचतत्त्व से परिचित हैं और जानते हैं कि रेटिना पाँच रंगों को पहचानती है और पाँच रंगों का मिश्रण उन सभी रंगों को बनाता है जिन्हें आँखें देख सकती हैं। दूसरा चित्र 'तम शून्य' होगा। सम्भवतः मैं मूल काले रंग पर जाऊँगा और शायद कुछ हफ़्तों या महीनों में मैं उन बड़े चित्रों को बनाने के लिए स्थिरता एवं मानसिक शान्ति प्राप्त कर सकूँगा, जिन्हें मैं अपनी आध्यात्मिक खोज के प्रसंग में बनाना चाहता हूँ। जहाँ कम से कम साधनों का प्रयोग होगा, मुख्यतः सफ़ेद तथा काले रंग का, जो बहुत अधिक सहज रंग सामंजस्य को दर्शाएगा; ये ऐसे वक्तव्य होंगे जो शान्त तथा 'रूप अध्यात्म' के भाग हो सकते हैं; एक ऐसी अवधारणा जो कुछ भारतीय चित्रकारों को बहुत अधिक प्रिय है और मैं उन चित्रों को सम्भव कर पाऊँगा जो मात्र सरल और साधारण नहीं हैं बल्कि संवेगों और आध्यात्मिक भावों से भरपूर हैं।

❑ अशोक वाजपेयी—कभी-कभी मुझे ऐसा लगता है कि एक तरह से आप उन चित्रकारों में से एक हैं जिनका अगला चित्र आज के चित्र से जन्म लेता है। चित्रों का आपसी सम्बन्ध ऐसा मजबूत और सुगठित है मानो जब आप एक चित्र बना रहे हैं ठीक उसी समय रहस्यात्मक ढंग से अगले चित्र की भूमिका रच रहे हैं।

रज़ा—बिल्कुल सही। यह बिल्कुल ठीक बात है। यह इन तीन-चार चित्रों से बिल्कुल स्पष्ट है जो इस समय स्टूडियो में रखे हैं। मैंने आपको एक पुराने चित्र का फोटो दिखाया था, जो कि आज दीवार पर लगी राजस्थान को प्रतिबिम्बित

करने वाले चित्र का प्रेरणा-स्रोत है। 'दो बिन्दु' पंचतत्व के पाँच बिन्दुओं में उपस्थित था। पहला दूसरे का विकिरण है। इन सबके परिणामस्वरूप एक बड़ा चित्र प्राप्त होगा जो उन तत्वों का संयोजन होगा जिनका मैंने छोटे चित्रों में प्रयोग किया है और जो मेरे लिए प्रारम्भिक रूप अथवा रेखा-कृतियाँ हैं। अंततः वह अपेक्षाकृत अधिक जटिल विस्तृत एवं स्थिर संयोजनों को उत्प्रेरित करेंगे। ये छोटे चित्र विचार हैं, ये उन बीजों के समान हैं जिन्हें बोया जा रहा है। आप उन्हें बढ़ते हुए देखते हैं और एक बार जब वह विकसित हो जाते हैं तो आप देखते हैं कि उन पर केवल पत्तियाँ ही नहीं बल्कि फल और फूल भी आते हैं। चित्र भी इसी तरह सुगठित हैं।

❑ **अशोक वाजपेयी–आप उन चित्रकारों में से एक हैं जो अपने चित्र में वास्तविक शब्दों का, इबारत का प्रयोग करते हैं। आप के पास एक चित्र है जिसमें आपने एक कविता की पंक्ति अंकित कर दी है। अभी आपने 'सूर्य नमस्कार' नामक चित्र में हिन्दी शब्द 'सूर्य नमस्कार' का प्रयोग चित्र के एक भाग के रूप में किया है।**

रज़ा–केवल यही नहीं, कभी-कभी मैं चित्रों में कुछ छन्द भी अंकित कर देता हूँ, जैसे–'मेरा मुझमें कुछ नहीं' अथवा 'माँ लौटकर जब आऊँगा क्या लाऊँगा?' या 'तुमसे मिलकर उदास रहता हूँ।'

❑ **अशोक वाजपेयी–यही रीति विशेष कभी-कभी दर्शकों को इस प्रकार से भ्रमित कर सकती है कि वह चित्रों को समझने के बजाय उन्हें पढ़ने का प्रयास करने लगे। हर व्यक्ति उसे बार-बार पढ़ने की कोशिश करेगा। एक ऐसे व्यक्ति के लिए जो वह भाषा न जानता हो समझने में कठिनाई भी होगी।**

रज़ा–मेरी समझ से जो शब्द मैं चित्रों में प्रयोग करता हूँ अथवा उन पर लिखता हूँ, उनकी रचना बहुत सावधानीपूर्वक की जाती है तथा उन्हें चित्रों में व्यवस्थित ढंग से समाहित किया जाता है। यह अत्यधिक महत्त्वपूर्ण है लेकिन मूल रूप से यह पृथक् विचार है। मैंने महसूस किया है कि लयात्मक संक्षिप्तीकरण के क्षेत्र में कई सालों के प्रयोग के पश्चात् मैंने जो चित्र बनाए वे रंगों में विषयवस्तु से परे अभिव्यक्तियाँ थीं। पिछले कुछ सालों से मेरे कुछ चित्र उन विषयों को जन्म देते हैं, जिनपर आजकल प्रयोग हो रहा है, जिनके बारे में मैं विस्तार से बात नहीं कर रहा हूँ, बल्कि केवल संकेत कर रहा हूँ तथा जिनकी खोज कर रहा हूँ। जब मैं अपने चित्र में 'फैज़' के छन्द देवनागरी लिपि में अंकित करता हूँ तो यह एक प्रेमी का अपनी प्रेमिका से मिलने का सुख है और क्योंकि यहाँ पर वियोग है, दुख का भाव भी है। यह चित्र सुख और दुख दोनों ही भावों को रंगों के माध्यम से प्रदर्शित करता है। आकस्मिक मिलन में सुख है। वियोग में दुख है। आप कैनवास पर प्रेमी एवं प्रेमिका को शारीरिक रूप से नहीं देखते। मुझे लगता है कि यह शायद कविता और मानव जीवन के अस्तित्व के प्रति मेरा प्रेम है। मूलभूत मानवीय भाव (संवेग) जिन्हें हम रस कहते हैं, आज भी संगीत में विद्यमान हैं। साथ ही चित्रकला में भी वे विद्यमान हो सकते हैं। उदाहरण के लिए–मुझे लगता है कि शृंगार पर चित्र बनाना आसान है। राजस्थान पर चित्र बनाना सम्भव है, आत्मा के सबसे विकसित रूप को चित्रित करना भी सम्भव है। मैं ज़्यादा व्याख्या नहीं करना चाहता। मैं फ़ोटोग्राफर नहीं हूँ, मैं पत्रिका का रिर्पोटर भी नहीं हूँ। मैं धरती की सबसे खूबसूरत स्त्री का चित्र बना रहा हूँ। मैं नारी के अस्तित्व को प्रतिबिम्बित कर रहा हूँ। हमारी स्त्रियाँ साँवली होने के बावजूद बहुत खूबसूरत हैं, अपनी सुन्दर आँखों, सुन्दर ललाट एवं नारीत्व के कारण। वह जानती हैं कि कितना बताया जाए और कितना छुपाया जाए। उनमें लज्जा जैसा विशेष गुण निहित है जो कि अत्यन्त मूल्यवान् है। जहाँ तक मेरा सवाल है मैं पेरिस में रहता हूँ और यह जानता हूँ कि यहाँ पर अख़बार देह का ऐसा प्रदर्शन करते हैं जो आपमें इन अख़बारों के प्रति ऊब पैदा हो जाती है। जीवन तथा चित्रांकित भावों की लय में अनिवार्य रूप से नारीत्व हो सकता है। मुझे लगता है कि राजस्थान को, बिना उदयपुर के जगन्नाथ मन्दिर अथवा रंग-बिरंगी पोशाकों में सड़कों पर घूमते हुए स्त्री एवं पुरुषों तथा छत पर बैठे हुए मोर को चित्रित कर, प्रदर्शित किया जा सकता है। रेखाओं, रंग एवं अवकाश से इसका संकेत किया जा सकता है। आप देवताओं या ईश्वर के चित्र नहीं बनाते बल्कि अलौकिक आलोक और आनन्द को चित्रित करते हैं : साधारण और ईश्वरीय। मैं चाहता हूँ कि मैं सफ़ेद रंग में कुछ चित्रित करूँ, जिसमें हीरे जैसी चमक, चन्द्रमा की पवित्रता हो, जो कि प्रकृति में एक

रसिक के जीवन के प्रति प्रेम को प्रदर्शित करे, और इस सीमा तक चला जाए कि उसकी आखिरी सबसे बड़ी अभिलाषा अनिवार्य रूप से आध्यात्मिक हो, जो कि मेरी दृष्टि में सबसे बड़ी मानवीय महत्त्वाकांक्षा हो सकती है।

❑ **अशोक वाजपेयी–आपके किसी भी चित्र के तीन घटक हैं–एक, विषय-वस्तु जिसकी खोज की गई है एवं जिसे सुझाया गया है किन्तु जिसकी व्याख्या नहीं की गई है। दूसरे, रूप की ज्यामिति; तीसरे रंग और यह तीनों आपस में इस प्रकार जुड़े हैं कि इन सब तत्त्वों और आपकी प्रेरणा को आत्मसात् करने पर ही चित्र को आकार एवं जीवन प्राप्त होता है। क्या अब आप संतुष्ट हो पाते हैं कि जो आप चाहते थे वह दर्शकों तक संप्रेषित कर लिया है?**

रज़ा–मेरी पहली चिन्ता यह है कि क्या मैंने उन तत्त्वों के बीच सामंजस्य बैठा पाया हूँ जिन्हें मैं किसी विशेष चित्र में इस्तेमाल कर रहा हूँ। मेरी पहली चिन्ता दूसरे लोग, जनता या उसकी प्रतिक्रिया नहीं है; बल्कि यह है कि मैंने किस प्रकार अलग-अलग रूपों का प्रयोग किया है! कैसे उनके बीच अन्तस्सम्बन्ध स्थापित किया है? क्या उनके बीच वह तालमेल आ सका है जिसकी कल्पना मैंने की थी, जो चित्र के बनने के दौरान स्वरूप परिवर्तित कर लेता है? पुनः जैसा उस्ताद डागर ने कहा था : "मैं अभी भी राग का चेहरा नहीं देख पा रहा।" यह असाधारण है : आप आगे बढ़ें उसके पहले राग का चेहरा प्रकट होना ही चाहिए। ऐसा ही मेरे चित्र के मामले में भी है। यह कोई काल्पनिक नहीं बल्कि अत्यन्त ठोस और मूर्त उपस्थिति है जो यहाँ ठीक मेरे स्टूडियो में है : ज़रा सिर्फ़ मेरी देवी को देखिए–ये वहाँ है–भारत की एक आदर्श स्त्री का साकार रूप! यह ऐसी उपस्थिति है जिसे मैं चित्र बनाना शुरू करने के पहले नमस्कार करता हूँ। मैं उससे प्रार्थना करता हूँ और जब चित्र बनता नहीं दीखता तब मैं इस मूर्ति को देखकर खुद से कहता हूँ कि मुमकिन है कि काम शुरू करने के पहले मैंने ठीक से प्रार्थना नहीं की। एक बार अधिकांश काम पूरा हो जाए तो मैं बहुत व्यावहारिक और यथार्थवादी हो जाता हूँ। मुझे यह जानने की भी चिन्ता और दिलचस्पी रहती है कि लोगों की मेरे काम के प्रति क्या प्रतिक्रिया है : उन दर्शकों की जो मेरे स्टूडियो में आते हैं या वहाँ जब भी कोई चित्र किसी एकल या सामूहिक प्रदर्शनी में प्रदर्शित किया जाता है। यह देखकर मुझे बहुत संतोष हुआ है कि हाल के बरसों में बड़ी संख्या में कला-प्रेमियों ने मेरे वर्तमान कार्य को पसन्द किया है। मेरा विश्वास कीजिए, पहले कभी ऐसा नहीं हुआ : भारत में या फ्रांस में या अन्य दूसरे शहरों में, जहाँ मैंने चित्र प्रदर्शित किए। कभी-कभी भारतीय दर्शन या प्रतीक परम्परा के चिह्नों और संकेतों को लेकर, जिनका मैं प्रयोग करता हूँ और जो शायद उनकी समझ में नहीं आते, प्रश्न पूछे जाते हैं। कभी-कभी जब बिना यह जाने कि वे जानना चाहते हैं या नहीं, मैं अगर उन्हें कुछ समझाने लगता हूँ तो कुछ ऐसे भी हैं जो कहते हैं कि यह प्रासंगिक नहीं है। चित्र में असल मामला रंग के जादुई वक्तव्य का है। लेकिन ऐसे लोग भी हैं जो सवाल करते हैं। अनेक प्रकार के लोग हैं और उन सबकी भिन्न प्रतिक्रियाएँ हैं।

❑ **अशोक वाजपेयी–क्या यह कहें कि आधुनिकता के सारे उपकरणों का पारम्परिक प्रज्ञा और अन्तर्दृष्टियों के पुनरनुसन्धान और पुनराविष्कार में उपयोग हो रहा है : क्या यह आपकी कोशिश का सचेत हिस्सा है?**

रज़ा–यह अद्‌भुत अनुभव होगा अगर हम ऐसा कर पाएँ। इससे उन वस्तुओं को नया अर्थ मिलेगा जो अतीत में रही हैं और जो, जैसा मैंने कहा, शाश्वत हैं। वे मर नहीं रहीं, पुरानी नहीं पड़ी हैं। बात सिर्फ़ यह है कि हमें उन्हें नया अर्थ देना है, नई जीवन्तता, हमारी समझ की क्षमता के अनुसार उनकी नई व्याख्या करनी है। मुझे लगता है कि यह कविता में सम्भव है, संगीत में सम्भव है, नृत्य में सम्भव है। और यह संगीत और नृत्य में सम्भव है तो समकालीन भारतीय कला और शिल्प में भी सम्भव होना चाहिए। लेकिन तब चीज़ें इतनी आसान भी नहीं। मैं भारतीय शास्त्रीय नृत्य-भरतनाट्‌यम का उदाहरण दूँ। चेन्नई में 'कलाक्षेत्र' है जहाँ नृत्य सीखने अनेक लोग जाते हैं। संगीत और नृत्य में अनुशासन की निरन्तरता रही है जिसके कड़े नियम और पाबन्दियाँ हैं। चन्द्रलेखा ने आविन्यों के उत्सव में भरतनाट्‌यम की अलग ही व्याख्या प्रस्तुत की और मुझे याद है कि कैसे ये स्त्रियाँ, और खासकर पुरुष भरतनाट्‌यम में एक विशेष तरह का ऑपेरा कर रहे थे! यह सम्भव है और क्यों न हो? और मेरा ख़्यात है कि ध्रुपद को अभी भी पुनर्जीवित किया जाना और विकसित करना सम्भव है। मेरे विचार में यह सम्भव है कि घराना, कुटुम्ब

या परिवार, आप चाहे जो कहें, परम्परा की यह धारणा, अपने नियमों के साथ जारी रह सकती है। मैं सिर्फ़ इतना जोड़ना चाहूँगा : इसे सघनता के साथ बढ़ना चाहिए। वह अनिवार्य सघनता इससे अलग न हो। मैं अब उस तरफ़ आ रहा हूँ जो मुझे समकालीन भारतीय कला में सबसे अधिक आकर्षित करता है। मैं राजस्थान में या बिहार में, दक्षिण भारत या कहीं भी, नए कलाकारों को पारम्परिक भारतीय चित्रकला में राजपूत, जैन लघुचित्रों की दिशा में शोध करने को उत्साहित करूँगा, क्यों नहीं? मैं उन्हें मधुबनी चित्रकला या वर्ली चित्रकला, कालीघाट चित्र-शैली और अन्य लोक-शैलियों पर काम करने को उत्साहित करूँगा। उस दिशा में विकास करना सम्भव है।

अब यह नए कलाकारों पर है कि वे अपने क्षेत्र का चुनाव करें और अपनी कलाभिव्यक्तियों के लिए नया विस्तार, उनमें नई अर्थाभा लाएँ। इस वर्ष मुम्बई में मेरी दो युवा चित्रकारों से भेंट हुई, दोनों स्त्रियाँ थीं, और उनमें से एक पुणे की थी। दोनों पारम्परिक भारतीय चित्र-शैलियों में काम कर रहीं थीं, वे पच्चीस बरस के आसपास की कलाकार थीं। मैंने कहा : ''शाबास! तुम्हारे अन्दर इसकी समझ है।'' ''लेकिन मैं आधुनिक नहीं हूँ'', उनमें से एक ने कहा। मैंने कहा, ''उसकी चिन्ता न करो। अगर तुम आधुनिक नहीं तो यह सबसे महत्त्वपूर्ण बात नहीं। बात यह है कि या तो तुम कमज़ोर ढंग से पारम्परिक तरीके से भारतीय लघुचित्र शैली में बनाओ या उससे बेहतर करो जो 18वीं, 19वीं सदी में किया जा चुका है। अगर तुम बेहतर बना सकती हो तो तुम्हारा काम प्रामाणिक/उचित होगा और उसके लिए चित्रकला के तत्त्वों की समझ ज़रूरी होगी। कला कोई पेशा नहीं, वृत्ति है। तुम्हें स्वयं को दे देना होता है जैसे प्रेम में दे देती हो या जैसे प्रार्थना में या ईश्वर के प्रति अनुराग में स्वयं को समर्पित करते हैं।'' हममें से कुछ '40 और' 50 के दशकों में आधुनिक आन्दोलन, आधुनिक शोध में लगे थे। यह क़तई मुमकिन है कि लोगों का एक समूह, भारत के कुछ चित्रकार पारम्परिक भारतीय चित्रशैली को समर्पित हों। राजस्थान में ऐसे कलाकार हैं जो इसी दिशा में काम कर रहे हैं। अगर वे अच्छा काम करें तो यह अद्‌भुत होगा लेकिन उन्हें महत्त्वपूर्ण चित्र बनाने होंगे। मात्र आकर्षक रंगीन चीज़ बनाने से काम नहीं चलता। महत्त्वपूर्ण बात यह है कि वे ऐसे अर्थपूर्ण चित्र बना सकें जहाँ हमारा समय भी उपस्थित हो। विज्ञान और टेक्नालॉज़ी का हमारा समय! वे समकालीन विषय उठा सकते हैं पर परिकल्पना को, अनिवार्य उपस्थिति को व्यक्त होने की प्रतीक्षा करनी चाहिए। मुझे नहीं पता कि मैं कला की विविध जटिल अभिव्यक्तियों की अपनी समझ के मुताबिक मुझे लगता है कि यही वह दिशा है जिधर बढ़ना चाहिए। उदयपुर के दक्षिण में नाथद्वारा नामक एक शहर है जहाँ एक सुन्दर श्रीनाथ का मन्दिर है। मुझे यह शहर घूमने में, प्राचीन कलाकृतियों की दुकानों से नए कलाकारों तक, बड़ा आनन्द आया। मुझे पारम्परिक राजपूत शैली में चित्र बनानेवाले एक कलाकार से मिलने का मौका मिला। वहाँ नाथद्वारा की अनेक छवियाँ थीं और दूसरी अनेक प्रकार की मूर्तियाँ। लेकिन यह कलाकार काले-सफ़ेद में और रंगों में एक साथ काम कर रहा था। दरअसल उसने मुझे एक चित्र भेंट किया, एक स्त्री का चित्र जो कुछ-कुछ किशनगढ़ शैली की एक आकृति से मिलता था, जो मेरी शैली के निकट पड़ता था। मुझे ऐसा लगता है कि ऐसे अन्य लोग भी हैं जो इस दिशा में काम कर रहे हैं, जिन पर ध्यान दिया जाना चाहिए। वे उन कलाकारों से कहीं ज़्यादा दिलचस्प काम कर रहे हैं जो मुम्बई में अभी भी याने 2001 में 'इम्प्रेशसनिस्ट' काम कर रहे हैं। मुझे लगता है कि हमारे स्रोत अनन्त हैं और उनका पूरा इस्तेमाल होना चाहिए। हमें उन्हें गँवा नहीं देना चाहिए। मैं नहीं चाहता कि हमारे युवा कलाकार यूरोप, अमरीका और अन्यत्र जो अवाँगार्द काम हो रहा है, उस ओर से आँख फेरे रहें। लेकिन हमारे भीतर यह कहने का पर्याप्त विश्वास होना चाहिए कि हम यह चुन रहे हैं, 'मैं यह कहना चाहता हूँ। ऐसे स्रोत हैं जो मेरे हैं और जो मुझसे, इस जगह से जुड़े हैं।' किसी को भी यह काम यक़ीन के साथ करना चाहिए।

❑ अशोक वाजपेयी–एक प्रश्न आपके काम से जुड़ा है। अधिकतर रचनाकार, चाहे चित्रकला के या मूर्तिकला के, साहित्य या संगीत के क्षेत्र के उस आलोचनात्मक प्रतिक्रिया से असन्तुष्ट रहते हैं जो उन्हें मिलती है। वे आलोचकों से असन्तुष्ट रहते हैं, इस बात से नाखुश कि उन्हें ठीक से समझा नहीं गया, कि कोई भी उनके कार्य की आत्मा तक पहुँचने

की कोशिश नहीं करता। अपने कार्य को लेकर आलोचकों के प्रतिक्रिया के प्रति आपका क्या रुख है?

रज़ा—हर तरह की प्रतिक्रिया मिलती है। ईमानदारी से देखें तो आलोचना रचना के बाद आती है। इसका स्थान कलाकृति और कलाकार के पहले नहीं है। कलाकार के रूप में फ्रांस और भारत के अपने अनुभव में मुझे अच्छी और बुरी—दोनों तरह की समीक्षाएँ मिली हैं। मैं कहूँ कि मैंने कभी कला समालोचकों के पीछे भागने की कोशिश नहीं की, उनसे मदद की अपेक्षा नहीं की। आलोचकों से प्रायः मेरे अच्छे सम्बन्ध रहे, उनमें से कुछ मेरे बहुत गहरे मित्र हैं और यदा-कदा फ्रांस और भारत में मेरी प्रतिकूल आलोचना भी की गई है, जो स्वाभाविक है। राइनर मारिया रिल्के का कहना था—''कला-आलोचना से बुरी और कोई चीज़ नहीं।'' मैं उतनी दूर तो नहीं जाऊँगा। मेरी समझ में मीडिया या आलोचक कला-परिदृश्य को समझने, उसे उभारने के लिहाज से जवाबदेह हैं और वे अच्छे, बुरे या बिल्कुल ही अप्रासंगिक हो सकते हैं। मुझे पक्का यक़ीन है कि प्रामाणिक कार्य ज़रूर ध्यान खींचता है। इसमें कुछ वक़्त लग सकता है लेकिन मीडिया किसी एक विशेष समय में प्रामाणिक कार्य पर ज़रूर ध्यान देता है। क्या हमें इसकी फ़िक्र करनी चाहिए? हाँ भी और नहीं भी। लेखक और कलाकार भी एक इन्सान है और प्रशंसा से उसे खुशी ही होती है। यह कुछ वैसा है जैसे एक स्त्री सुन्दर समझे जाने और तारीफ़ किए जाने पर खुश हो। मैं जानता हूँ कि मेरे ऐसे कवि-मित्र हैं जो अपनी कृतियों से नितान्त उदासीन हैं लेकिन जब कभी मैं उनकी कुछ कविताओं की, जो मुझे याद हैं, आवृत्ति करता हूँ तो उनके चेहरे पर चमक देखता हूँ। मेरे विचार से यह अत्यन्त मानवीय और स्वाभाविक बात है कि वे प्रसन्न हों; ऐसा ही कलाकारों के मामले में भी सच है। मेरे दिमाग़ में एक बात साफ है : रचना-प्रक्रिया में दूसरे की प्रतिक्रिया का कोई भी महत्त्व नहीं। मैं इस तरह सोचना शुरू नहीं कर सकता कि कौन चित्र खरीदेगा, किसे चित्र पसन्द आएगा, किसे नहीं। हमें क्रिया में पूरी तरह संलग्न रहना चाहिए, पूरी एकाग्रता के साथ और रचना में डूबा होना चाहिए। इसे पसन्द किया जाएगा या नहीं, यह बिकेगा या नहीं—प्रासंगिक नहीं, कम से कम, जब तक मैं काम में लगा हूँ। एकमात्र जिस चीज़ के लिए मैं प्रार्थना करता हूँ कि मेरी सारी वृत्तियाँ समन्वित हों, कि मैं चित्र को अपने आपको पूरा दे सकूँ, कि प्रेम की अवस्था की तरह ही मेरा काम करना हो। जैसा आपने अपनी एक प्रेम कविता में लिखा है।

❑ **अशोक वाजपेयी—कभी-कभी जब एक कलाकार के जीवन की तुलना कवि के जीवन से की जाती है तो यह विशेषकर ट्रैजिक लगता है कि जबकि कवि के पास उसकी सारी कविताएँ आजीवन रहती हैं, भले ही दूसरे उन्हें पढ़ें और किताबें छपें; एक कलाकार के पास, खासकर जो सफल हो, उसका कुछ भी नहीं बचता जब तक कि वह सचेत भाव से उन्हें बेचने से मना न कर दे या भेंट न दे। आप नहीं जानते कि आपके चित्र कहाँ और कैसे लगे हैं और कैसे लगते हैं। यह कुछ ऐसा है जैसे आपके बच्चे जो जा चुके हैं और जिनकी कोई खबर नहीं, वे कहाँ हैं, क्या कर रहे हैं।**

रज़ा—ऐसा तो होता ही है। लेकिन अत्यन्त प्रामाणिक चित्रकारों के असंख्य उदाहरण हैं : वान गॉग ने अपनी पूरी ज़िन्दगी में शायद एक छोड़ कोई भी चित्र नही बेचा, वह भी उसके भाई ने खरीदा था। और उसकी कलाकृतियाँ आज लाखों डालर के बराबर हैं। मेरे ख़्याल में यह एक अवश्यम्भावी ट्रैजेडी है, लेकिन इसका कोई बहुत अर्थ नहीं। महत्त्वपूर्ण बात सिर्फ़ यह है कि यह कवि, कलाकार या लेखक क्या व्यक्त करना चाहता है, अपने जीवनभर के अनुभव और कार्य के आधार पर। मुझे लगता है कि अरसा बाद सन्त तुकाराम की खोज हो पाई। ऐसे कवियों के उदाहरण हैं जिनकी कृतियाँ जादू से ही बच पाईं और बहुत बाद में लोगों की निगाह में आ पाईं।

मुक्तिबोध अपने जीवन में एक भी कविता-संग्रह प्रकाशित न कर सके। और मेरा यह विचार है कि हमारे जीवन में मुक्तिबोध महत्त्वपूर्ण हैं। क्या उन्होंने यह नहीं कहा : 'चाँद का मुँह टेढ़ा है', 'इस तम शून्य में तैरती है जगत् समीक्षा' और ऐसी अनेक चीज़ें जिन्हें मैं नहीं जानता। आपको क्या नहीं लगता कि यह महत्त्वपूर्ण है कि अन्य कवि जो ज़्यादा सफल हैं और अख़बारी हो गए, निरर्थक रहे जबकि मुक्तिबोध का अस्तित्व बना रहा? वह अस्तित्व की एक अवस्था तक पहुँचे, वे थे, उन्होंने खामोशी की गूँजों को दर्ज किया। यह क़तई सम्भव है कि जितना ही कोई महान्

कलाकार या कवि अपने जीवन में सफलता से वंचित हो, उतना ही कोई सार्थक कलाकार या कवि अपने जीवन में ही प्रशंसित हो।

❑ **अशोक वाजपेयी–आप किसी नए रंग का आविष्कार की खोज कैसे करते हैं? जैसा आपने कहा, वह क्या है ज़ो पाँच मूल रंगों की ओर ले जाता है? आप अन्य रंगों को कैसे ग्रहण करते हैं, एक रंग को दूसरे से कैसे मिलाते हैं या कैसे रंग की एक नई ट्यूब उठाते हैं? क्या यह एक सचेत क्रिया है? यह क्या कमोबेश उस सर्जनात्मक प्रक्रिया-सी नहीं जिसमें आप उस किसी वस्तु की ओर हाथ बढ़ाते हैं जिसे अब तक नहीं जानते लेकिन जिसकी किसी अदृश्य कारण से तीव्र आवश्यकता अनुभव करते हैं?**

रज़ा–मेरे अपने अनुभव में और पिछले कुछ बरसों में मैं जिस तरफ़ बढ़ रहा हूँ, मेरे पास किसी चित्र की पूर्व-नियोजित ज्यामितिक संरचना होती है जो किसी विशेष विषयवस्तु से सम्बद्ध होती है। उदाहरण के लिए, कुछ बरस पहले मैं 1.50 मीटर × 1.50 मीटर के एक बड़े कैनवास पर एक चित्र बनाना चाहता था और यह ज्यामितिक आकृतियों में बँटी हुई थी जो मात्र अनेकानेक त्रिभुज थे। सबसे पहले पूरे कैनवास के एक कोने से दूसरे कोने तक दो तिर्यक रेखाएँ थीं ओर वे समानान्तर तिर्यक रेखाएँ अनेक त्रिभुजों का निर्माण करती थीं जो पुरुष और प्रकृति, पुरुष और स्त्री ध्रुवों का प्रतिनिधित्व करते थे। स्त्री सत्ता में नीचे की ओर एक बिन्दु और पुरुष सत्ता में त्रिभुज के ऊपर एक बिन्दु। शायद उसमें दो सौ से ऊपर त्रिभुज थे, केन्द्र में एक बड़ा त्रिभुज था जो काला था और उसके चारों ओर छोटे-छोटे त्रिभुज थे जो नीले और काले थे और जैसे-जैसे किनारे के चारों कोनों की ओर बढ़ते जाते थे, हल्के होते जाते थे। नीचे का हिस्सा ऊपर के हिस्से के मुकाबले अधिक गहरे रंग का था जो मेरे अनुसार प्रकाश की ओर मुक्ति की राह का संकेत करता था। ज्यामिति निश्चित थी; कैनवास और सेंटीमीटर प्रायः मापे हुए। मेरे 3, 9, 18, 36 यानी 3 के गुणक आदि के प्रति झुकाव का इससे कुछ सम्बन्ध है। ज्यामिति स्थिर होती है पर एक रंग का दूसरे से सम्बन्ध वस्तुतः सामंजस्य का प्रश्न है। रंग एक-दूसरे के प्रति अनुराग रख सकते हैं और उदासीन भी हो सकते हैं। वे एक दूसरे के प्रति शत्रुतापूर्ण भी हो सकते हैं। रंग असंख्य मानवीय भावनाओं को प्रकाशित कर सकते हैं जिनकी हमारे भीतर क्षमता है और मैं कोशिश कर रहा हूँ कि उन्हें कैनवास पर जीवंत किया जा सके। यह एक नितांत नया अनुभव-लोक खोलता है। इस चित्र के द्वारा, मैंने सोचा, सरलतम साधनों से मैं उस चीज़ की ओर इशारा कर रहा हूँ जो प्रकृति में मूलभूत है। जीवन में, गर्भावस्था में, जन्म और मरण में ध्रुवांतता! मेरे विचार से भारतीय विचारों के आधार पर और उनकी सहायता से इस प्रकार की एक वस्तु परिकल्पित की जा सकती है। मैं उदाहरण के लिए एक दूसरा चित्र लेता हूँ जिससे रंग-समन्वय की बात साफ हो सके। एक बिन्दु जो श्याम है और धूसर में विकीर्ण होता है : यह एक विशिष्ट रंग-स्थिति है जो प्रकाश के श्यामवर्ण से सम्बन्ध को पुनः याद दिलाती है। यह अद्भुत वास्तविक यथार्थ बिन्दुनाद है। एक और उदाहरणः एक बीज के रूप में बिन्दु, एक अनिवार्य ज्यामितीय आकृति–यह विचार मेरे दिमाग़ में गड़ा हुआ है। बीज ऊर्जा विकीरित करता है और वह ऊर्जा रंगों में प्रकट होती है जो उजले, पीले, नीले और लाल हैं। अब यह रहा एक बिन्दु पाँच रंगों से युक्त। काला संकेन्द्रित वृत्तों में विकीर्ण है, धूसर उजले की ओर जा रहा है, नारंगी पीले की ओर, गहरा लाल अरगजी लाल मिलता-सा और गहरा नीला आसमानी की ओर जाता हुआ। एक मूलभूत चित्रात्मक यथार्थ। मैं और आगे जाऊँगा। मैं इसी पंचतत्त्व बिन्दु को कैनवास के केन्द्र में रख दूँगा और उसके गिर्द अपना उपवन, अपना संसार, केन्द्रीय बिन्दु से पाँच रंगों में उभरता हुआ! यह मेरा उपवन है, यही मेरी दृष्टि है। मुझे नहीं पता कि भारत के किस संग्रह में यह कलाकृति है, पर यह मेरे सर्वश्रेष्ठ कैनवासों में से है। फिर और भी योजनाएँ हैं जो उसी जलबिन्दु से निकली हैं; दुर्भाग्यवश वह चित्र कान से पेरिस आते हुए एक ट्रक से चोरी हो गया। मेरे पास राजस्थान के चित्र हैं जो रंग का आह्लाद प्रकट करते हैं। यहाँ पुनः चित्रात्मक तर्क महत्त्वपूर्ण होगा। निरपवाद रूप से, चित्रात्मक स्थितियाँ भिन्न-भिन्न होती हैं। आपको आशु रचना करनी होती है, कार्य के दौरान निर्णय लेने होते हैं, जो, मैं कहूँगा, बुद्धि पर नहीं, काम के समय रंग की सीधी समझ पर निर्भर होते हैं।

❑ **अशोक वाजपेयी–मुझे याद आता है कि गार्बियो में**

आपके पास एक रिकार्ड प्लेयर हुआ करता था और संगीत बजता होता था, जब आप चित्र बनाते थे। अब कहीं संगीत नहीं दीख पाता। यहाँ रिकार्ड प्लेयर तो है, पर अब और आप उसे बजाते नहीं।

रज़ा—नहीं, ठीक उलट मुझे तो चित्र बनाते वक़्त संगीत से बड़ी दिक्कत होती है। मेरे ख़्याल में मेरे अन्दर एक आन्तरिक संगीत है जो मेरे लिए रिकार्ड पर सुने जाने वाले श्रेष्ठतम संगीत के मुक़ाबले अधिक महत्त्वपूर्ण है। यह आन्तरिक संगीत मेरे लिए अत्यन्त मूल्यवान् है, यह मेरा अपना संगीत है, यह मेरी धुन है और मैं महसूस करता हूँ कि यह खामोशी में सुना जा सकता है। यह अत्यन्त मूल्यवान् है। मैं बिल्कुल शोर नहीं चाहता, रुकावटें नहीं चाहता। मैं अपने प्रेमी के साथ हूँ, अपने ख़याल/विचार के साथ हूँ। मैं महसूस करता हूँ कि काम करते वक़्त पूर्ण एकाग्रता अनिवार्य है। मैंने पाया है कि अपने अन्दर से आते सन्देश को पकड़ना बहुत ज़रूरी है। अकेले रहना बहुत कठिन है। मेरे हिसाब से वह व्यक्ति अत्यन्त भाग्यशाली है जो केवल अपने साथ एकान्त पाता है, किसी शून्य की अवस्था में नहीं बल्कि एकाग्र कर्म की अवस्था में, उन विचारों के साथ सम्बद्ध जो उससे उत्पन्न होते हैं। कला प्रायः आख्यान से इतर अन्य वस्तु का संकेत करती है तो महत्त्वपूर्ण हैं, और ऐसा कविता में भी होता है। किन्तु पूरी एकाग्रता आवश्यक है। यहाँ अतीत, वर्तमान और भविष्य मिलते हैं, जहाँ आनुवंशिक स्मृति, प्रजातीय अवचेतन, अपनी शिक्षा और प्रशिक्षण, आपकी रोज़मर्रा की ज़िन्दगी सब एक विचित्र और अनिर्वचनीय ढंग से एक साथ मिलते हैं और आप जो कहना चाहते हैं, उसका सारतत्व रख पाते हैं, चाहे वह चित्र हो या कविता। यह मुक्ति की शुद्ध अवस्था है जो शब्दातीत है। मुझे पता है कि कभी-कभी आप सचेत हो जाते हैं पर सचेत होना इस गतिविधि के लिए बाधक है। मैं जानता हूँ कि तर्क, बुद्धि अनुपस्थित नहीं। पर यह मुख्य क्रिया का गौण अंश है। वस्तुतः मैं दोहराना चाहूँगा, चिन्तन तो उच्चतम सर्जनात्मक क्रिया के लिए किसी न किसी प्रकार बाधक है।

❑ **अशोक वाजपेयी—आपकी सबसे बड़ी निराशाएँ क्या थीं?**

रज़ा—मुझे सबसे अधिक निराशा, दुख के समान, 1948 में हुई जब महात्मा गांधी की हत्या कर दी गई। यह एक व्यक्ति की करतूत थी जिसके अपने विश्वास थे। यह ठीक उस समय हुआ जब भारत स्वतन्त्र ही हुआ था। वह उस वक़्त हुआ जब हम जवानी और ऊर्जा से भरे हुए थे। हम अपनी नियति अपने हाथ में लेने को उद्यत थे और इस अपार उत्साह और आनन्द के अपने जीवन के समय यह ट्रैजिक घटना हुई। मैं इससे अधिक बड़े किसी और दुख की कल्पना नहीं कर सकता। हमें शून्य और हताशा का, अत्यन्त क्षोभ का अनुभव हुआ। मुझे याद है ये वही साल थे जब मैंने अपने माता-पिता को खोया। बचपन में हम राजनीतिक रूप से सचेत न थे। और अलग-अलग कारणों से, पिता के चलते हम किसी भी प्रकार की सामाजिक या राजनीतिक गतिविधि से दूर ही रहे। लेकिन राष्ट्रीय गर्व की भावना थी, स्वतन्त्र होने की इच्छा तो थी ही। महात्मा गांधी ने सम्पूर्ण राष्ट्र को शक्ति के एक अद्‌भुत स्रोत में परिणत कर दिया था। अपनी सारी ताकत के बाद भी अंग्रेजों को भारत छोड़ना पड़ा और यह आज़ाद हुआ। और तभी राष्ट्रपिता की हत्या कर दी गई। मैंने जीवन में इतने गहरे दर्द और पीड़ा का और किसी घटना के कारण नहीं अनुभव किया।

❑ **अशोक वाजपेयी—लेकिन यदि कला के क्षेत्र में आपसे अपनी सबसे बड़ी निराशा के बारे में पूछा जाए तो वह क्या है?**

रज़ा—एकदम स्पष्ट कहूँ तो समकालीन भारतीय कला के प्रसंग में तो मुझे इतना कुछ गर्व करने योग्य, प्रसन्नता के योग्य दीखता है। यहाँ तक कि फ्रेंच कला में भी मुझे निराश करने लायक कुछ नहीं दीखता, ऐसी कुछ प्रवृत्तियों को छोड़कर जो छद्‌म बौद्धिक आडम्बर की ओर ले जाती हैं, अगर मैं कड़े शब्दों का इस्तेमाल करूँ, जिस प्रक्रिया में आरम्भिक तर्क और सरल बुद्धि का लोप हो जाता है ये निराशाजनक है। ठीक इस कारण कि कुछ अत्यन्त मेधावी कलाकार, कला समालोचक और संग्रहालय-संचालक इस दिशा में जा रहे हैं। इस प्रक्रिया में निहायत ही छिछली वस्तु को भारी-भरकम बौद्धिक शब्दावली, अर्थों और व्याख्याओं से मंडित किया जा रहा है, ऐसी वस्तु को जिसका प्रामाण्कि कलाभिव्यक्ति से कोई रिश्ता नहीं। एक प्रवृत्ति यौनानुभवों को भी कुछ ज़्यादा खींचने की है। मेरा हमेशा से यह यक़ीन रहा है कि मानवीय

जीवन का यह पक्ष आदिम है और यह बहुत महत्त्वपूर्ण है। स्त्रियों के प्रति मेरा गहरा आकर्षण रहा है जैसे प्रकृति के प्रति, वह सबकुछ जो सुन्दर है। स्त्रियाँ शक्ति हैं। जैसा आचार्य अत्रे ने कहा है, ''स्त्री कुछ समय के लिए पत्नी होती है, पर हमेशा ही माँ बनी रहती है।'' ये वे भावनाएँ हैं जो प्राचीन भारत में प्रचलित थीं और अपनी चिन्तन-प्रक्रिया में मैं निरन्तर उनके पास लौटता हूँ : स्त्री को सम्मान, बराबरी, प्रेम, आदर के साथ देखना। और अनेक बार कला की दुनिया में उन्हें निरी पाशविक वृत्तियों और आवेगों तक नीचे खींच लाया जाता है। मैं 'प्लेबॉय' जैसी घासलेटी पत्रिकाओं की बात नहीं कर रहा जो अभी चालू हैं। मैं तो पेरिस की कला-प्रदर्शनियों की चर्चा कर रहा हूँ। मैं कतरीन मायो द्वारा निकाली जा रही फ्रेंच पत्रिका 'आर्तप्रैस' का जिक्र कर रहा हूँ जहाँ अत्यन्त नग्न सेक्स, वासनाएँ प्रदर्शित की जाती हैं। मैं 'ल मॉन्द' जैसे गम्भीर पत्रों की बात कर रहा हूँ जिनमें लगातार निम्नस्तरीय यौन-अभिव्यक्तियों को जगह दी जा रही है।

मुझे सेन नदी पर पेरिस में एक प्रदर्शनी की याद है जिसमें किसी पूर्व यूरोपीय देश से एक नग्न पुरुष की मूर्ति भेजी गई थी जो उत्थित लिंग के साथ घूम रही थी। मूर्ति तो औसत क़िस्म की थी, मेरे विचार में उसमें कोई शिल्पगत मूल्य न था और उसका विचार निहायत ही बचकाना था। लेकिन इस तरह के प्रदर्शन की ओर प्रेस में बहुत ध्यान दिया जा रहा है।

यह कहते हुए, मैं पूरी तरह वाकिफ़ हूँ कि इससे समानान्तर फ्रांस, इंग्लैण्ड, अमेरिका, भारत में महान् संवेदनाओं और प्रतिभा की अभिव्यक्तियाँ भी हैं। इस तरह मैं यह सोचने को मजबूर हूँ कि सनसनीख़ेज चीज़ों से ग्रस्त चित्रकार अपनी आन्तरिक प्रेरणाओं और आवश्यकताओं की तलाश करने की जगह इसकी खोज करते रहते हैं कि कौन-सी चीज़ जनता का ध्यान खींच सकती है। वे अपनी स्वयं की सत्ता के भीतर गहरे उतरकर और अपनी दृष्टि तथा व्यक्तित्व का विकास करते हुए कुछ भी मौलिक और नवीन खोज पाने में असफल रहते हैं।

फ्रांस में हमारे पास 'निएका द सिल्वा' या 'जोसेफ्र सीमा' जैसे कलाकार हैं। अमेरिका में भी पॉपआर्ट और मेरी दृष्टि में अनेक अरुचिकर या महत्त्वहीन चीज़ों के बावजूद 'मार्क राथको' जैसे महान कलाकार हैं।

भारत के प्रसंग में सिर्फ़ यही जोड़ूँगा कि यूरोप में छाई इन प्रवृत्तियों में से कुछ भारतीय परिदृश्य में प्रवेश कर रही हैं और यह आज के कलाकारों पर, विशेषकर युवा कलाकारों पर है कि उनके पास विवेकशील दृष्टि और चिन्तनशील मस्तिष्क होने चाहिए जिससे उन्हें दिशा मिल सके।

एक अन्तिम बात कहना चाहूँगा, जो मैंने पहले भी एक बार कही है कि फ्रांस ने मुझे अनेक चीज़ें दी हैं और एक चीज़ जो मेरे पास न थी—साफ़ सोचने की शक्ति। मुझे लगता है कि चिन्तन और तर्क की असाधारण प्रतिभा से युक्त व्यक्ति ही स्वयं को दिशा दे सकते हैं। हमारे आगे ये सम्भावनाएँ खुली हैं और इन्हें विकसित करना और अपने जीवन में मूल्यों को स्थापित करना बहुत ज़रूरी है। यह निश्चित करना होगा कि हमारी अभिव्यक्ति की दिशा क्या है। सर्जनात्मक कार्य के पहले हमेशा ही एक चिन्तन-प्रक्रिया सक्रिय होती है। मुझे लगता है कि ऐसे रचनाकार भी हैं जो बहुत नहीं बोलते। मुझे ऐसों का भी पता है जो बोलते हैं और ज़रूरत से ज्यादा बोलते हैं। दोनों ही मामलों में शायद मौन अत्यन्त व्यंजक हो सकता है पर देखना यह है कि यह ऊर्जस्वित है अथवा खाली है। ऐसे कलाकार हैं जो बोलते हैं और हमें जानना चाहिए कि उनकी बात का सार क्या है, अर्थ क्या है, उसका दर्शन क्या है। असली दिलचस्पी तो उन विचारों में है जो वे प्रस्तुत करते हैं।

❑ **अशोक वाजपेयी—क्या कभी आपको ऐसा सन्देह हुआ है कि उम्र और सयानेपन के साथ-साथ आप शायद रूढ़िवादी होते जा रहे हैं? और क्या नई प्रवृत्तियों को लेकर आपका रुख़ बहुत अधिक आलोचनात्मक है?**

रज़ा—हाँ, क्यों नहीं। मैं महसूस करता हूँ कि मैं अपनी पीढ़ी, सयाने इंसान की तरह बिताए वक़्त, अपनी जवानी और बाद के बरसों की, यहाँ तक कि अभी तक के समय की पैदाइश हूँ। कभी-कभी ज़रूर मुझे लगता है कि मैं उन मूल्यों का कैदी हूँ, उनके द्वारा एक बंदिश में डाल दिया गया हूँ जो मेरी पीढ़ी के हैं और जो नई पीढ़ी को हासिल नहीं। मुझे यह अहसास है कि मैं युवतर, बाद की पीढ़ियों से काफी कुछ सीख सकता हूँ। मैं यह भी जानता हूँ कि बहुत-सी चीजें मेरी पकड़ के बाहर हैं। मिसाल के तौर पर, लेखन, कला, शायद चिन्तन

तक में वैज्ञानिक पद्धति का ज़बर्दस्त इस्तेमाल, इलेक्ट्रानिक्स और दूसरे सारे यंत्र! मैं क़बूल करता हूँ कि यहाँ मैं एकदम से विमूढ़ हो जाता हूँ, हार जाता हूँ। मैंने उनके साथ तालमेल बैठाने की कोशिश की है, पर उनका इस्तेमाल, पूरा ढाँचा, मशीन मेरी समझ से परे है।

जो कुछ भी मेरे अपने ढाँचे के अनुकूल हो, उसे मैं अपनाना और सीखना चाहूँगा। लेकिन मेरे लिए यह न तो ज़रूरी है और न ही मुमकिन कि मैं 1995 में जन्मा एक नौजवान बन जाऊँ। मुझे अपने इन आखिरी बरसों में, जो भी सम्भावनाएँ, क्षमताएँ मेरे अन्दर अभी भी हैं, उन्हीं को लेकर बेहतर काम करना है और मुझे लगता है कि काफ़ी कुछ किया जा सकता है। कभी-कभी मुझे लगता है कि अन्त आ रहा है। काम नहीं हो रहा है। तभी अचानक, एक बार फिर देव कृपा! मुझे एक नया ख़याल आता है, एक नई प्रेरणा जो ऐसी ऊर्जा के साथ विकसित होती है कि मैं खुद हैरत में पड़ जाता हूँ। ऐसे क्षण आते हैं, हताशा, संदेह के, और इसी तरह की और चीजों का दौर निश्चय ही आता है, लेकिन फिर जो चीज़ सबसे अधिक हावी रहती है, वह है उत्साह, काम करने, चित्र बनाने की इच्छा, शायद अपनी आखिरी महत्त्वपूर्ण कृतियों को रचने की इच्छा!

❑ **अशोक वाजपेयी–आपने कई बार यह कहा है कि बचपन से ही आपको राजनीति से विमुख किया गया और एक तरह से कहें तो आप राजनीति से दूर ही बने रहते आए हैं। दूसरी तरफ, कला की दुनिया में ऐसी बहुत-सी प्रवृत्तियाँ हैं और अनेक महत्त्वपूर्ण कलाकार हैं जिन्होंने राजनीति से प्रेरणा ली है। कहा तो दरअसल यह गया है कि जो वास्तव में यह कहते हैं कि राजनीति में उनकी दिलचस्पी नहीं, वे एक दूसरी क़िस्म की राजनीति कर रहे होते हैं। उनका राजनीति विरोध भी एक तरह से राजनीति ही है। यह आरोप लगाया जाता है कि हमारे अपने समय में मनुष्य की अवस्थिति से अपने को अलग करके वे सामाजिक रूप से ग़ैर-जिम्मेदार बर्ताव कर रहे हैं। राजनीति के इस अलगाव ने क्या कभी आपको परेशान किया है? क्या कभी आपको यह ख़याल आया है कि कभी-कभार राजनीति से मुठभेड़ करना शायद उतना अवांछित भी न होता?**

रज़ा–मानवीय स्थिति को लेकर मुझे गहरी चिन्ता है। मानवीय स्थिति, भौतिक दरिद्रता, बौद्धिक विपन्नता या इसे उल्टे ढंग से देखें, समृद्धि और बौद्धिकता के कारण मानवीय जीवन्तता और सम्पन्नता हमेशा ही मेरी चिन्ता के केन्द्र में रही हैं। मुझे लगता है कि राजनीति एक बिल्कुल अलग मामला है। मैं अपने बचपन की चर्चा करूँ बिना इस तथ्य को छिपाए कि सरकारी नौकर होने की वजह से मेरे पिता यह पसन्द नहीं करते थे कि हम (और तब हम अपने घर में ही थे) राजनीति में सक्रिय हों, हालाँकि यह भी विशेषकर देश की आजादी को लेकर फिक्रमन्द तो थे ही। बाद में जब मैं खुद मुख़्तार हो गया और हर तरह से अपने लिए ज़िम्मेदार, आज़ाद आदमी की तरह ज़िन्दगी बसर करने लगा, तब मुख्य रूप से अपने व्यक्तित्व का विकास, अपनी शिक्षा का ही मेरे लिए महत्त्व था। मैं वाक़ई जीवन या कला के बारे में बहुत कुछ नहीं जानता था और मेरी प्राथमिकता राजनीति नहीं थी, अपितु ज़िन्दगी और कला के सिलसिले में सच की तलाश थी। मुझे चुनाव करना था। और मुझे ऐसा लगता है कि यह मेरे चरित्र का अहम हिस्सा है कि अपनी ज़िन्दगी और काम के दौरान खास-खास मौकों पर जो कम महत्त्व की चीज़ें हैं उनका त्याग किया जाए और महत्त्वपूर्ण मसलों पर ध्यान केंद्रित किया जाए। मुम्बई में 40 के दशक में और 50 के दशक में भी मैं पूरी तरह कला के इतिहास, कला और सौन्दर्यशास्त्र की अवधारणाओं, यूरोपीय और भारतीय कला में मुब्तिला था। फिर जैसे-जैसे मेरी समझ बढ़ी, जानकारी में इज़ाफ़ा हुआ, मैं, जो कुछ भी हो रहा था, उस्से बेख़बर तो बिल्कुल न रहा। राजनीति ने भी मेरे बोध में प्रवेश किया। लेकिन '40 और '50 के दौरान और बाद में भी मैंने यह महसूस किया कि राजनीति कोई पवित्र खेल नही है। प्रायः निहित स्वार्थ इस पर हावी रहते हैं और यह सत्ता की भूख, छीना-झपटी और ऐसी ही तमाम दूसरी चीज़ों से ग्रस्त रहती हैं और कई बार तो शुद्ध व्यक्ति वक़्त के दबाव में प्रतिक्रियावादी हो गए हैं और खुद अपने राजनीतिक आदर्शों पर खरे नहीं साबित रह सके। यह खेल प्रायः किसी विचार या भावना को लेकर नहीं खेला जाता। राजनीतिक दाँव-पेंच का मकसद दल के विरोधियों को उखाड़ फेंकना और सत्ता पर कब्जा करना है, बजाय इसके कि उन्हें युक्ति या तर्क से परास्त किया जाए। फ्रांस के एक पूर्व प्रधानमंत्री ने एक

बार कहा कि राजनीति बहुत निचले स्तर पर उड़ना है। मुझे यह आभास होता है कि हालाँकि मानवीय स्थिति का मेरे लिए बहुत महत्त्व है, फिर भी मैं बतौर कलाकार और बतौर इन्सान अपनी निजी खोज में ही लगा रहना चाहूँगा और उन कुछ जीवन मूल्यों को स्थापित करना चाहूँगा जो कि सुलभ हैं। निश्चय ही मुझे यह पता है कि आदर्शवाद, समाजवाद और विभिन्न प्रकार की प्रवृत्तियों का एक पूरा सिलसिला है। उदाहरण के लिए फ्रांस में ही ऐसे कलाकार थे जो ईमानदारी से समाज में और निश्चय ही, राजनीति में संलग्न थे। उनका ख़याल था कि अत्याचार, अन्याय का मुकाबला करने के लिए वे कला को जरिया बना सकते हैं और चित्रों के माध्यम से संदेश दे सकते हैं। फिर एक बार मैंने इस प्रकार की विचारधारा से अपनी दूरी रखी, बावजूद इसके प्रति अपनी हर सम्भव सहानुभूति के। यह ठीक इस वजह से कि मुझे ऐसा लगता है कि इनमें से कुछ कलाकार अपने रचनाकर्म में कलाकार की हैसियत से खास कुछ हासिल न कर सके। उनमें कुछ असाधारण प्रतिभासम्पन्न कलाकार थे लेकिन आमतौर पर नवयथार्थवाद या इस तरह की दूसरी चीज़ों वाली विचार-सारणी हमेशा ही मेरी पकड़ से दूर रही है। और व्याख्यात्मक या निदर्शनात्मक रचनाओं का कोई महत्त्व भी नहीं होता। आप जब युवा होते हैं तो यह करते हैं। हम जब युवा थे तब हमने प्रोग्रेसिव आर्टिस्ट ग्रुप बनाया था। एसोसिएशन ऑव् आर्टिस्टस आव् ग्रार्बियो गठित किया था, ऐसी एकमात्र संस्था जो अपने आस-पास के कलाकारों को लेकर मैंने स्वयं बनाई। लेकिन मैंने इसे एकाध साल बाद ही छोड़ दिया क्योंकि मुझे यह बेकार मालूम पड़ी। ऐसे मामलों में इरादा दृष्टि या कलाभिव्यक्ति में निखार लाना नहीं होता। इसका सम्बन्ध कुछ दूसरे निहित स्वार्थों से होता है जो मेरे विचार से किसी समूह के गठन का पर्याय औचित्य नहीं है।

अब क्या इसका मतलब यह निकलता है कि मनुष्य की स्थिति का मेरे लिए कोई महत्त्व नहीं? नहीं, मैं ईमानदारी से यह मानता हूँ कि मानवीय स्थिति में मेरी गहरी दिलचस्पी है लेकिन वे तरीके दूसरे हैं जिनमें मैं उपयोगी हो सकता हूँ। और अपनी रोज़ाना की ज़िन्दगी में मैंने उन्हें आज़माया है। किसी संगठित तरीके से नहीं बल्कि और दूसरे इन्सानों के बीच रह रहे एक व्यक्ति की तरह। मेरी समझ है कि मानवता की भावना, मानवीय संवेदना वह सबसे बड़ा गुण है जिसे हमें अपनी पूरी ताकत से पकड़े रहना चाहिए। लेकिन, फिर चित्रकला का मेरे लिए भिन्न अर्थ था और मैं ऐसे चित्र बनाने का इच्छुक न था जो हमारे समाज का, हम जो खुद हैं, वर्तमान के जीवन का निदर्शन मात्र करता हो। मेरा विचार है कि मानवीय जीवन के उच्चतर पक्ष को प्रामाणिक चित्रों में प्रतिबिम्बित किया जा सकता है और कम से कम जहाँ तक मेरा सवाल है मैंने भारतीय परम्परा के उन नौ रसों की दिशा में अपनी चित्रकृतियों का विकास किया। मैंने अपने सम्पूर्ण रचनाकर्म का विकास प्रेम, शत्रुता, वैषम्य, शान्ति, रात और दिन, जो मूल मानवीय अनुभव हैं, उन्हें व्यक्त करने वाली विभिन्न मनोदशाओं, विविध वातावरणों का सृजन करने के लिए किया। मैंने रंग का व्यवहार इस प्रकार किया मानो वह हमारे शरीर का जीवन-तत्त्व हो, रेखाएँ मानो हमारी शिराएँ। चित्रित सतह मानो शरीर, ज्यामिति मानो ढाँचा, शरीर के अन्दर की अस्थियाँ। मुझे लगा कि इसी तरह मैं जीवनानुभवों के सार को व्यंजित कर सकता हूँ। मैंने यह पाया कि कम से कम मेरे लिए यह क़तई ज़रूरी न था कि मैं एक मज़दूर के जीवन का चित्रांकन करूँ जैसा फर्नांद लेजे या अन्य कइयों ने किया है। मेरी जद्दोजहद भौतिक सतह पर चलने वाली न थी, बल्कि भावनात्मक और आध्यात्मिक स्तर पर, जहाँ से मैं अपनी बिम्बावली प्राप्त करता हूँ।

बुनियादी ज़िन्दगी निश्चय ही बहुत महत्त्वपूर्ण है। इसी जीवनानुभव में हमें जीने और सोचने के कुछ तरीकों के बारे में फैसला करना होता है जो आदिम काल से और समय के साथ विकास क्रम में जो कुछ हमने कया है, उन पर आधारित होते हैं। इसके महत्त्व से इन्कार किए बिना मुझे लगता है कि मेरे लिए विचार का आसवन बहुत महत्त्व की चीज़ है। मैं यह उनके लिहाज से सोच रहा हूँ जो यह मानते हैं कि कलाभिव्यक्ति में, कविता में, चित्रकला में, जनता की आकांक्षाएँ, जनता की उम्मीदें चित्रित होनी चाहिए। यह तो ठीक है। मेरा संकेत समाजवादी यथार्थवाद के फ्रेंच स्कूल की ओर है जिसमें चित्रकला, साहित्य या कविता में जनता की मूल जिज्ञासाओं, रोज़मर्रा की उनकी ज़िन्दगियों की उधेड़बुन, उनके संघर्ष, उनकी सामाजिक, राजनीतिक महत्त्वाकांक्षाओं और ऐसी ही तमाम चीजों को व्यक्त किया

जाता था। लेकिन हमें यथार्थ के एक उच्चतर स्तर के सिलसिले से भी सोचना ही चाहिए जहाँ हर किसी को, एक मजदूर को भी, जा सकना चाहिए। मजदूर भी मनुष्य है। क्या वह उच्चतर कोटि की मानवीय भावनाओं और विचारों से बिल्कुल खाली होता है? मेरे ख़याल में यह क़तई मुमकिन है कि एक बिजली-मिस्तरी की संगीत में रुचि हो और काम करते वक़्त संगीत सुनता हो। वह संगीत उसे काम करने की प्रेरणा देता है। ऐसा ही चित्रकारों के मामले में भी है। अपनी पत्नी के चलते ही यह जानता हूँ जो संगीत सुनते हुए, और कभी-कभो तो टेलिविजन के गाने सुनते हुए, काम करती है। हर किसी का अपना-अपना तरीका है। मेरे विचार से यह ज़रूरी है कि यथार्थवाद से परे, पहले दर्जे के तजुर्बे के आगे हम दूसरे और तीसरे दर्जे के श्रेष्ठतर अनुभवों की ओर बढ़ें जो वस्तुतः जीवनानुभवों का उदात्तीकरण ही है। मेरा पक्का यक़ीन है कि यह बेहद महत्त्वपूर्ण है।

आप चाहें तो संवाददाता हो सकते हैं। पिछले रोज़ मैं तस्वीरें उतार रहा था जो सिर्फ़ फ़ोटो-दस्तावेज़ हैं। वलेरी और फ्रेंच कवि फ्रैंक आन्द्रे जाम, उस वक़्त मेरे स्टूडियो आए जब मैं 'पंचतत्त्व' बना रहा था और मैंने दोनों की तस्वीर ली। यह ज़िन्दगी को उसकी प्रारम्भिक अवस्था में ग्रहण करना है। लेकिन आन्द्रे ने मुझसे मेरे सफ़ेद चित्र के विषय में जो कहा, इस यथार्थ के बारे में यह जो बताया कि हर चीज आपकी आँखों के आगे होती है फिर भी कितनी दूर क्योंकि आप उसे देखते नहीं, तो यही-कहीं अधिक महत्त्वपूर्ण बात थी। निजी तौर पर मैं इसे लेकर आश्वस्त हूँ कि रोज़ाना की अपनी ज़िन्दगी से कहीं अधिक मेरा ध्यान ऐसी ही चीज़ें खींचती हैं। क्या आप यह नहीं मानेंगे कि दैनिक पत्रिका के उस संवाददाता, जो आज घटित होने वाली किसी घटना की व्याख्या भी कर सकता है और उसी घटना की तस्वीर खींचने वाले फोटोग्राफर के बीच निश्चित अन्तर है? मेरी दृष्टि में कवि इससे भी आगे जाता है, चिन्तक तो और आगे जाता है। वह उस घटना का सार ग्रहण करेगा। वह उस वस्तु का अर्थ ग्रहण करेगा, वह रोज़ाना घटने वाली इस ऊपरी तौर पर महत्त्वहीन घटना को मानवीय प्रवृत्ति से संबद्ध एक उच्चतर अवस्था पर ग्रहण करेगा, जो मानवीय स्थिति से संबद्ध है और मुझे लगता है कि इसी दिशा में हमें बढ़ना चाहिए।

❑ **अशोक वाजपेयी—हमारे युग के लोकतांत्रिक लोकाचार में इसे लेकर सवाल है कि यह कौन तय करेगा कि उच्चतर अवस्था क्या है। आप यह मान सकते हैं कि आध्यात्मिक अनुभव ही उच्चतर अवस्था का अनुभव है पर ऐसे लोग भी हैं जो और तरह से सोचें, जिनके हिसाब से यह उन अनुभवों में से एक है जो मुझे हासिल है या नहीं है लेकिन यह तय नहीं किया जा सकता कि यही श्रेष्ठतर है, कि तात्त्विक रूप से राजनीतिक अनुभव, व्यक्तिगत अनुभव या आध्यात्मिक अनुभव इनमें से कोई भी उच्चतर कोटि का माना जा सकता है।**

रज़ा—मेरी दृष्टि में संबद्ध व्यक्ति की प्रतिक्रिया या समझ स्थितियों की उसकी अपनी व्याख्या या बोध पर निर्भर है। मैं यह नहीं चाहता कि मैं जो कह रहा हूँ वही अन्तिम है। नहीं, मैं तो सिर्फ़ एक दृष्टिकोण सामने रख रहा हूँ और मैं लोगों से इतना भर चाहता हूँ कि वे इसके बारे में विचार करें, इसकी तुलना स्वयं अपनी प्रतिक्रियाओं से करें और यह पूरी तरह उन पर निर्भर है कि वे अपने फ़ैसले लें। वे यह मान सकते हैं कि ये पूरी तरह ग़लत हैं। लेकिन यही तो मानवीय जीवन, मानवीय प्रकृति, उसकी मेधा, उसकी संवेदनशीलता की सबसे खूबसूरत बात है कि हम सब स्वतंत्र विचारक हैं। हम जो यक़ीन करते हैं, उसके लिए जवाबदेह हैं। हम न जाने कितने तरीकों से अपनी बात कह सकते हैं—चाहे हम किसी विशेष विचार पद्धति से सहमत हों, चाहे असहमत, अगर हम असहमत हैं, अगर हम प्रतिवाद करते हैं, अगर हम हर चीज़ को नापसन्द करते हैं, तो शायद इस बात को भी एक खास कैफ़ियत के साथ कहें कि एक विचार या धारणा विशेष पूरी तरह ग़लत है या त्रुटिपूर्ण है। हाँ, क्यों नहीं? मेरे अपने यक़ीन हैं, मेरे विचार हैं जो जीने और सोचने की एक दीर्घकालीन निरन्तर प्रक्रिया में बने हैं। मैंने इसके बारे में खूब सोचा है। मैंने अपने जीवन-मूल्यों और चित्रकृतियों दोनों के लिहाज से अपने लिए एक दिशाबोध उपलब्ध किया है जो, मुझे कहने दीजिए, मेरी शाब्दिक अभिव्यक्तियों से कहीं अधिक महत्त्वपूर्ण हैं, जीवन मूल्यों के लिहाज से और अपने कर्म में भी। चित्रित कृति में वही प्रकट होता है जो मेरी अभिव्यक्ति में सर्वाधिक मूल्यवान् है, जहाँ तक मैं देख पाता

हूँ क्योंकि वहाँ मैं अपनी औक़ात में हूँ। मैं रूपाकारों और रंगों के सहारे तात्त्विक रूप से कुछ व्यक्त कर रहा हूँ, बिना किसी ध्वनि के, बिना शब्दों के, बिना वाणी के। इसे मैंने वर्षों के शोध के बाद हासिल किया है और इसके पीछे निश्चय ही एक चिन्तन प्रक्रिया सक्रिय रही है और वह अत्यन्त सुविचारित है। हो सकता है कि मेरे चित्र का कोई दर्शक कहे कि रज़ा के इस चित्र में प्रामाणिकता है, सच है, तात्त्विक अनिवार्यता है या शायद वह यह कहे कि नहीं, यह व्यर्थ है, इसके कोई माने नहीं। वह कुछ दूसरी प्राथमिकताओं को महत्त्व दे सकता है जो उसके अनुसार किसी कलाकार की होनी चाहिए। यह उसका अधिकार है। मेरी समझ है कि हम सबको ज़िन्दगी, कलाकृति, कविता या संगीत और दूसरी अभिव्यक्तियों के मामले में आज़ादी मिलनी चाहिए। हमें चुनाव करने की, अपना मत बनाने की पूरी स्वतंत्रता है। लेकिन ऐसा करने के पहले हमें खुद को थोड़ा वक़्त देना चाहिए, थोड़ा चिन्तन का अवकाश और विश्लेषण की सारी सम्भावनाओं पर विचार करना चाहिए। बिना किसी पूर्वाग्रह के, मूलभूत शोध में संलग्न दूसरे व्यक्तियों को समझने की कोशिश करनी चाहिए। यह सम्भव है कि एक पूर्णतया अनाकृतिमूलक चित्र एक मेहनतकश के संघर्ष, उसकी पीड़ा, उसके दर्द को, दैनन्दिन जीवन के मनुष्य की तकलीफ़ को उद्घाटित करती हो। यह सम्भव है कि कोई अनाकृतिमूलक चित्रांकन, कोई अमूर्त चित्र प्रेम और शान्ति को लेकर बनाई निदर्शनात्मक कृति से कहीं अधिक कुछ कहता हो। यह एकदम सम्भव है कि हमें रोज़-ब-रोज़ प्राप्त होने वाले मानवीय अनुभवों की विभिन्न मनोदशाओं को किसी रंगानुभूति के जरिए, आँखों के ऊपर होने वाले वर्णविपर्यय के माध्यम से उद्घाटित किया जा सके। क्या हमें सारा कुछ खोलकर कहना ही पड़ेगा? एक मशहूर फ्रांसीसी गीत है, प्रेम को लेकर एक अद्भुत वक्तव्य। प्रेमी कहता है कि मैं तुम्हें प्यार करता हूँ और स्त्री उत्तर देती है कि मैं भी नहीं करती। यह विरोधाभासी है। माने पहला बयान एक झूठ था और दूसरा, जो उत्तर है, कहता है मैं भी तुम्हें प्यार नहीं करती। किसी विचार को व्यक्त करने के सैकड़ों तरीके हो सकते हैं और उच्चतर कोटि का तात्त्विक यथार्थ प्राथमिक प्रतिक्रियाओं से विच्छिन्न मालूम पड़ सकता है। लेकिन मेरा पक्का यक़ीन है कि वे आध्यात्मिक रूप से जुड़े हुए हैं और यह एक श्रेष्ठतर कोटि का उदात्तीकरण है जो अभिव्यक्ति को सर्वाधिक सर्जनात्मक बना देता है।

❑ अशोक वाजपेयी–आपने कुछ जीवन मूल्यों का ज़िक्र किया है, वे मूल्य जिन्होंने आपको प्रेरणा दी है ये जीवन-मूल्य क्या हैं?

रज़ा–अगर मैं ठीक समझ पाया हूँ तो जीवन मूल्य अन्ततः मानवीय मूल्य हैं, मानवीय लगाव या ऊष्मा और यह बोध कि जीवन कितना असाधारण है, कितना मूल्यवान् और कितना अद्भुत! लेकिन मानवीय मस्तिष्क शायद ही उस रहस्यमय अस्तित्व का, जो कि हमारा जीवन और प्रकृति है, एक कतरा भी मुश्किल से समझ पाता हो। जीवन-मूल्य ही मूलभूत हैं, कल्पना की उड़ान का, रचना का आधार जो आवश्यक है उसे परिभाषित करने का, सही-ग़लत को पहचानने का पैमाना। जीवन के मूलभूत मूल्य वे हैं जो एक पुरुष और एक स्त्री मिलकर एक टीम की तरह, पूरकों की तरह करते हैं। तब क्या करना होता है जब दोनों के संयोग से सन्तानें उत्पन्न हों? यह ज़रूरी होगा कि बच्चा जब आँख खोले, चलना सीखे तब आप उसे चलने, देखने-बोलने में मदद करें। बच्चा, आश्चर्य के साथ दुनिया को देखता है, समझने की कोशिश करता है कि भय क्या है, आह्लाद क्या है, प्रेम क्या है, इत्यादि। माँ यहाँ महत्त्वपूर्ण भूमिका अदा करती है लेकिन हम सब इस जीवन को मूल मानवीय स्रोत की तरह ग्रहण कर सकते हैं जो न सिर्फ़ बच्चों को बढ़ाने में मदद करता है बल्कि परिपक्वता के हमारे दौर में हमें मूल्यों का सही पैमाना चुनने में मदद करता है, उन्हें स्थापित करने और उनके मुताबिक जीवन जीने में सहायता करता है। हमारे रोज़मर्रा के जीवन में, प्राणी-जीवन में, मानवीय जीवन में व्यक्त होने वाली इस अमूल्य प्रकृति से ही एक-दूसरे के लिए प्रेम, मानवीय लगाव उत्पन्न होता है। आप ज़िन्दगी से, प्रकृति से कहीं अधिक सीख सकते हैं तथाकथित किताबों के मुकाबले। यह महत्त्वपूर्ण है कि मानवता का सम्पूर्ण विश्व इतिहास न पढ़ रखा जाए, अपने दिमाग़ में सारे राष्ट्र की सूचना सामग्रियाँ न जमा कर ली जाएँ। दरअसल दिल और दिमाग़ के साथ ज़िन्दगी जीने के मूल मानवीय अनुभव के माध्यम से ही कुछ विवेक अर्जित किया जा सकता है जो

जीवन की मार्ग निर्देशक शक्ति हो।

❑ अशोक वाजपेयी–भारत में पिछले कुछ समय से, कम-से-कम बौद्धिक और रचनात्मक समुदाय में, धर्मनिरपेक्षता का प्रभुत्व है। भारत एक धर्मनिरपेक्ष राज्य है, जिसका तात्पर्य यह है कि राज्य का अपना कोई धर्म नहीं या इसे किसी धर्म को समर्थन या प्रोत्साहन नहीं देना चाहिए। दूसरी तरफ़, धर्मनिरपेक्षता का अर्थ सारे धर्मों के प्रति समान आदर भी है, लेकिन सभी धर्मों के प्रति समादर वाली यह मान्यता पीछे ढकेल दी गई है। एक धर्मनिरपेक्ष व्यक्ति का तात्पर्य, भारत में ऐसे व्यक्ति से हो गया है जो धार्मिक संवेदना के अगर विरुद्ध नहीं तो उसके प्रति उदासीन अवश्य है। मोटे-मोटे तौर पर एक धर्मनिरपेक्ष व्यक्ति धार्मिक संवेदना को खासे संदेह से देखता है। चाहे हिन्दू हो या मुसलमान या सिख, सारी बुनियादपरस्त कट्टर प्रवृत्तियाँ किसी-न-किसी क़िस्म की धार्मिक संवेदना से उत्पन्न हुई हैं। इसलिए संदेह का एक आधार तो है ही। ऐसे माहौल में आप हिन्दू धर्म, बौद्ध मत, इस्लाम के प्रति समान महत्त्व की वकालत कर रहे हैं। इस प्रमुखतः धर्मनिरपेक्ष मानचित्र में आप खुद को कहाँ पाते हैं?

रज़ा–मेरी दृष्टि में सारा धार्मिक विश्वास मूलतः निजी मामला है। मैं एक ऐसे देश में रह रहा हूँ जहाँ धर्मनिरपेक्ष अवधारणा बरसों से प्रभुत्वशाली रही है। मुझे इस बात की खुशी है कि भारत धर्मनिरपेक्ष है। अगर धर्म के प्रति विमुखता है तो इस वजह से नहीं। इसके असंख्य दूसरे कारण हैं जो हमारे आज के समाज की रचना करते हैं या हमारी पूरी दुनिया की, जहाँ हमारे सभी मूल्यों और बोध के ऊपर भौतिक चिन्ताएँ हावी रहती हैं। मेरा खयाल है कि फ्रांस और यूरोप के मामले में, यहाँ तक कि अमेरिका में भी धार्मिक भावना और धर्म के प्रति लगाव में आती कमी पिछले पचास बरस से तो देखी ही जा सकती है। रूस और विश्व भर में एक बड़ी हद तक कम्युनिस्ट विचारधारा के प्रभुत्वशाली दौर में यह यथार्थ था और समस्या भी। जैसे-जैसे मैं लोगों पर ग़ौर करता हूँ, इस विचार के करीब होता जाता हूँ कि धार्मिक विचारों और चिन्तन में दिलचस्पी बढ़ रही है और विभिन्न धर्मों के, महत्त्वपूर्ण धर्मों के मूल्य जीवन के लिए अत्यन्त महत्वपूर्ण और शाश्वत महत्त्व के साबित हो रहे हैं। मुझे लगता है कि ऐसा ही भारत या किसी भी और देश में होगा। गार्बियो या मान्तों के इस छोटे से गाँव के ही लोगों को देखिए जो हर इतवार को 'मास' के लिए या दूसरे मजहबी त्यौहारों के लिए बढ़ती तादाद में बार-बार आते हैं। यह प्रत्यक्ष प्रमाण है। यह धर्म मानवीय हृदय और मस्तिष्क की किसी अत्यन्त मूलभूत महत्त्वपूर्ण वस्तु से संबद्ध है। मैं न्यूयार्क के एक कैथेड्रल के अपने अनुभव के बारे में बताऊँ। जब मैं वहाँ गया तो मुझे 'क्यू' में खड़ा रहना पड़ा। मैं इसे लेकर एकदम आश्वस्त हूँ कि नात्रेदाम और लूव्र में जो दुनिया के सबसे बड़े संग्रहालयों में एक है, कोई भी सावधान दर्शक उन कलाकृतियों को ज़रूर देखेगा जो धार्मिक विचारों के विषय पर बनाई गई हैं। धार्मिक विश्वासों और शिक्षाओं ने यूरोपीय कला-इतिहास की कुछ सर्वश्रेष्ठ कला अभिव्यक्तियों को जन्म दिया है। यही बात भारत के प्रसंग में भी सही है। धर्म असंख्य कलाकारों या श्रेष्ठ कलाकृतियों के लिए उत्प्रेरक रहा है, चाहे वे गुफाओं में मिलें या महलों में। कागज़ पर, कैनवस पर, काँसे में, पत्थरों पर उत्कीर्ण महान कृतियाँ। ईमानदारी से कहूँ तो मैंने निजी तौर पर यह पाया है कि जीवन के अनेक स्तरों पर अनेकानेक कोटियों से होते हुए जीवन के विकासक्रम में, पशुओं के स्तर से उच्चतर स्तर तक हम एक-एक अवस्था पार कर ही बढ़ते हैं। और सबसे महत्त्वपूर्ण अवस्था में एक खास आध्यात्मिक परीक्षा देनी पड़ती है जो हम सबके धार्मिक विश्वास द्वारा ली जाती है। मेरे विचार से यह सम्भव है और मैं खुद अपने मामले में कोशिश कर रहा हूँ कि भारत में प्रमुखतः कम-से-कम तीन धर्मों के बीच के समानतत्त्व की तलाश की जाए। और चाहे जो हो, खुद मैं अपनी चेतना के स्तर पर हिन्दू धर्म और ईसाई धर्म से प्रभावित रहा। मेरी समझ है कि यह सोचना मुमकिन है कि ऐसे मूलभूत मूल्य होते हैं जिन्हें उस प्रकार का भौतिकवादी युग, जिसमें हम रह रहे हैं बुहार कर किनारे नहीं कर सकता। वे तब भी अप्रासंगिक नहीं हुए जब दुनिया के अनेक हिस्सों, यहाँ तक कि भारत के अत्याधिक बौद्धिक संवर्ग में भी मार्क्सवाद प्रभावशाली था। मैं महसूस करता हूँ कि यह बिल्कुल सम्भव है और निजी तौर पर मैं अपने बारे में बोल सकता हूँ कि प्रार्थना, धर्म और जीवन-मूल्यों की एक सर्वव्यापी सार्वभौम अवधारणा विकसित की जाए। यह समझ पाना बिल्कुल मुमकिन है क्योंकि सबसे महत्त्वपूर्ण केन्द्र का निवास

स्वयं मनुष्य के अन्दर है।

❑ **अशोक वाजपेयी–पिछले कुछ समय से समकालीन भारतीय कला के लिए बाजार अत्यधिक अनुकूल हुआ है, बहुतों का तो यह कहना है कि आधुनिक भारतीय कलाकारों के लिए इतनी अच्छी हालत कभी न थी। इससे कुछ सवाल भी पैदा होते हैं। क्या आज के परिदृश्य में कला के लिए बाज़ार का यह फैलाव महत्त्वपूर्ण बन गया है? क्या सर्जनात्मक कर्म पर बाज़ार किसी प्रकार का अस्वस्थ प्रभाव डाल रहा है? क्या यह बाज़ार कला की वास्तविक ज़रूरत और समझ से बना है या यह सिर्फ पश्चिमी बाज़ार की नक़ल है जहाँ कला की क़ीमत बहुत अधिक है?**

रज़ा–भारत के सन्दर्भ में मुझे लगता है कि कला की दुनिया में अत्यन्त असाधारण घटित हो रहा है। मुझे कहना चाहिए कि इसमें सबसे महत्त्वपूर्ण चीज़ है वह कार्य जो किया जा रहा है जिसमें आन्तरिक प्रेरणा केन्द्रीय है। कलाकार सृजनशील हैं। वास्तविक सारवान् संवेदनाओं और दृष्टियों से युक्त, महत्त्वपूर्ण कृतियों में अभिव्यक्त हो रही ऊर्जा के साथ ये कलाकार अपना सर्वोत्कृष्ट रच रहे हैं। बात यही है कि वस्तुतः कलाकृति की गुणवत्ता ही सबसे अधिक महत्त्वपूर्ण है। मैं जानता हूँ कि यह तथ्य है कि दुनिया अनेक हिस्सों में, भारत समेत कलाकारों के लिए स्वस्थ बाज़ार उत्प्रेरक का काम करता है। यह हमारे, कलाकारों के ऊपर है कि हम इसका सर्वोत्तम उपयोग कर सकें। हमें यह प्रयास करना चाहिए कि हम अपना मूलभूत शोध जारी रखें कि हम आन्तरिक आवश्यकता के आधार पर ही चित्र बनाएँ। हम उत्तरोत्तर शक्ति अर्जित करते जाएँ, अपनी दृष्टि और शोध का विकास करें। खोज, आन्तरिक खोज ही प्राथमिक होनी चाहिए। मुझे लगता है कि यह तब मुमकिन नहीं जब कलाकार दिग्भ्रमित हों, जब वे प्रदर्शनियों के लिए चित्र बना रहे हों, जब वे अपनी कलाकृतियों की बिक्री को लेकर ही परेशान हों। कला की समझ बहुत कुछ धार्मिक अनुभूति जैसी होती है। यह क़तई मुमकिन है कि इनमें कभी-कभी घालमेल हो जाए, कि दूसरे अधिक सतही पहलुओं के आगे धर्मों द्वारा अर्जित ओजस्वी मूल्य ओझल हो जाएँ। कला में ठीक यही चीज़ घटित हो सकती है।

मैं यह फिर दुहरा रहा हूँ कि मैं वाक़ई यह मानता हूँ कि अभी का अनुकूल वातावरण और आज भारत में समकालीन कला के कलाप्रेमियों में व्याप्त उत्साह अत्यन्त लाभप्रद है। अच्छा काम किया जा रहा है। चित्रों को हम अपनी रोज़मर्रा की ज़िन्दगी का अंग बनने दें ताकि कलाकारों की इज़्ज़त बढ़े जिससे वे सिर्फ़ भारतीय घरों में नहीं सिमटे रहें, ताकि हम दुनियाभर के महत्त्वपूर्ण कलाकेन्द्रों में प्रदर्शनियाँ कर सकें। ज़रा कल्पना तो कीजिए सिर्फ़ इस साल विभिन्न प्रदर्शनियाँ सिंगापुर, लन्दन, न्यूयार्क में लग रही हैं। दिन-ब-दिन संग्रहकर्त्ताओं की ओर से जिन्हें पता है कि भारतीय कलाकार क्या काम कर रहे हैं, चित्रों की माँग बढ़ रही है मेरी समझ से यह असाधारण बात है। हाँ, मुझे यह डर ज़रूर है कि कहीं यह भटकाने का काम न करे, कहीं नुकसानदेह न हो। मैं अन्दर से यह आशा करता हूँ कि मैं अपने यक़ीनों पर कायम रहूँगा और सिर्फ अपनी आन्तरिक प्रेरणा पर रचना करूँगा। मैं अपनी रचना के लिए आवश्यक समय लूँगा और अपने विकास के इस दौर में अपना सर्वोत्तम रचूँगा, जो शायद कलाकार के तौर पर मेरा सबसे महत्त्वपूर्ण दौर है। दुनिया के नक़्शे पर भारतीय चित्रकला बड़े पैमाने पर उभर रही है। ज़रा सोचिए कि अमेरिका में भारत की 4-5 महत्त्वपूर्ण दीर्घाएँ प्रदर्शनी लगा रही हैं, जर्मनी, स्पेन, लातीनी, अमेरिका और दूसरी जगहों से प्रदर्शनी की माँग आ रही है। हमें इसका उत्तर देना है, इन चुनौतियों को विश्वासपूर्वक ग्रहण करना है, काम करने की दृढ़ इच्छा के साथ और मैं कहूँगा कि इन सारे प्रयासों की सफलता इस पर निर्भर है कि हम यह साबित कर सकें कि भारतीय चित्रकला की जड़ें अपनी ज़मीन में गहरी धँसी हैं कि हमारा बोध नितान्त विशिष्ट है जो हमारी कला और हमारे इतिहास से अभिन्न है, कहीं और से उधार लिया नहीं। किसी छद्म भारतीय अन्दाज़ में नहीं बल्कि इस समझ, इस भाव, भारतीय चिन्तन के सार को आत्यन्तिक रूप से रूपायित करते हुए जिन्हें चित्रित कृति में प्रकट करना सम्भव है।

मुझे पक्का यकीन है कि 21 वीं सदी के पहले बरसों में कला की दुनिया पर हम सचमुच अपनी छाप छोड़ पाएँगे।

❑

नरक में उत्सव

नाग बोडस

उस साल ग्वालियर में बिजली आपूर्ति की हालत खराब थी और हमारे इंस्टीट्यूट में बिजली गुल होती तो नूर का काम न हो पाता, कि तब छोड़ डायरेक्टर के ऑफिस के और कहीं जेनसेट नहीं लगा था। सब जानते थे कि खटनीस-सिंह से मेरी ठनी थी और डायरेक्टर भी मुझसे अच्छा-खासा नाराज था, इसलिए छोड़ नूर के ऐसा एक भी वैज्ञानिक नहीं था, जो मेरे पास आकर बैठे। उल्टे ज्यादातर वैज्ञानिक तो रास्ते में टकरा जाने पर भी मुझसे बात करने में हिचकिचाते थे।

मैंने नूर को ऐसे खुले-खुले मेरे पास आने के लिए टोका भी था, पर उसका कहना था कि जब मुझे इंस्टीट्यूट से किसी तरह का फायदा लेना ही नहीं है तो डायरेक्टरसाब की नाराज़गी से मैं क्यों डरूँ। इस पर भी मेरे ऐतराज करने पर उसने यह बतलाया कि डायरेक्टर को उसके मेरे कमरे में आने की जानकारी है और एक-दो बार उन्होंने इसका जिक्र भी किया था, पर ये कभी नहीं कहा कि मैं तुमसे न मिलूँ या तुमसे बात न करूँ या उन्होंने कभी यह दिखलाने की कोशिश भी नहीं की, कि उन्हें मेरा तुम्हारे पास बैठना अच्छा नहीं लगता। उसका कहना था कि असल में इस तरह से सोचना छोटे दिमागों का काम है और मेरे ख्याल से तुमसे डायरेक्टर कितने भी नाराज़ रहे हों, पर वे छोटे दिमाग़ के बिल्कुल नहीं हैं।

मैंने उससे कहा कि देखो मैं डायरेक्टर और खटनीस को तुमसे ज्यादा अच्छी तरह से जानता हूँ...कि और कुछ नहीं तो इस वजह से ही कि तुम इस इंस्टीट्यूट में जितना रहे हो उससे तीन गुना ज्यादा मैं रहा हूँ और इसलिए मैं तुम्हें आगाह करता हूँ कि मुझसे इस तरह से मिलते रहना तुम्हें कभी न कभी कैसे न कैसे नुकसान देगा ही देगा।

नूर का कहना होता है कि आगे की तो मैं नहीं जानता, पर इन दिनों तुम्हारे साथ रहना मेरे लिए नुकसान की जगह उल्टे फायदेमन्द ही साबित हो रहा है, और वो ऐसे कि इन दिनों इंस्टीट्यूट की बिजली करीबन हर रोज, बार-बार जाने से कम्प्यूटर पर मेरा काम हो नहीं पाता और बेकार बैठने पर इंस्टीट्यूट का कोई न कोई मेरे पास बैठने आता ही आता है और जो मैं किसी दूसरे के कमरे में बैठने गया तो वहाँ भी लोग मुझसे गपियाने आएँगे ही आएँगे और मुझे उनकी इधर-उधर की फालतू की बातों को सुनना पड़ेगा ही, और इस तरह से लोगों से मेल-मिलाप भी बढ़ेगा, जिससे फालतू में मैं उजागर होता जाऊँगा, जो, तुम जानते हो, कि मेरे लिए रिस्की है। इससे उलट यहाँ तुम्हारे साथ बैठने के बाद दूसरों से मैं अपने आप कटता हूँ, क्योंकि डायरेक्टरसाब और एमेरिटस साइंटिस्ट डॉक्टर खटनीस और तुम्हारे हेड डॉक्टर सिंह की नज़र में गलत साबित होने से बचने के लिए ज्यादातर लोग तुमसे कटते ही हैं, कि भले ही डॉक्टर सिंह या तुम्हारे विभाग के दूसरे लोग उनका कुछ बिगाड़ने की हालत में न हों, पर वे बिना वजह क्यों उनसे नाराज़गी मोल लें, सो एतिहातन वे तुम्हारे पास न आना ही बेहतर समझते हैं और जहाँ तक तुम्हें मिलने से मेरा नुकसान होने का सवाल है, तो भैया, अब सिर्फ डायरेक्टरसाब ही नहीं, इंस्टीट्यूट का हर इन्सान इस बात को जानता है कि हम दोनों की दोस्ती

पुरानी है और मेरे यार, अभी भी लोगों के दिलों में दोस्ती के लिए इज्ज़त है, कि उन्हें भरोसा जो रहता है कि कभी-कभार मुझसे या तुमसे उनका काम अटका, तो वह जिग़री दोस्त मतलब तुम्हारे या मेरे जरिए पूरा होना आसान होगा, बजाय खुद-ब-खुद या किसी और के जरिए से करवाने के।

इसी तरह की एक बैठक में मैं उससे पूछता हूँ कि क्या तुम गुगनानी के शेयर मार्केट के धन्धे को जानते हो?

वह बतलाता है कि गुगनानी अपने इस्तेमाल के कई सॉफ्टवेयर मुझसे डेव्हलप करवाता रहता है, जिनमें से कई धार्मिक किस्म के भी होते हैं और इसके एवज़ में पहले पहले उसने कहा भी था कि वह शेयरों से पैसे कमाने और बहुत ज्यादा पैसे कमाने में मेरी मदद कर सकता है, पर मैंने उसे जवाब दिया था कि मैं एक पाक मुसलमान हूँ और ऐसे किसी धन्धे को नहीं करूँगा, जिसमें पैसे से पैसा कमाया जाता हो। और तुम्हें बतला दूँ कि मैं बैंक तक में अपना पैसा नहीं रखता और अब तो खैर मेरे माँ-बाप मेरे साथ रहने यहाँ आ गए हैं, पर जब गाँव में रहते थे, तब, पुलिस को खबर हो जाने के डर से, कभी भी मनीआर्डर नहीं करता था और चेक-वेक से भेजने का सवाल ही न था, क्योंकि मेरा कोई खाता ही नहीं था, और बैंक ड्राफ्ट से भेजना भी फिजूल होता, क्योंकि मेरे अब्बा ने कभी बैंक वैंक देखी ही नहीं है, और इसलिए जब भी मुझे महसूस होता कि घर पर पैसे की जरूरत है, तो मैं या तो एक रात के लिए छुट्टी के दिन अपने गाँव हो आता था या फिर तत्काल जाना बहुत जरूरी हुआ तो छुट्टी लेकर जाता था।

मैं उससे पूछता हूँ कि इधर तुम खुद को पाक मुसलमान कहते हो और उधर अमेरिका में शराब की बोतलें खरीदकर पार्टियाँ देते थे, जबकि इस्लाम में पीना भी उतना ही हराम है, जितना पैसे से पैसा कमाना।

इस पर उसका एक जवाब तो ये होता है कि अगर पहले गुनाह किया है तो जरूरी नहीं कि इन्सान बाद की ज़िन्दगी में सुधरे ही नहीं और इसलिए तुम कह सकते हो कि पहले अगर मैं बिगड़ा था तो अब कुछ सुधर गया हूँ और कोशिश करता रहता हूँ कि अगर और ज्यादा न सुधरूँ तो कम से कम जितना बिगड़ा हुआ हूँ उससे ज्यादा तो नहीं ही बिगड़ूँ।

उसका दूसरा जवाब उसी तरह का होता है जैसा कि संध्या का, कि अमेरिका की जमीन पर पैर रखना ही उसके लिए हराम था तो शराब-वराब पीने से थोड़ा और हराम हो गया बस। दोजख मिलनी ही है तो फिर एक मिली क्या और सवा मिली क्या।

मैं कहता हूँ कि संध्या को भी ऐसा ही सोच है, कि अमेरिका में जाना ही छुआछूत में जाना है, पर उसकी सोच पुरानी बम्मन हिन्दू रूढ़ि से जुड़ी है, जिसके अनुसार आर्यावर्त के बाहर, मतलब समुद्र के दूसरी ओर जाना ही पाप है, पर मुसलमानों में तो इस तरह की कोई समझ है नहीं, फिर तुम अमेरिका में जाने पर गुनाह होने की बात कैसे कहते हो?

इस पर उसका जवाब होता है कि परदेस होने से मेरा अमेरिका में रहना नापाक नहीं हुआ। अमेरिका फिलिस्तीन की मुस्लिम जमात पर जुल्म ढहाने वाले इजराइलियों की तरफदारी करता है और जुल्म पर जुल्म ढहाने के लिए उनकी हर तरह से मदद करता है, इसलिए हुआ। मतलब अमेरिका नापाक काम कर रहा है और एक तरह से फिलस्तीनियों के खिलाफ हो रहे जुल्म में वह मुल्क खुल्लमखुल्ला हिस्सेदार है। और अगर मैं ऐसे मुल्क में रहकर उसके कारोबार में मददगार होता हूँ, तो मैं भी नापाक काम ही करता हूँ।

इस पर मेरा पूछना होता है कि क्या यह किसी मौलवी इमाम का फ़तवा फ़रमान है।

उसका बतलाना होता है, कि इमाम, मौलवी या मुल्ला की बातें मैं क्यों मानूँ, जबकि मैं खुद पढ़ा-लिखा हूँ और कुरआन शरीफ को पढ़कर उसकी पाक हिदायतों का मतलब निकालना जानता हूँ कि असल में तो मैं आज की दुनिया के हालात और उसमें हो रही बातों को अपने मजहबी नजरिए से देखता हूँ कि और फिर इनके बरक्स खुद कैसा बर्ताव करूँ, यह तय करता हूँ और मुल्ला मौलवी तो गरीब अवाम के पढ़े-लिखे न होने का फायदा उठाते हैं और अपनी रहनुमाई कायम रखने और अपने ओहदों और उनसे मिलने वाली सहूलियतों को बचाने के लिए फतवे या हिदायतें या मशवरे देते रहते हैं, जबकि छोड़ मोहम्मद साहब के, खुदा और उसके बन्दे के बीच में किसी बिचौलिए की बिल्कुल ज़रूरत नहीं है।

वह आगे कहता है कि वैसे कई ऐसे पढ़े-लिखे भी हैं, जो खुद पढ़ने-समझने की जहमत नहीं उठाना चाहते थे, कि वे लोग अपने रोजगारों और अपने ऐशो-आराम को थोड़ी देर के लिए भी अपने दिलो-दिमाग से निकाल कर अपनी ज़िन्दगी के, और अपने जीने के भी मज़हबी जैसे अहम सवालों पर गौर करने की कोशिश में नहीं लगते, कि जैसे उन्होंने मुल्ला मौलवियों को मज़हबी सवालों का ठेका दे दिया हो, कि जैसे मज़हब न हुआ मकान बनाना हो गया, जबकि मकान का ठेका देने के बाद भी कैसा बन रहा है और इसे बनाने में हमारी बतलाई बातों का खयाल रखा जा रहा है या नहीं, इस बात की फिक्र करनी पड़ती है और ऐसे लोग पूरी मुस्तैदी से ये फिक्र करते भी हैं, पर मज़हब के मामले में रत्तीभर भी खुद कुछ नहीं सोचते, कि इन्होंने अपने मज़हबी रहनुमाओं के आसरे जीने की आदत डाल ली है। अरे मज़हब का मामला सीधे तुम्हारे और तुम्हारे ख़ुदा के बीच का मामला है, उसमें और किसी की दखलंदाजी बर्दाश्त क्यों करते हो भाई?

मैं उसकी तारीफ करता हूँ, 'वा नूर वा! मजा आ गया तुम्हारे खयालात सुनकर। कितना कुछ बढ़ाया है तुमने खुद को, कि कहाँ प्राग के लड़कियों की तलाश में भटकता नूर अफजल और कहाँ अपने आपको पाक-साफ रखने वाला एन. ए. खान।'

'अगर मैं बदला हूँ तो वो भी अल्लाताला की मेहरबानी से ही। ये उसी का करम है जो नापाक अमेरिका से मैं बाहर निकला और उसी की इनायत से अब तक अमेरिकी खुफियाओं से बचा हुआ हूँ कि अल्ला क्यों चाहेगा कि उसका बन्दा एक नापाक मुल्क की रोटी भी खाए।'

'शादी तो हराम नहीं है इस्लाम में फिर तुमने अब तक क्यों नहीं की?'

'अपनी सजा में एक और ज़िन्दगी को शामिल करना अच्छा काम तो नहीं कहा जा सकता भाई। कोई भरोसा है कि कब ढूँढ़ लिया जाऊँ और कब अमेरिकी जेल की हवा खानी पड़े? ऐसा न भी हो तो इसका खौफ तो बना ही रहता है।'

इस बात को मैं इतनी बार सुन चुका हूँ कि अब सुनकर गुस्सा आता है। सीधे-सीधे भड़कता हूँ उस पर, 'कितने दिनों तक पाले रहोगे ये बेवकूफी, एंय? हद होती है यार फितूर पालने की भी! अरे इतने साल बीत गए, एक मामूली-सा बुलाना भी आया क्या किसी थाने से?'

पर वह तो दुनिया जहान में घूम आया है। इण्टरनेशनल मिसालें न दें तो नूर अफजल क्या हुआ? बोलता है, 'दुनिया की दूसरी जंग में चीन पर, और कोरिया पर, और साउथ ईस्ट एशिया के दूसरे मुल्कों पर जापान ने जुल्म किए थे, उस बात को पचास साल से ऊपर होने के बावजूद ये मुल्क जापान से इसके लिए माफी माँगने को कहते रहे हैं। आखिर क्यों? वे क्यों नहीं भूलते पिछलो बातों को? आर.एस.एस., विश्व हिन्दू परिषद, बजरंग दल के लोग सैकड़ों साल पहले तोड़े हुए मन्दिरों की बात आज क्यों उठाते हैं? तुम कहोगे लोगों के जज़्बात भड़काकर हुकूमत में बने रहने का या हुकूमत में आने का तरीका है ये। मैं मानता हूँ कि ये बिल्कुल ठीक है। पर इसी तरह से मुझे अमेरिका वापस ले जाकर मुझ पर मुकदमा चलाकर, सजा दिलाना, अमेरिकी अवाम और दुनिया के लोगों की तारीफ हासिल करने का एक तरीका क्यों नहीं हो सकता? कि देखो, देखो हमारी मुस्तैदी और हमारी ताकत और हमरी टेक्नॉलोजिकल सुपोरियॅरिटी कि सालों पहले एक अमेरिकी नागरिक के खिलाफ किए जुर्म को भी हम भूलते नहीं हैं। चाहे अमेरिका हो या कोई दूसरा मुल्क–दुनिया अभी भी बहुत पिछड़ी हुई है, मेरे भाई। हम प्यार-मोहब्बत और भूलने और माफ करने के नजरिए से अभी कोसों दूर हैं जनाब।'

'एक बात और। तुम्हारा ये सोचना गलत है कि मुझे अभी पकड़े रहने का खौफ है, हाँ, हाँ, मैंने तुफैल में कभी ऐसा कहा भी होगा, पर सच तो ये है कि उस तरह का खौफ तो मेरे जहन से कब का निकल चुका है। अब मुझे खौफ नहीं शर्म है, पकड़े जाने की शर्म नहीं, सजा के डर से भागने की बात पूरी दुनिया को मालूम हो जाने की शर्म!–हाँ, हाँ, पूरी दुनिया को ही। मुझे पहचान लिया जाना और गिरफ्तार कर अमेरिका वापस ले जाया जाना अन्तरराष्ट्रीय खबर बनेगी ही बनेगी, यार। मैं भागा हूँ, इसका मतलब ही यह निकाला जाएगा कि मैंने एक नेक-भली औरत को एक्सीडेंट में लपेटा और उसका हमल गिराया और सजा के डर से लुक-छिप कर भाग खड़ा हुआ और अब एक कम्प्यूटर एक्सपर्ट और पाक मुसलमान बनने का ढोंग रच

रहा हूँ, कि सौ-सौ चूहे खाकर बिल्ली हज को चली।'

बात की गम्भीरता मेरे जहन में उतरती है और मैं कहता हूँ, "तुम बिल्कुल सही कह रहे हो नूर। बात सिर्फ इतनी ही नहीं रहेगी। मुल्क में आज जो निजाम है और तुम्हारा जो मज़हब है, उसके चलते तुम्हारा पकड़ा जाना सिर्फ एक आदमी का पकड़ा जाना नहीं होगा, वो एक कौम के खिलाफ प्रचार का जरिया भी होगा, कि देखो-देखो हम तो पहले से ही कह रहे थे कि ये कौम ही क्रिमनल है। और क्या पता कि कल को ये भी प्रचार किया जाए कि इस केस का एक आतंकवादी संगठन से भी सम्बन्ध होने की सम्भावना बतलाई जा रही है, कि वैसे तो पूरी तहकीकात होने के बाद ही सही बात उजागर होगी, पर जो सूत्र मिल रहे हैं, उनसे एक बड़े षड्यंत्र का भण्डाफोड़ होने की बात को नकारा नहीं जा सकता, और हम तो पहले से ही कहते आ रहे हैं कि एक खास धर्म के लोग पूरी दुनिया के अमन के लिए खतरा बन गए हैं और कम-से-कम अब तो हमारी सरकार जागे और देश की हिफाजत के लिए इन तत्त्वों को चौकस निगरानी में रखे...जैसा कि ग्यारह सितम्बर के बाद अमेरिका की सरकार अपने देश की सुरक्षा के लिए हर तरह की तैयारी करने लगी है।'

'हाँ, हाँ, ये हो सकता है नूर कि उन लोगों को बाबरी मस्जिद और गुजरात से आगे जाने के लिए तुम एक बहाना बनो!' मैं अतिरिक्त जोर देकर कहता हूँ।

आखिरी बात से वह बेचैन होता है, पर यह बेचैनी समझ की नहीं, सुनने की होती है, और इसलिए मुझे ताकीद देता है, 'इतना लम्बा न खींचा करो यार देखो। अरे इस मुल्क के आम आदमी पर अभी भी मेरा पूरा भरोसा है और ग्वालियर का आदमी तो इस मामले में बेमिसाल है। बंटवारे के, बाबरी मस्जिद के वक्तों पर भी इस शहर में पूरी अमन-शान्ति बनी रही थी। छोटी बात नहीं है यार ये। और इसकी वजह है, यहाँ के महल की तरक्कीपसन्द हुकूमत। फूलबाग में मन्दिर, मस्जिद, गुरुद्वारा और चर्च हैं। जैन और बौद्ध तब अगर अपनी आयडेण्टिटी हिन्दुओं से अलग बनाने में लगे होते न, जैसा कि अब लगे हैं, तो उनके मन्दिर या बुत भी होते ही। ये जो मिलन की, एक दूसरे के मजहब की इज्जत करने की बात है, वो राजघराने से ही नीचे आई है भाईसाब, और काफी गहराई तक आई है। राजघराने का ताजिया लगता है। है और किसी जगह ये मिसाल?—बेशक उन्होंने मीडिओकर्स को पाला, प्रोफेशलिज्म को ठीक से शहर में पनपने नहीं दिया, राजघराने के लिए वफादारी को किसी आदमी को फायदा पहुँचाने की पहली शर्त रखी, अपनी ऐंठ-अकड़ भी कायम ही रखी, पर इस रियासत को दंगों की जमीन भी नहीं बनने दी, बड़े-बड़े उकसावे आए फिर भी नहीं बनने दी।'

'इसके लिए मुसलमानों की तादाद कम होना भी एक वजह है, देखो नूर। कम तादाद में होने से किसी कौम के लोग बड़े-से-बड़े उकसावे के बीच भी, दबकर रहना सीख लेते हैं, फिर चाहे वे मुसलमान हों या हिन्दू। वर्ना अगर हमारे यहाँ भी अलीगढ़, लखनऊ, कानपुर जैसी मुस्लिम आबादी होती न, तो हम भी दंगे-फसादों से बच नहीं पाते।'

'होगी, यह वजह भी होगी, पर ये बड़ी या अहम वजह बिल्कुल नहीं है। अगर मुसलमानों की तादाद कम है तो हिन्दुत्ववादियों को तो उन्हें दबाकर एक-दो वारदातें कर डालना आसान होता न? कछ नहीं तो दूसरी जगहों के लिए जहरीला माहौल बनाने के लिए ही एकाध वारदात कर सकते हैं। मगर नहीं होती एक भी वारदात, और होगी भी नहीं मैं कहता हूँ। मुल्क और दुनिया और पाकिस्तान और कश्मीर और राम मन्दिर और बनारस, मथुरा को लेकर हिन्दुत्ववादी चाहे जितना उबलें, पर शहर ग्वालियर और फिजां नहीं बिगाड़ेंगे, क्योंकि वैसी परम्परा नहीं है, और अगर उनमें से कुछ ने बिगाड़ने की कोशिश भी की तो दूसरे हिन्दू ही नहीं, दूसरे हिन्दुत्ववादी भी उनके खिलाफ खड़े हो जाएँगे।'

'एक जमाने में हिन्दू महासभा का गढ़ था ये शहर।' अपनी बात जारी रखते हुए वह कहता है, 'उस जमाने में भी यहाँ दंगे नहीं हुए। कहते हैं कि पाकिस्तान से आए पंजाबी सिंधी शरणार्थी अमूमन मुसलमानों के खिलाफ हैं, क्योंकि इसी कौम ने उन्हें अपने पुराने घरों से खदेड़ा था, और अच्छा कारोबार और अच्छा रहन-सहन छोड़ने को मजबूर किया था, इसी से वे मुसलमानों के खिलाफ रहे हैं। अब तो खैर घाव भर रहे हैं, तो उनकी भावनाएँ भी बदल रही हैं, पर उस टाइम ग्वालियर में भी तो हजारों की तादाद में बाहर से आकर सिंधी पंजाबी बसे थे, और इनमें से ज्यादातर हिन्दू महासभा,

जनसंघ या भारतीय जनता पार्टी के मेम्बर या हमदर्द रहे हैं या हैं भी। पर दोस्त, इन्होंने भी कभी दंगे भड़काने की कोशिश नहीं की और अगर कुछ सिरफिरों ने की भी होगी तो वह कामयाब नहीं हुई। इसके पीछे सिर्फ एक वजह है—'महल और सिर्फ महल!'

'मैं ये हरगिज़ न कहूँगा कि तुम्हें नौकरी दी इसलिए तुम महल की तारीफ कर रहे हो।' मैं मुस्कराते हुए कहता हूँ।

'और मैं भी ये हरगिज़ न कहूँगा कि कमेटी ने तुम्हारी और सरकारी फरमान की बात मानकर डॉक्टर खटनीस को रिटायर नहीं किया तथा तुम्हें प्रमोशन नहीं दिया, इसलिए तुम महल के खिलाफ हो।' वह दुगुना मुस्कराकर कहता है।

अचानक मुझे संध्या की बहन सुलभा के बेटे बबलू ने कही राजा के दो मुँह होने की बात याद आती है और हँसते हुए उसे उस दिन का किस्सा सुनाता हूँ कि चार-पाँच साल के उस बच्चे ने सिर्फ ताश के पत्तों का राजा देखा था और इसलिए मुझसे पूछा था कि अंकल क्या इस राजा के भी दो मुँह हैं, और फिर आगे कहता हूँ, 'बहुत गलत नहीं है बबलू का कहना। हर राजा के दो चेहरे होते ही होते हैं। एक लोगों को दिखाने के लिए और दूसरा खुद का फायदा करने के लिए और इस फायदे को बरकरार रखने के लिए अपने चमचों और अपने प्रति वफादार लोगों को मनमर्जी के फायदे और सहूलियतें मुहैया कराने के लिए। भगवान कृष्ण के दो चेहरे महाभारत में साफ-साफ दिखलाई देते हैं, कि हर अनैतिक काम को धर्म की दलील से नैतिक बनाने वाला एक चेहरा और नीति को नीति की तरह मानने वाला और मनवाने वाला दूसरा चेहरा। दोनों तरह के अनेक प्रसंग हैं महान ग्रन्थ महाभारत में। पर इससे भी महत्त्वपूर्ण बात यह है कि हिन्दू जन-जन को भी इन दो चेहरों की पहचान है और इसीलिए कुरुक्षेत्र के कृष्ण का उतना महत्त्व नहीं है, जितना कि मथुरा वृन्दावन के कृष्ण का है। राजा राम तक दो चेहरों के हैं भाई! कि मर्यादा पुरुषोत्तम का एक और शम्भूक की हत्या करने वाला और गर्भवती सीता को महल से निकालने वाला पुरुष-दम्भ से पीड़ित अयोध्या के राजा राम का दूसरा चेहरा। हाँ, भगवान शिव शंकर सिर्फ एक चेहरेवाले हैं। उनके यहाँ तो अपने प्रणय की तीव्र हूक भी इतनी खुल्लमखुल्ला है कि उसके लिए अपने बेटे का सिर तक कलम कर देते हैं। पर वे राजा भी तो नहीं हैं। देखा! बहुत गलत नहीं है, ताश के पत्तों के राजा के दो चेहरों का एक दूसरे के उलटे होना।'

'सो व्हाट?' नूर तैश में आता है, 'असल बात ये है कि राजा भला-बुरा जैसा भी हो, उसकी कारगुजारियों के नतीजे क्या बनते हैं। आज के इस खूंखार और वहशियाने दौर में ग्वालियर के महल का सिर्फ ये एक नेक काम कि उसने कौमी फसादों को पनपने न देने की पक्की नींव डाली, उसके सबरे गुनाहों को खारिज करने के लिए काफी है।'

'और सुनो। संगीत ग्वालियर की बहुत बड़ी विरासत है न? उसी के बारे में एक किस्सा सुनो। अंग्रेजों के जमाने की बात है। महाराष्ट्र के कुछ बम्मनों ने तय किया कि संगीत की परम्परा वेदों से चली आ रही है और इसलिए उनके यहाँ गाए जाने वाले संगीत में हिन्दू असर दिखना चाहिए, सो उन्होंने 'मियाँ की मल्हार' राग की एक बन्दिश के बोलों को बदला और कुछ गवैये 'करीम तेरो नाम' की जगह 'शंकर तेरो नाम' गाने लगे। इस रास्ते पर और आगे बढ़ने की बहस छिड़ी और कहा गया कि मियाँ तानसेन के नाम पर चलने वाले 'मियाँ की तोड़ी', 'मियाँ की मल्हार' जैसे रागों के हिन्दू नाम रखे जाने चाहिए। इस मुहिम में लोकमान्य तिलक साहब के मशहूर अखबार 'केसरी' के सम्पादक केलकर साहब सबसे आगे थे। अपनी बात कहने के लिए उनके पास एक अखबार था ही। मगर इस मुहिम की पुरजोर खिलाफत करने वाला भी एक दूसरा मशहूर बम्मन था। ताम्बेसाब, शायद भास्कर रामचन्दर ताम्बे या भालचन्दर रामदास ताम्बे ऐसे ही नाम के बहुत मशहूर कवि। उन्होंने कहा कि महाराष्ट्र में आप लोग मियाँ तानसेन के नाम से चले आ रहे रागों के नाम बदलने की बात कर रहे हो न? तो जरूर बदलो। पर ऐसा करने के पहले अपने यहाँ एक तानसेन तो पैदा करो।—तुम्हें पता है, ये ताम्बेसाब कौन थे?'

मेरे मना करने पर वह बतलाता है, 'वे ग्वालियर रियासत के राजकवि थे। इसी शहर में रहे थे। तो ये परम्परा है ग्वालियर की, समझे?'

जाते-जाते वह तल्खी को कहता है, 'मेरी इस बात की गहराई समझने के लिए उस खौफनाक मंजर से गुजरना पड़ेगा दोस्त, जिसे लोग कम्यूनल राइट्स कहते हैं।'

मैं उस पर बैठने के लिए जोर डालता हूँ और उसके बैठने के बाद पूछता हूँ, 'यार संगीत के बारे में तुझे ऐसी जानकारी कहाँ से मिली? तेरा तो इसमें कोई दखल है नहीं?'

वह कहता है, 'मेरी बात तो टप्प तो नहीं समझ रहा न? सच में यह हकीकत है। पुराने लोगों से पूछकर तू इसकी जाँच कर लेना।–खैर, तुझे बता दूँ कि मेरे एक दूर के चचा हैं फतेहअली खान। उनके वालिद उस्ताद अब्दुल करीम खाँ साब के शागिर्द थे। फतेहअली चचा का हमारे घर पर आना-जाना तो था ही, किस्से सुनाने का भी जबरदस्त शौक था उन्हें। उनके पास थे भी एक से बढ़कर एक किस्से।'

'अबे तू खुद भी तो कहीं, हमारे यहाँ के हद्दू खाँ-हस्सू खाँ का वारिस नहीं है?' मैं मजा लेता हूँ।

'यहाँ भी कंजूसी दिखलाई न तूने? अबे बनाना ही था तो सीधे तानसेन का वारिस बनाता।' कहते-कहते वह कमरे से बाहर होता है।

★ ★ ★

ताज्जुब की बात है कि इतने साल हो गये पर नूर ने न तो अभी तक मुझे अपने रहने की जगह बतलाई है और न ही अपने माँ-बाप से मिलवाया है, जबकि इस शहर में वह मुझे अपना सबसे अच्छा और ज़िगरी दोस्त कहता है, कि तुलनात्मकता में नहीं परिपूर्णता में भी मैं उसकी दोस्ती का उच्चाक हूँ। नौकरी मिलने पर उसने जो एक बेडरूम वाला मकान लिया था तथा जिसका पता अभी भी इंस्टीट्यूट के कागजों में दर्ज है, वह उसने दो महीने बाद ही छोड़ दिया। मुझे तो यह भी नहीं मालूम कि उसके बाद वह जहाँ गया वहीं रह रहा है, या इस दौरान चार-छह जगहें बदल चुका है। अब जबकि बिजली जाने पर मेरे कमरे में आकर बैठने लगा है, तब जरूर इस बात को लेकर मुझे ताज्जुब और कुछ-कुछ अफसोस होता रहा है कि मुझे अपने इस नजदीकी दोस्त का घर तक नहीं मालूम, कि घरवालों के बारे में मालूम होना तो बाद की बात है। इससे पहले इस बात पर ध्यान जाता जरूर था, पर तब मैं यही सोचता था कि मेरे उसके यहाँ आने-जाने का मतलब उसे खुद को ज्यादा उजागर करना लगता होगा और इसलिए अपने रहने की जगह के बारे में मुझे अँधेरे में रखने के लिए, खुद मुझे भी उसकी मदद करनी चाहिए। पर अब तो उसे यहाँ टिके कई साल हो गये हैं?

एक दिन इसी तरह की दिमागी हालत के चलते मैं उससे तल्खी और रंज और गुस्से और छींटाकसी के भावों के बीच पूछता हूँ, 'मैं तुम्हारा जिगरी दोस्त हूँ नूर, पर कैसी अजीब बात है कि अब तक मैं न तो तुम्हारे अब्बा, अम्मी से मिला हूँ और न ही मुझे तुम्हारे रहने का ठिकाना मालूम हुआ है?'

वह एकदम मायूस होता है और अपनी निगाहें झुका लेता है, कि जैसे मैंने कोई चुभने वाली बात कह दी हो। कुछ देर इसी तरह बैठे रहने के बाद वह अचानक उठता है और जाते-जाते कहता है, 'इसके बारे में बाद में बात करेंगे। अभी चलता हूँ।'

अगले दिनों में बिजली जाने पर वह आता है, बैठता है, हमारी इधर-उधर की बातें होती हैं, पर 'बाद में बात करेंगे' पर वह कुछ नहीं बोलता। उसका न बोलना अजीब और चिन्ताजनक लगने के बावजूद, मैं इस सवाल को उठाने की हिम्मत नहीं कर पाता।

सोचते-सोचते परेशान होने और फिर ढंग से सोचने पर मुझे सूझता है कि क्यों न खुद ही उसका पीछा करते हुए मालूम करूँ कि वह कहाँ रहता है कि फिर भले ही उसके सामने नहीं पड़ूँगा और मालूम भी नहीं होने दूँगा कि मैंने उसके घर का पता लगा लिया है।

और मैं दो दिन इस बात की ताक में रहता हूँ कि छुट्टी होने पर वह कब और कैसे अपने घर के लिए निकलता है और तीसरे दिन इंस्टीट्यूट के बाहर के बस स्टॉप पर पहुँचकर जब वह एक बस में चढ़ जाता है तो मैं अपना स्कूटर बस के पीछे कर देता हूँ।

कम्पू स्टॉप पर उतर कर वह पैदल चलता है। मैं किनारे पर स्कूटर खड़ाकर सिगरेट पीते-पीते, उस पर निगाह टिकाता हूँ। वह ईदगाह की ओर जाता है। मोड़ पर ओझल होने पर मैं स्कूटर बढ़ाता हूँ और उसके दिखने के बाद फिर से एक ओर खड़ा हो जाता हूँ। वह आपागंज की संकरी सड़क में घुसता है। मैं स्कूटर बढ़ाकर इस सड़क के मुहाने तक जाता हूँ। वह अन्दर की एक गली में घुसता है। मैं फुर्ती से स्कूटर बढ़ाकर उस गली के मुहाने पर जाता हूँ और पाता हूँ कि नूर गायब हो गया है। आगे जाकर तलाश करने पर उसकी निगाह में पड़ने का पूरा खतरा होता है, कि क्या पता

दूसरे तीसरे घर में ही घुस गया हो और अपने घर के दरवाजे से मुझे स्कूटर पर जाता देख ले। 'अब उसके मकान का पता लगाना मुश्किल नहीं।' निश्चिन्ती के साथ मैं वापस होता हूँ।

अगले दिन बिजली की गड़बड़ होने पर नूर के कमरे में आने का इन्तजार करते हुए सोचता हूँ कि आज उससे 'बाद में बात करूँगा' की हकीकत निकलवा ही लेना चाहिए। तय करता हूँ कि ऐसा ही करूँगा और मन को कसने की कवायत होती है और सिर्फ इसी बात का बार-बार मढराना होता है और कोरे कागज पर उल्टी-सीधी लकीरें खींचना होता है और बड़े-छोटे गोले बनाना होता है और तब अचानक खयाल आता है कि यह कमीनापन है महेश, कि अरे जब तुम तकरीबन पूरी तरह से उसके रहने का ठिकाना जान गए हो, तो उसे इसको लेकर सालना कमीनापन नहीं तो और क्या होगा? कि हाँ सालना ही होगा यह, क्योंकि कोई ऐसी मजबूरी जरूर है जिसकी वजह से इस मामले को लेकर वह तुमसे, मतलब अपने जिगरी दोस्त से खुल नहीं रहा है, जबकि उसने उस दोस्त को वे बातें पूरी-की-पूरी बतलाई हैं, जिनके एक छोटे से हिस्से को भी अगर वह दोस्त लोगों के सामने उजागर कर दे, तो उसकी जिन्दगी को बहुत बड़ा खतरा पैदा हो जाएगा और इसलिए महेश, अगर तुम उससे ये सवाल करोगे तो एकदम टुच्चे हो जाओगे।

नूर के कमरे में घुसते ही मुझे बहुत अच्छा लगता है, एकदम उत्सवी, कि उसके मेरे बीच कुछ भी ऐसा नहीं जो सुहाना न हो और मैं उससे अचानक पूछता हूँ, 'नूर, गुगनानी ने मेरे सामने प्रस्ताव रखा है कि मैं उसके शेयरों के कारोबार में शामिल होऊँ और वो सोचता है कि आगे की बात पहले से ही सोच लेने की मेरी काबलियत उसके कारोबार में बहुत मुनाफा दिला सकती है और इससे उसे तो फायदा होगा ही होगा, मुझे भी फिलवक्त के बेकार बैठे रहने और सिर्फ किताबें पढ़ने के काम से छुट्टी मिलेगी। बहरहाल तुम्हारी इस बारे में क्या सलाह है?'

वह पूछता है, 'तुम मुझसे ऐसी सलाह क्यों माँग रहे हो, जबकि यह बात अच्छी तरह से जानते हो कि मैं पैसे से पैसा कमाने के काम को नापाक समझता हूँ।'

मैं जवाब देता हूँ कि मैं मुसलमान नहीं हूँ, और इसलिए ऐसे काम को नापाक समझने की मुझे कोई जरूरत नहीं है और तुम्हारा नापाक समझना तुम्हारे अपने लिए है या ज्यादा से ज्यादा किसी मुसलमान के लिए होगा, एक हिन्दू के लिए तो हरगिज नहीं हो सकता और वैसे तो तुम्हारी अब तक की बात से मैं यह भी मान सकता हूँ कि दूसरे किसी मुसलमान के लिए यह नापाक है या नहीं, इसका फैसला भी तुम उसी पर छोड़ोगे और खुद उसके लिए फैसला नहीं दोगे, कि बहरहाल, मैं तुमसे फैसला नहीं, सलाह ले रहा हूँ और तुम्हारे एक मुसलमान होने की वजह से नहीं, एक संजीदा और चीजों को साफ-साफ देख सकने वाला एक ऐसा इन्सान होने की वजह से ले रहा हूँ, जो हमेशा मेरे भले की ही सोचता है।

नूर चुप रहता है तो मैं उसे उकसाता हूँ, 'मुझे तुम्हारी सलाह की जरूरत है यार! तुम कुछ बोल क्यों नहीं रहे?'

आखिर वह शुरू होता है, 'देखो सलाह-वलाह की बात का तो कोई मलतब नहीं है। हम लोग इस मसले पर चर्चा करते हैं बस, कि आखिर तुम भी एक काबिल वैज्ञानिक हो और अपने फैसले खुद अच्छी तरह से कर सकते हो। चर्चा इसलिए करेंगे कि कई ऐसी चीजें जो तुम्हारी निगाह से छूट गई हों, वे तुम्हारे सामने अब या इस चर्चा की उकसाहट से बाद में कभी आ जाएँ। बेशक तुम यह सब जानते हो, और मैं इन बातों की तरफ बस तुम्हारा ध्यान खींच रहा हूँ कि सबसे पहला काम होना चाहिए इस मसले से ताल्लुक रखने वाले सही सवाल पूछना, कि अब जैसे हमारे यहाँ पैसे से पैसा कमाना हराम माना जाता है तो इसलिए ही न कि इस तरह की कमाई में पैदावार नहीं है, इस तरह की कमाई से हम समाज के लिए कुछ जोड़ते नहीं हैं, जो समाज में है उसे ही एक हाथ से दूसरे हाथ में करते हैं। तुम्हारे नज़हब में इस तरह का कोई रोक नहीं है, तो बिल्कुल ठीक, तुम इसके लिए मजबूर नहीं हो। पर फिर भी तुम्हें सवाल तो करना ही चाहिए कि शेयर दलाली के जरिए या शेयर बेच खरीद कर तुम पैसे कमाना चाहते हो तो क्यों? क्या तुम्हारी जरूरतें अभी तुम जो कमा रहे हो उससे पूरी नहीं होतीं? अगर हो रही है और आराम से हो रही है तो तुम ज्यादा पैसा ज्यादा ऐशो-आराम, ज्यादा रुतबा, ज्यादा हवस या ज्यादा तसल्ली के लिए कमाओगे क्या? या फिर तुम इस पैसे का इस्तेमाल किसी तरह की कोई पैदावार बढ़ाने में,

किसी नेक काम में, मतलब अपनी या दीगर लोगों की 'क्वालिटी ऑफ लाइफ' सुधारने में करोगे? इस तरह के सवालों के जवाब ही तुम्हें सही फैसला लेने में मददगार साबित होंगे, महेश।'

'मगर एक दूसरा पहलू भी है, जिसकी तरफ तुमने इशारा किया है। वह है, तुम्हारे पास फुरसती वक्त का होना और तुम्हें इसका इस्तेमाल शेयर के काम में करने की गुगनानी का दावत देना। पर अभी तुम जो इसका इस्तेमाल किताबें पढ़कर अपनी सेंसीबिलिटी को ज्यादा गहराई देने, मतलब उन चन्द चण्ट दीवारों को तोड़ने में करते हो, जो तुम्हारे जाने-अनजाने, तुम्हारे ज़हन में इतनी बड़ी ज़िन्दगी बसर करते हुई बन गई है, तो क्या ये तुम्हारे खाली वक़्त का बेहतर इस्तेमाल नहीं है?'

'क्या बात है! क्या बात है! तुम्हारा ये अहसान कभी न भूलूँगा भाई। जाओ अपने काम में लगो, बिजली आ गई है।' अभिभूत होते हुए मैं उसे बीच में ही टोकता हूँ, कि आगे उससे कुछ सुनने की ज़रूरत ही कहाँ बची है।

★ ★ ★

एक इतवार की शाम अचानक दिमाग में आता है कि नूर अफजल का घर देख ही लिया जाए। संध्या से कहता हूँ, 'जरा मार्केट जा रहा हूँ। देर लग सकती। तुम्हें कुछ मँगाना हो तो बोलो।'

'मार्केट?' टी. वी. के पर्दे से आँखें हटाकर वह पूछती है, और ध्यान दिलाती है, 'आज इतवार है।'

'जयेन्द्रगंज नहीं, बाड़े जाऊँगा, अण्डरवियर-बनियान लाने। तुम्हारे लिए कुछ?'

'टाल नहीं सकते? कल चलेंगे साथ-साथ?'

'इंस्टीट्यूट से आने के बाद?—नहीं। देर होती है और फिर—'

'जाओ।' कहकर वह टी. वी. की ओर आँखें मोड़ती है और मैं राहत से दरवाजे की ओर बढ़ता हूँ, कि भला हो तेरा मेरी औरत जो तूने कुछ लाने को नहीं कहा, वर्ना लाने जाता तो अपने मकसद में गठान आने देता और न लाता तो तेरी नाराज़गी झेलता कि खुद कहकर भी मेरे काम में आनाकानी क्यों। नीचे उतरकर अपना स्कूटर उठता हूँ और आपागंज के लिए चल देता हूँ, कि बनियान-फनियान लौटते में देखूँगा।

नूर जिस गली में घुसा था उसमें इधर-उधर देखते हुए घुसता हूँ और पाता हूँ कि एक औरत सार्वजनिक हैण्डपम्प पर अपने बेटे के चूतड़ धुला रही है और उसके पास एक लड़की एलमूनियम की पतीली लिये खड़ी है, कि उसका निबटे तो मैं अपनी पतीली भरूँ। मैं बिना उस ओर देखे या लड़की से कुछ पूछे आगे बढ़ता हूँ, कि क्या पता मुस्लिम महिलाओं से पूछना ठीक समझा जाएगा कि नहीं। इस टोह में कि कोई आदमी दिखे तो उससे पूछूँ, इधर-उधर देखते हुए स्कूटर बहुत धीमे से चलाता हूँ। याद आता है कि पहले जब इस गली के नुक्कड़ तक नूर का पीछा करते हुए आया था तो बहुत जल्दी उसका दिखलाई देना बन्द हुआ था, मतलब ये कि वह गली के मुहाने के पास के ही किसी मकान में रहता होगा।

थोड़ा आगे बढ़ने पर एक घर का दरवाजा खुला पाता हूँ और देखता हूँ कि उसके आँगन में कुछ बच्चे बैठे हैं और वे अपनी-अपनी कॉपियों में कुछ लिखने में मशगूल हैं और सोचता हूँ कि यहीं पर किसी से नूर का मकान पूछा जाए और इस मकसद से अपना स्कूटर खड़ाकर दरवाजे तक जाता हूँ और पाता हूँ कि चौखानेवाला मुसलमानी तेहमद और बनियान पहने, सामने नूर खड़ा है।

मुझे देखते ही कुछ पल के लिए उसके चेहरे पर घबराहट आती है, पर वह तुरन्त ही खुद को सम्भालता है और मुझसे कहता है कि 'आओ सादिक भाई।'

मैं हैरान-परेशान भौचक्का होकर उसकी तरफ आँखें फाड़कर देखता हूँ, कि वह दुहराता है, 'अमा आओ भी यार। अन्दर आओ, तुम्हें अम्मी और शीरीन से मिलवाता हूँ और अब्बा कहीं इधर-उधर बैठने को निकल गये हैं। अरे आओ तो', कहते हुए वह मेरा हाथ पकड़कर अन्दर आँगन में खींचता है और आगे कहता है, 'ये इस मुहल्ले के बच्चे हैं, जो मुझसे हिसाब सीख रहे हैं और सो भी बिना इस बात को जाने कि सिखाने के मामले में मैं एकदम बोदा हूँ।'

पर्दा डले दरवाजे के पास जाकर वह अन्दर की ओर बोलता है, 'अम्मी, सादिक भाई आए हैं। अरे वही मेरे जिगरी दोस्त जिनके बारे में मैं अक्सर बतलाता रहता हूँ। हाँ, आपसे और शीरीन से ही मिलेंगे सो अन्दर ले आऊँ इन्हें?'

अन्दर से जनाना आवाज में मंजूरी मिलने के बाद वह परदा एक ओर कर मुझे अन्दर करते हुए कहता है, 'तुम अम्मी से बात करो। मैं तब तक बच्चों को कुछ सवाल कराता हूँ।' और फिर अन्दर की ओर कहता है, 'शीरीन, इन्हें चाय में शकर कम लगती है।'

'मैं शीरीन। भाईजान की छोटी बहन। और आप जरूर महेश परकाश भाईसाब हो?' मेरे कमरे में पहुँचने के बाद उस कमरे के अंदर के कमरे से आकर एक खूबसूरत महिला कहती है।

मैं 'हाँ' तो कह देता हूँ, पर 'सादिक और महेश प्रकाश का चक्कर क्या है?' और 'इस शीरीन नाम की महिला ने बिना बतलाए मेरा नाम कैसे जान लिया?' ये सवाल मुझे घेरे रहते हैं।

'हैरान न होओ बेटा। सब बातें खुल जावेंगी धीरे-धीरे।' एक कोने से आवाज आती है। मैं उधर देखता हूँ और समझ जाता हूँ कि ये नूर की माँ हैं।

वे पूछती हैं, 'तुम खैरियत से तो होवो बेटा?'

'हाँ, आपसे मिलने की तमन्ना थी सो...'

'मैं जानती हूँ बेटा, तुम्हारी और नूरे की दोस्ती और तुमने नूरे की जो मदद करी वो। और तुमने उसे ऐसे बखत पे साथ दिया कि सगा भाई भी एक बेर को कट जाता। अल्ला तुम्हें हमेशा खुश रखे। तुम्हें और तुम्हारे बीबी-बच्चे को नियामत दे। सुन के अच्छा लगा कि तुम्हारे दोनों बेटे खूब अच्छे निकले और होशियार हैं और बड़ा मिलिन्द बम्बई में नौकरी कर रहा है और छोटा छोटू बाहर पढ़ रहा है। मेरी दुआ है खूब-खूब तरक्की करें वो। तुम्हारी दुल्हन मतलब अपनी बहू को देखने की तमन्ना तो है, पर अब न सही ये नसीब में। अल्लाताला जो करे उसे नियामत समझके ही कुबूलना चाहिए बेटा।'

मैं चुप और हैरान कि बच्चों के नाम तक याद हैं इन्हें तो! कि नूर के लिए मैं सादिक और फिर भी ये लोग मेरा नाम ऐसे जान गए जैसे मेरा इन्तजार की कर रहे हों और मेरे बारे में इतनी सारी जानकारी और मैं इनके बारे में सिर्फ इतना जानता हूँ कि ये नूर की माँ हैं और वो उसकी छोटी बहन, और सो भी अभी-अभी जान पाया हूँ।

इस सब की वजह से एक अजीब सी अकुलाहट मुझे घेरती है।

मुझे चुप देखकर नूर की माँ बोलती हैं, 'मुझे पता है बेटा कि तुम्हें नूर के सादिक कहने पर हैरानी हो रही है। पर इसमें उसका कोई कुसूर नहीं। खुदा कसम बेटा, नूर तो न जाने कब से तुम्हें यहाँ बुलाने को कहता रहा है, जाने कितने साल महीनों से। मगर मैंने ही उसे रोका है और जिद करके रोका है, बावजूद इसके कि मुझे भी तुमसे मिलने की उतनी ही ख्वाइश रही है, जितनी तुम्हें हमसे मिलने की। पर माफ करना बेटा, अब मेरा दीगर कौम पर से भरोसा उठ गया है। बाबरी मसजिद तोड़ी सो तोड़ी, हमारी खोपड़ियाँ भी फोड़ीं। हम गरीबों का क्या गुनाह? जो फसादी हैं, उन्हें कुछ भी करो हमें उज्र नहीं, पर हमें?...बरगेली में थे हम दोनों। मैं और नूर के अब्बा। कसम से बेटा चार दिन बिना दाना-पानी के काटे। बस खौफ ही खौफ। दिन-रात बस खौफ। शीरीन तब अपनी ससुराल में थी। दो साल पहले तलाक दिया इसे और घर से भी निकाला, इसकी ससुरालवालों ने। बच्चे नहीं दिये। दो प्यारे-प्यारे बच्चे हैं। उनके संग बिचारी काट लेती ज़िन्दगी, पर अब जो अल्लाह की मर्जी। नूर के अब्बा लेने गए तो उन्होंने गुण्डे बुला लिये। क्या करते गम खाकर खाली हाथ लौट आए। कोर्ट-कचेरी करने की हिम्मत बिल्कुल नहीं। नूर जो भुगत रहा है, उत्ता ही क्या कम है।'

आगे वे बोलती हैं, 'नूर ने बहुतेरा कहा बेटा कि अम्मी ये बरगेली नहीं, ग्वालियर है। आज तक यहाँ पे कोई दंगा-फसाद नहीं हुआ और इस वास्ते महेश को बुलाना हूँ और उसकी बड़ी मर्जी है आप लोगों से मिलने की, पर भैया अब मुझे तुम्हारी कौम से उतना नहीं, जितना अपनी कौम से डर लगता है। आस-पड़ौस में जो मालूम हो जाए कि हमारे घर में हिन्दू आता है तो मालूम नहीं, कहाँ, कब क्या कर बैठें, हमारे ही लोग? हमें, तुम्हें, किसी को भी कुछ भी कर दें, क्या पता?—सो भैया मोहब्बत रखो, पर दूर से ही दुआ माँगते रहो अपनों की खैरियत की।—बिना मिले-जुले एक दूसरे को हम दिल से याद करते रहे और उसका इतना करम तो है कि दिल की आवाज जरूर पहुँचती है अपने अजीजों के पास। अब अपना ही देखो न, न तुम हमें जानते थे और न हम तुम्हें, पर दिल की आवाज दिल तक पहुँची

ही पहुँची।–सच्ची बेटा, अब ज्यादा खतरा न लो, बस अलग-अलग रहके ही...कहते कहते वे रोने लगती हैं।

मैं कहता हूँ, 'अम्मी आप फालतू में इतनी फिक्र करती हैं। नूर सही कहता है, ग्वालियर में दंगा-फसाद नहीं होते। कितना भी हो-हल्ला करें लोग, पर करेंगे अपनों के बीच रहकर ही। दंगा-फसाद करने दीगर कौम की तरफ नहीं मुड़ते।'

'खुदा करे तुम्हारा कहा हमेशा सच बना रहे। पर बुढ़ापे में भरोसा करने का माद्दा कम हो जाता है, बेटा। जब भी कहीं से दंगे होने की बात कान पर आती है, दिल में धुकधुकी होने लगती है। रात-रात भर नींद नहीं आती। नूर को, शीरीन को बार-बार टोकती हूँ कि दरवाजे खिड़कियों को ठीक से चटकनी कुन्दी, ताले लगाए कि नहीं। बीच-बीच में खुद जाकर देख आती हूँ। दिल एतबार करने को राजी ही नहीं होता कि सब कुछ ठीक रहेगा।'

'हाँ भाईजान, अम्मी को जाने क्या हो गया है। गुजरात की बातें टीवी पर देख-सुनकर एकदम होलदिल होती हैं। खाना-पीना नदारत। मेरी और भाईजान की जिद पर एक-दो निवाले कि बस। एक दिन तो गजब ही हुआ। हमारे पड़ोस में अमजद चचा रंगरेजी का काम करते हैं, सो उनके यहाँ का रंग नाली में फैलना आम बात है। उस दिन लाल रंग और अम्मी ने देखा और धाड़ मार-मार कर रोने लगीं। कुछ बोलें ही नहीं, बस रोएँ और बीच-बीच में 'अब रहम कर परवरदिगार' की दुआ करें। आखिर भाईसाब ने डाँट लगाई कि बतलाओ वर्ना अभी मुहल्ले में जाकर दरयाफ्त करता हूँ कि किसी से कुछ कहा-सुनी तो नहीं हुई, और तब बतलाया कि नाली में बस खून-ही-खून और कत्लेआम है और अब हम कहाँ जाएँगे एय खुदा? और तब भाईजान ने नाली को देखा और कहा कि वो रंगरेज चचा के यहाँ से निकला रंग है। पर अम्मी अपनी समझ पर कायम कि इतनी उमर हो गई क्या मैं खून और रंग में फरक न समझूँगी और तब भाईजान रंगरेज चचा के यहाँ गए, उन्हें पूरा किस्सा बयान किया और उनसे हिसाब लगवाया कि औसतन एक महीने में लाल और मरून और खून जैसे दिखनेवाले कितने कपड़े रंगने को आते हैं और तब उनसे गुजारिश करी कि महीने के महीने इतनी रकम भाईजान देंगे और रंगरेज चचा इन रंगों के कपड़े रंगना बन्द कर दें।'

'और तब रंगरेज चचा वो भड़के-वो भड़के भाईसाब, कि भाईजान की सिट्टी-पिट्टी गुम। बोले, 'जनाबेआली आप बेशक तालीमशुदा हैं और हिसाब और साइंस को बखूबी जानते हैं, पर माफ करना, आपको इन्सानी रिश्तों की नेकसी भी तमीज नहीं है। वो बुढ़िया आपकी अम्मा होंगी जरूर, मगर मेरी भी वो आपा हैं और हमारे मुहल्ले की बुजुर्गियत की शान हैं। और अब मैं अल्ला की कसम खाकर कहता हूँ कि आज दिन से जब तक बुढ़िया जिन्दा रहती हैं उस दिन तलक, मैं उस नामुराद लाल रंग और उसके भाई-भतीजे रंगों का काम बन्द रखूँगा, भूखों मरने की नौबत आई तो भी।'

'और भाईजान, उसी दिन दो घण्टे के अन्दर रंगरेज चचा के घर पर एक बोर्ड टंगता है, जिसकी इबारत होती है कि यहाँ पर लाल और मरून और खून से मिलते-जुलते किसी भी और रंग का काम हरगिज नहीं होता। और उस दिन भाईजान और रंगरेज चचा ने मिलकर दे बाल्टी पे बाल्टी, दे बाल्टी पे बाल्टी। पूरी नाली ऐसी साफ करी कि एकदम बेरंगी पानी। और भाईजान के संग रंगरेज चचा घर पे आए और दोनों ने मिलकर अम्मी को नाली दिखलाई और तब कहीं जाकर अम्मी का होश वापस आया।'

'और भाईजान, अभी पिछले दिनों इन्दौर में दंगे होने की खबर आई और इन्होंने रो-रोकर दो दिन नूरभाई को इंस्टीट्यूट नहीं जाने दिया। हम दोनों ने इनको बहुतेरा समझाया कि दंगे इंदौर के बाहर नहीं फैले हैं और वहाँ पर भी सब काबू में है, पर इन्होंने एक न सुनी, बस वही एक जिद कि नूरे तू काम पे गया तो मेरा मरा मुँह देखेगा। बैठे रहे भाईजान हाथ पर हाथ धरे दो दिन तलक। जब भाईजान ने टीवी की खबर और अखबार की खबर इन्हें दिखलाई तब कुछ नरम पड़ीं और उन्हें तीसरे दिन इंस्टीट्यूट जाने दिया।'

'अरे जो आदमी रात-दिन काम में लगा हो उसे बिना काम के घर पर निठल्ले बैठने में चैन आएगा क्या? आप बोलो भाईसाब?'

'निठल्ले क्यों, शीरीन? पढ़ाते तो हैं बच्चों को नूर मियां।'

'बच्चे स्कूल जाते हैं और न भी जाते हों तो उनके माँ-बाप पूरे दिन तो इनके पास पढ़ने भेज नहीं देंगे। आखिर

घर-बाहर के और भी काम होते हैं बच्चों को करने के वास्ते। रुपया दो रुपया कमा लाते हैं तो गिरस्थी में उत्ती ही मदद होती है!'

'इन बच्चों को नूरमियाँ का पढ़ाना बहुत बड़ी बात है। इतने बड़े साइंटिस्ट का छोटे बच्चों को पढ़ाना मामूली बात नहीं है अम्मी।' मैं नूर की माँ की ओर मुखातिब होता हूँ।

'सो मेरे नूरे में गुरूर रत्तीभर नहीं है।'

'नमाज नहीं पढ़ते, मगर फिर भी खुद को पक्का मुसलमान कहते हैं, भाईजान।'

'जो हर लमहे नमाजी हो उसे खुलकर नमाज पढ़ने की जरूरत ही कहाँ है, शीरीन बहन। इस्लाम की जड़ पकड़ ली है नूर ने! अब ऊपरी ढाँचे को माने न माने, उससे क्या फरक पड़ता है? नूर कोई मुल्ला मौलवी तो है नहीं जो इस बात की फिक्र करे कि दूसरे बन्दों पर गलत असर तो नहीं पड़ रहा नमाज न पढ़ने से। जिसने अपने अन्दर के खुदा को पहचानने की बुलन्दी हासिल कर ली हो, उसे बाहरी रीति-रिवाजों की फिक्र भला क्यों हो?'

यह सब कहने के बाद मुझे खुद ताज्जुब होता है कि नूर के बारे में मैं इतना कुछ कैसे कह गया? कि मैंने उसे कभी भी एक धार्मिक व्यक्ति नहीं माना है, बावजूद इसके कि वह चीजों को धार्मिक नजरिए से देखने की बात कहता है। शायद बच्चों को पढ़ाने के उसके निःस्वार्थ कर्म ने मेरे मुँह में से इतना सब निकलवाया। हो सकता है कि नूर यह सब खुद को काम में उलझाने के लिए ही करता हो, आखिर किताबें भी कितनी देर तक पढ़ेगा? पर वक्त काटने के लिए खटिया तोड़ना, टीवी देखना, घूम-फिर आना भी तो हो सकता है? मेरे पास भी काफी वक्त रहता है, खासकर अब जबकि किसी प्रोजेक्ट पर काम नहीं कर रहा हूँ, फिर मैं क्यों नहीं ऐसे किसी काम में लगता? क्या इसलिए कि मैं इंस्टीट्यूट की मतलब पढ़े-लिखे लोगों की कॉलोनी में रहता हूँ, जहाँ के बच्चे अच्छे-अच्छे स्कूलों में पढ़ने जाते हैं? पर थर्ड और फोर्थ क्लास के कर्मचारियों के बच्चे? घरों पर काम करने वाली बाईयों के बच्चे? या अगर निचली जाति के लोगों से मेल-मिलाप रखने में दिक्कत है तो इंस्टीट्यूट के साइंटिस्टों के ही होनहर बच्चे? उन्हें केमिस्ट्री क्यों नहीं पढ़ाता मैं?

असल में ये नजरिए का फर्क है। मेरा अपना नज़रिया अपने तक सिमटा हुआ है, नूर का नजरिया अपने आसपास को भी समेटे हुए है। क्या पता ये हिन्दू मुसलनान का फ़र्क हो, कि हिन्दू तो हमेशा खुद के मन की शुद्धि में और खुद को भगवान से जोड़ने में ही लगा रहता है न, जबकि कुछ शास्त्र और विवेकानन्द गांधी जैसे हिन्दू भी दरिद्र नारायण की सेवा के जरिए से ईश्वर को पाने की बात करते हैं पर इसका क्या किया जाए कि कुछ सिरफिरे हिन्दू संगठनों ने सेवा की जगह विजय, समझाइश की जगह भड़कानेवाले नारों, उत्तेजक बयानों, तोड़फोड़ और मारकाट के कारनामों की आवाजों का शोरगुल इतना ऊँचा कर दिया है, कि समाज-सुधारकों के काम और उनकी बातें मालूम ही नहीं पड़ पातीं। कम्बख्त जमाना ही शोरगुल का बना दिया गया है और बेचारा समाज-सुधारक अपना कान करेगा या शोर-शराबा?

फिर एक और बात महेश। तुम्हारे और नूर के बीच का यह फर्क हालातों ने पैदा किया हुआ भी है। नूर भटकने के बाद जमने की कोशिश में लगा है और तुम्हारा जो जमा जमाया था उसे उखाड़ दिये जाने के बाद, तुम भटक रहे हो।

'मैं चलता हूँ। नूर को न जाने कितना वक्त लगे।' चाय खत्म होने के बाद मैं कहता हूँ।

'रुको भाईसाब, मैं उन्हें बुलाती हूँ।'

'ना ना, ऐसा न करो। इबादत में से क्या किसी को कोई उठाता है? वैसे भी यहाँ पर तो मैं उसे सादिक बनकर ही मिलना चाहूँगा। बढ़ी दाढ़ी, तुर्की टोपी और तैमद कुर्ता पहने हुए मैं सादिक अली आऊँगा कभी अपने जिगरी दोस्त एन. ए. खान से मिलने।' मैं हँसता हूँ।

'आप भी भाई जान। नाराज हो गये न?—देखा अम्मी, कैसी चोट लगी है नाम बदलने से भाईसाब को?'

'खुद को कभी माफ न करूँगी बेटा मैं इसके लिए, पर मरा ये मेरा सोच और बरगेली का तजुर्बा।' कहते हुए वे रोने लगीं।

'आप रोएँ नहीं अम्मी। कसम से कहता हूँ, मुझे बिल्कुल बुरा नहीं लगा। महेश क्या और सादिक क्या? इन्सानी जज़्बा होना बड़ी चीज है बस! बुरा तब लगता जब नूर आपकी बात न मानता और जबरदस्ती मुझ महेश प्रकाश को आपसे

मिलवाने यहाँ ले आता और मैं सुन्न हुआ आपकी घबराहट देखता। आज अचानक आपके दिल में मेरे लिए जगह देखी है तो जी भर आया है।—और अब ज्यादा आँसू बर्दाश्त नहीं होंगे।—आदाब।'

मैं बूढ़ी को, बूढ़ी मुझे अपलक देखते रहे। उसकी आँखें बह रही हैं, मेरे आँसू अन्दर जा रहे हैं। बूढ़ी माध्यम बनी है सादिक नाम को जन्म देने का। उसकी आँखें आँसुओं से उस नाम को मिटाने में मशगूल हैं। मेरी उस धुल रहे नाम को पकड़ने में। मेरा उत्सवी मन मगर नूर को गाली दे रहा है कि देखा हरामी नूरे को। खुद के लिए कैसा मेल खाता नाम तलाश लिया—एन. ए. खान। वक्त जरूरत नूर अहमद खान। और मेरे लिए सादिक? अरे कम्बख्त, रखना ही था तो महमूद रखता, कि एम. प्रकाश से कुछ तो मेल खाता!

बरामदे में आकर नूर को एक बच्चे की स्लेट पर लिखकर कुछ समझाते हुए देखता हूँ। एकदम तल्लीन, बाकी की दुनिया से पूरी तरह से कटा हआ, कि जैसे सजाये हयात भोगते हुए विद्या का उत्सव मना रहा हो। मैं फुर्ती से बाहर निकलता हूँ कि कहीं कबाब में हड्डी न बन जाऊँ।

किताबें—जो साझा संवाद बनाती हैं

परमानन्द श्रीवास्तव

यह गाज़ीपुर है ही एक अनोखी जगह। कुछ समय पहले 'परिचय' के प्रवेशांक के बहाने मेरे 'आत्मकथ्य' का एक हिस्सा छपते-छपते चर्चा में आया था—'वह जो आत्मा के भरने की आवाज है'! अब इस इतिहास का क्या करें कि इसी गाज़ीपुर—गंगोली के एक आख्यान को राही मासूम रज़ा के उपन्यास 'आधा गाँव' (1965) के रूप में पढ़ा गया था। उसे पैंतीस साल बाद (यह उल्लेख ज़रूरी है कि छपते ही उस पर मेरा लम्बा लेख 'धर्मयुग' ने 'सारिका' की फाइल से उड़ाकर छापा—जिसके प्रमाण अब धर्मवीर भारती के न रहने पर केवल कमलेश्वर हैं) पुनः पढ़ते हुए उस पर मैंने जो टिप्पणी दिल्ली प्रवास में लिखी, उसे 'राष्ट्रीय सहारा' में प्रकाशित करने के लिए एक सुबह युवा कवि संजय कुंदन ले गये।

अब याद आता है कि मैं अपने शहर (गोरखपुर) आ गया था जब एक शाम राहिल काज़ी ने किसी घरेलू प्रसंग में यहाँ पहुँचने पर 'आलोचना' में छपे पते के सहारे मुझे खोज निकाला और फोन किया। सुबह सूरजकुण्ड पते पर घर आये और सीधे पूछा कि 'आधा गाँव' उपन्यास डी.डी. वन के प्राइम टाइम वाले सीरियल के रूप में आ रहा है, मैंने कोई एपिसोड देखा कि नहीं—जिस पर सहायक निर्देशक के रूप में उन्हीं का नाम जा रहा था। मैं अवाक्! मुझे कुछ पता न था। राहिल अब थोड़े उत्तेजित थे—खुशी भी एक तरह की उत्तेजना देती है। बताया कि मुझे तो ख़बर भी न होगी कि जिस शाम से सीरियल शुरू होने जा रहा था, उसी दिन सुबह मुम्बई के 'राष्ट्रीय सहारा'-संस्करण में मेरी वह टिप्पणी 'आधा गाँव—पैंतीस साल बाद पढ़ते हुए' आ चुकी थी और पूरी टीम के लिए एक अच्छी ख़बर थी। राहिल कह रहे थे कि मैंने तो उन्हें ऐसा 'ऐड' (विज्ञापन) दे दिया था, जिसकी कोई कीमत चुकाई नहीं जा सकती थी। यह केवल संयोग था। पर यही तो है कि आज के बहुत कठिन समय में हस्तक्षेप करते हुए हम भाषा आदि के भेद से परे एक 'कामन स्पेस' बनाते हैं। 'काली फार विमेन' से सम्बद्ध और भारत तथा दक्षिण एशिया में स्त्री विमर्शकार के रूप में प्रसिद्ध ऋतु मेनन ने अभी इस बार ठीक दिल्ली से चलने के दिन फोन पर इसी 'कामन स्पेस' की ओर तो इशारा किया था, जो बनेगा तो शायद उसी के सहारे कुहराम और हाय तोबा से घिरी हमारी बदरंग दुनिया पहले से बेहतर होगी।

याद करना चाहता हूँ चलते-चलते नयी दिल्ली की वह एक सुबह जब नयी-नयी दो किताबें मुझे खींच रही थीं। किताबें भी ऐसा करती हैं। यहाँ वे ही हमारे लिए एक साझा संवाद बना रही हैं। पर भूल नहीं पा रहा हूँ कि 'आधा गाँव'—जैसा उपन्यास आज पढ़ा जाएगा तो उसके निहितार्थ क्या होंगे। साम्प्रदायिक तनाव और दहशत से भरे आज के समय में एक बहुत महत्त्वपूर्ण और साहसिक हस्तक्षेप है जयप्रकाश धूमकेतु सम्पादित 'अभिनव कदम' का राही मासूम रज़ा केन्द्रित अंक, जिसे राही के घनिष्ठ मित्र कुँवरपाल सिंह (अलीगढ़) का सहयोग प्राप्त है। इस अंक के विशेष खण्ड 'राही बकलम खुद' में पहली ही टिप्पणी है : 'धर्म और साम्प्रदायिकता'। राही के शब्द हैं—'न मैं काफ़िर हूँ न मुसलमान। मैं तो एक हिन्दुस्तानी हूँ और इसके सिवा मेरी

कोई और पहचान नहीं है। इसलिए मैंने अपनी नज़्म 'वसीयत' में लिखा था कि अगर मैं गंगा से दूर मरूँ तो—'मुझे ले जाके गाज़ीपुर में गंगा की गोदी में सुला देना / वो मेरी माँ है, वह मेरे बदन का जहर पी लेगी...।'

यही नहीं, आगे राही जो कहते हैं वह आज के बर्बर हिंस्र फासीवादी दौर पर एक कठोर पीड़ा-भरा वक्तव्य है—''मुझे कहने का अधिकार क्यों नहीं कि ऐसे मन्दिर और एक ऐसी मस्जिद को ढा दिया जाए जो हमारे नागरिक और सामाजिक जीवन में आग लग जाने का कारण बन सकती है। क्या आपको अधिकार इसलिए है कि आप बहत्तर करोड़ हैं। और क्या मुझे यह अधिकार इसलिए नहीं कि मैं अकेला हूँ? पर क्या मैं वाकई अकेला हूँ।'' इस अर्थ में 'आधा गाँव' जितना सामयिक है, उतना ही कालजयी भी। जैसे कुर्रतुल ऐन हैदर का 'आग का दरिया'।

अब वे दो किताबें—जिनका ज़िक्र पहले ही करना चाहता था। जो फ़िलहाल बनाती हैं, स्त्रीलेखन के बारे में एक और साझा संवाद। पहली किताब 'कहती हैं औरतें' कवयित्री और स्त्रीविमर्शकार अनामिका के सम्पादन में 'साहित्य उपक्रम' से छपकर अभी-अभी मई 2003 में आयी है जिसमें पहले ही 'स्त्री कविता' पर और फिर 'अनुवाद की समस्याएँ / सीमाएँ' जैसे विषय पर अनामिका की लम्बी भूमिका है। भूमिका में अनामिका के शब्द हैं : ''पीड़ा और विडम्बनाबोध, फैन्टेसी और यथार्थ, ट्रैजिक और कॉमिक, आतंक और हँसी, व्यष्टि और समष्टि, गुस्सा और सेलिब्रेशन, सिम्बॉलिक और सिमिऑटिक आदि कई ध्रुवान्त हैं जिनका एक सजग अन्तर्पाठीय संवाद यहाँ की उत्कृष्ट स्त्रीरचनाकारों के पाठ में साफ प्रतिध्वनित है।''

यह विस्तृत भूमिका एक लम्बी बहस के साथ है। यहाँ अनामिका जिन मुद्दों को रेखांकित करती हैं उनमें प्रमुख है भाषा! यानी स्त्रीभाषा की आंतरिक बनावट। ''भाषा के महीन लकरपेंच टूटे-फूटे पुश्तैनी गहनों की तरह औरतों के कोष में सुरक्षित रहते हैं और वक्त पड़ने पर वे इन्हें अस्त्र भी बना लेती हैं।'' अनामिका इस तर्क को आगे ले जाती हुई कहती हैं—''स्त्रीभाषा की सबसे बड़ी ताकत है त्रास और मुक्ति के आनन्द का समायोजन, तर्क और अन्तः प्रज्ञामूलक उस अर्द्ध-विस्मृत भाषिक लय का समायोजन, जो गर्भगृह में माँ की देह से छनकर शिशु की देह में उतर आता है, प्रसवकालीन क्रमण और संकुचन, स्तन पकड़ाने-छुड़ाने की लय, बत्ती जलने-बुझने की लय, स्वीकार-निषेध की लय एक तरह से औरतों के जीवन की लय भी हो जाती है और इनकी भाषा भी।''

यह टिप्पणी लिखी ही जा रही थी कि रामपुर रज़ा लाइब्रेरी के एक प्रोजेक्ट पर स्वाधीनता आन्दोलन-सम्बन्धी अपना अध्ययन लगभग पूरा कर लेनेवाली दरख़्शाँ ताज़बर रामपुर से लौटकर भेंट के रूप में 'रस प्रबोध' नाम का सैयद गुलाम नबी रसलीन बिलग्रामी का एक इतिहास प्रसिद्ध दुर्लभ ग्रन्थ मुझे देने के इरादे से मेरे घर (सूरजकुण्ड) आयीं। प्रसंगवश बिहारी के नाम से प्रसिद्ध और प्रचारित हो चुका यह दोहा 'अमिय हलाहल मद भरे स्वेत स्याम रतनार / जियत मरत झुकि-झुकि परत जे चितवत इकबार'' इन्हीं रसलीन का है। रसलीन (1699-1750) का यह ग्रन्थ 'रस प्रबोध' 1742 की रचना है। माना कि आज स्त्रीविमर्श के दौर में रसलीन के शृंगार-कौतुक के भावभेद रसभेद नायिका-भेद की कोई जगह न होगी। पर न भूलें, कि इन्हीं मुग्धा नवोढ़ा आदि लक्षणों रूढ़ियों का लम्बा सफर पार कर ही पुरुष वर्चस्व प्रधान सामन्ती सौन्दर्याभिरुचि को चुनौती देने वाला कोई नया सौन्दर्यशास्त्र अपनी तमाम विलक्षणताओं में रूप या आकार ग्रहण कर रहा होगा। आश्चर्य नहीं कि उसे अपने खिलन्दड़े कुतूहल भरे अन्तरंग स्पेस की रहस्यमयता में आज की स्त्रियाँ ही बना रही होंगी और वह सामन्ती पुरुष प्रभुत्व उनके साहस या दुस्साहस के आगे किसी हद तक लाचार नज़र आ रहा होगा।

अनामिका अपनी सम्पादित पुस्तक 'कहती हैं औरतें' में अनुवाद को परकाया-प्रवेश का रोचक और जटिल खेल बताती हैं, जिसके सुख हैं तो चुनौतियाँ भी। यह चयन है तो ऐसा, कि स्त्री कविता के वृहत्तर स्पेस में सिल्विया प्लाथ और शिम्बोर्स्का हैं, तो अन्ना अख्मातोवा, मरीना त्स्वेताएवा, बेल्ला अख्मादुलिना, किश्वर नाहीद, फहमीदा रियाज़ और नवनीतादेव सेन, निर्मला पुतुल, सविता सिंह, तेजी ग्रोवर और गगन गिल भी। कोई ऐसा चयन न समग्र होता है, न दो-टूक प्रतिनिधि, न निर्विवाद ही। पर यह चयन बहुत दिनों तक स्त्री कविता की यह पीड़ा और विडम्बना बताता रहेगा जो

खुद अनामिका की एक कविता में दर्ज़ है :

लिखती हैं औरतें इसी से धारावाहिक चिट्ठियाँ
पानी और मिट्टी
खुद एक धारावाहिक चिट्ठी ही तो हैं
ईश्वर की
हम सबके नाम

दूसरी महत्त्वपूर्ण किताब है ऋतु मेनन और सहयोगियों द्वारा सम्पादित : 'स्टोरीलाइन्स : कन्वर्सेशन विद विमेन राइटर्स'। इसके सम्पादकीय में इस पीड़ा और विडम्बना का स्पष्ट उल्लेख है कि हमारे पुरुष वर्चस्व-प्रधान साहित्य-समाज में भी आलोचक ज्यादातर पुरुष हैं जो स्त्री लेखक के विषय और मुद्दे हमेशा के लिए तय कर देना चाहते हैं। कहना न होगा कि स्त्रियों को संसद या लोकसभा में जाने से ही नहीं रोका जा रहा है, अपनी पहचान बनाने से भी रोका जा रहा है। पुरुष वर्चस्ववादी व्याख्या मानकर चलती है कि स्त्रीलेखन स्त्रीलेखन है। यानी स्त्रियों का अपना सुख-दुःख, अपने भेद और रहस्य! शेष समाज को स्त्रीलेखन से क्या लेना-देना है। यह कृष्णा सोवती, मृणाल पांडे, अलका सरावगी और गीतांजलि श्री के बावजूद है! जो 'स्त्रीलेखन' जैसे पद को ही एक सिरे से ख़ारिज करती हैं।

इतिहास : 'सुरक्षित स्थान प्रवेश निषेध'

देवेन्द्र इस्सर

"उन लोगों के कई इतिहास हैं जिनका कोई एजेण्डा है, राष्ट्रवादी इतिहास, मार्क्सवादी इतिहास, मुस्लिम दृष्टिकोण, साम्राज्यवादी दृष्टिकोण, ब्रिटिश साम्राज्यवादी दृष्टिकोण, हिन्दू पुनरुत्थानवादी दृष्टिकोण। फिर, अकादमियाँ हैं जिनके लिए अनुदान उपलब्ध है और वे नवीनतम फैशनों तथा विचारधाराओं के रहमोकरम पर हैं। ये ऐसे दबाव हैं जिनसे मैं आशा करता हूँ कि केवल वैयक्तिक लेखन ही बच सकता है क्योंकि वह सामयिक विचारधारा पर निर्भर नहीं।" **—जान केए, इण्डिया'अ हिस्ट्री**

जॉन केए ने इतिहास लेखन में एजेण्डा तथा विचारधारा के दबाव के साथ एक महत्त्वपूर्ण बात यह भी कही है कि ऐसे इतिहास को क्यों लिखा जाए जो 3000 वर्षों को 50 पृष्ठों में निबटा देता है और उन्नीसवीं तथा बीसवीं सदियों पर 500 पृष्ठ लिखता है। एक बात और, उसने वैयक्तिक लेखन का उल्लेख करके पेशेवर इतिहास लेखकों की विश्वसनीयता पर भी सन्देह प्रकट किया है। यह टिप्पणी अपने भीतर इतिहास लेखन के कई अहम प्रश्नों को लिए हुए है, अधिकतर इतिहासकार जिनकी अवेहलना करते हैं। परिणामस्वरूप प्रत्येक इतिहासकार अपने मन्तव्यों से भिन्न मन्तव्यों वाले इतिहासकारों पर मिथ्या तथ्यों, विकृतियों तथा राजनीति से प्रेरित होने का आरोप लगाता है और इतिहास लेखन को वर्तमान राजनीतिक विवादों के अन्तर्गत प्रस्तुत करने का प्रयत्न करता है।

बेशक अतीत के बारे में हमारा बोध वर्तमान के परिदृश्य में परवरिश पाता है। अतः अतीत के बारे में वक्तव्य—यानी जो इतिहास है—दरअसल वर्तमान के अनुभवों तथा यथार्थ एवं मूल्यबोध से निरूपित होता है। यह अलग बात है कि हम दावा यह करते हैं कि हम किसी ऐतिहासिक तथ्य की व्याख्या उस समय के सन्दर्भ में करते हैं जिसमें घटना घटी है। इस अर्थ में सभी इतिहास समसामयिक होते हैं। वास्तव में हम राजनीतिक तौर पर सही को ऐतिहासिक तौर पर सही से गडमड कर देते हैं। टेक्स्ट और कन्टेक्स्ट का कन्फ़्यूज़न इतिहास लेखन की एक बड़ी समस्या है। इसीलिए यह कहा जाता है कि अतीत मृत-वस्तु नहीं। वह वर्तमान में जीवित रहता है। बदला वह है जो वर्तमान है। इतिहास अतीत के सन्दर्भ में वर्तमान को या वर्तमान के सन्दर्भ में अतीत को समझने और इस समझ द्वारा भविष्य का अनुमान लगाने का प्रयास है। घटनाएँ अतीत में घटित होती हैं और इतिहासकार उनका विवरण वर्तमान में प्रस्तुत करता है। समय और स्थान का यह फ़ासला 'दृष्टि दोष' तथा विभ्रम का कारण बनता है। ई.एच. कार के कथनानुसार "इतिहासकार के बिना तथ्य मृत और अर्थहीन होते हैं। अतः इतिहास क्या है, इस प्रश्न का मेरा पहला उत्तर यह होगा कि इतिहास, इतिहासकार और उसके तथ्यों की क्रिया-प्रतिक्रिया की अनवरत प्रक्रिया है, अतीत और वर्तमान के बीच एक अन्तहीन संवाद है।"

कोई भी इतिहास सम्पूर्ण या अन्तिम नहीं होता। नए तथ्यों के समावेश से पुराने तथ्यों की पुनः परख तथा व्याख्या होगी। जिन्हें मूलभूत तथ्य स्वीकार किया गया है उन्हें सूक्ष्म दृष्टि से देखा जाएगा। इतिहास के 'पुनर्लेखन' पर जब आक्षेप किया जाता है तो दरअसल यह कहा जा रहा है कि इतिहास के दर बन्द हो चुके हैं—'सुरक्षित स्थान, प्रवेश निषेध'। इतिहास

के दरवाज़े सदैव खुले रहते हैं। अतः 'रिविज़िटिंग' या पुनर्प्रवेश का सिलसिला हमेशा जारी रहेगा। जो लोग पुनर्निरीक्षण या नए तथ्यों से साक्षात्कार से भयभीत हैं वे वास्तव में न केवल इतिहास की मूलसारवादी व्याख्या में विश्वास रखते हैं बल्कि उसकी स्थिर निश्चित निर्णयात्मकता को भी स्वीकार करते हैं। इतिहास कभी भी, 'स्टेटिस' या मृत नहीं होता। (हाँ इतिहासकार 'मृत' हो जाते हैं।) इतिहास उतना ही मूलवादी या परिवर्तनशील, मॉनोलिथिक या गतिशील और बहुलतावादी होता है जितना कि स्वयं इतिहासकार। कैसी विडम्बना है, जो लोग संविधान अथवा किसी भी विचार, व्यक्ति या वस्तु की समीक्षा पर आपत्ति करते हैं वे ही रेडिक्ल बुद्धिजीवी कहलवाना चाहते हैं। इतिहास आगे बढ़ता है। लेकिन पीछे भी खिसकता जाता है। पूर्व इतिहास इतिहास की परिधि में प्रवेश करता रहता है और इतिहास का दायरा बढ़ता रहता है।

ज़रा उन इतिहासकारों का दम्भ मुलाहिज़ा हो जो यह मान चुके हैं कि ऐतिहासिक तथ्य जिनका विवरण वे प्रस्तुत कर चुके हैं वे प्रामाणिक, ज्ञात और पहले से ही शोध मॉनोग्राफ़्स में मौजूद हैं। यानी जो भी जाना जा सकता है जाना जा चुका है। जो जाना जा चुका है वह प्रामाणिक सिद्ध हो चुका है। इस पर अनुसन्धान कार्य सम्पन्न हो चुका है। ऐसी दम्भपूर्ण निश्चितता का दावा तो आज कोई वैज्ञानिक भी नहीं करेगा। इतिहास की शाश्वत पावनता मज़हबी मूलवादियों में तो हो सकती है लेकिन इतिहासलेखन में वैज्ञानिक प्रविधियों का प्रयोग करने का दावा करने वाले भी ब्रह्म सत्य की शरण लेंगे मालूम नहीं था। सर्वसत्तावाद में भी इतिहास का 'पुनर्लेखन' होता है। लेकिन उसके पश्चात इतिहास को फ़्रीज कर दिया जाता है। मगर एक बहुलतावादी लोकतान्त्रिक समाज में इतिहास का पुनर्लेखन जारी रहता है। लेकिन ऐसे समाज में भी जब कोई अपने और अपने सहधर्मियों द्वारा लिखित इतिहास को फ़्रीज कर दें तो यह यकीनन चिन्ता का विषय है। वे सर्वसत्तावाद के परिप्रेक्ष्य में ही परवरिश पा सकते हैं। एक इतिहासकार और राजनीतिक एक्टिविस्ट में कुछ तो फ़र्क होना चाहिए।

विश्व में ही नहीं बल्कि प्रत्येक देश-प्रदेश में न जाने कितनी घटनाएँ हो चुकी होती हैं। इतिहासकार की इन सब घटनाओं तक पहुँच नहीं होती। और जिन तक होती है आवश्यक नहीं वे निर्णायक घटनाएँ ही हों। इतिहासकार इनमें से भी कुछ को एकत्रित करता है और इन एकत्रित घटनाओं में से कुछ का चयन करता है जिन्हें वह ऐतिहासिक तथ्य समझता है। उनका आकलन एवं अवलोकन करता है। और उनको व्याख्यायित करता है तथा किन्हीं निष्कर्षों पर पहुँचता है। इस समस्त प्रक्रिया के प्रत्येक चरण में उसके पूर्वाग्रह तथा प्रवृत्तियाँ सक्रिय रहती हैं। प्रतीति से लेकर प्रस्तुति तक प्रत्येक स्थल पर आत्मपरकता तथा मान्यताएँ प्रत्यक्ष या परोक्ष रूप में शामिल रहती हैं। अतः कोई भी इतिहासकार 'साक्ष्यों' के बावजूद वस्तुपरकता का दावा नहीं कर सकता। 'प्रानाणिकता' के बावजूद हम सब अपनी-अपनी अभिरुचियों तथा रुझानों (बायसिस) के कारण सीमित दृष्टि से बच नहीं सकते। जो लोग प्रत्यक्ष साक्षी या दर्शक होते हैं वे भी अपने संरक्षकों या समूहगत 'स्वाभाविक' प्रभावों से ग्रस्त होते हैं। संस्मरण हो या वृत्तान्त या इतिहास या आत्मजीवनियाँ किसी में भी 'विशुद्ध अप्रदूषित विवरण' सम्भव नहीं।

फिर प्रश्न यह भी है कि क्या 'इतिहासबोध' विचारधारा से मुक्त रह सकता है। विचारधारा इतिहास लेखन का राजनीतिकरण करके उसे रिडक्शनिस्ट स्तर पर ले जाती है। प्रत्येक तथ्य तथा वृत्तान्त एकार्थी हो जाता है। इस प्रकार राजनीतिक तौर पर सही को ऐतिहासिक तौर पर भी सही मान लिया जाता है। तथ्य तथा साक्ष्यों के बजाय वक्तव्यों पर अधिक बल दिया जाता है। प्रश्न यह है कि कब कोई तथ्य ऐतिहासिक तथ्य बनता है या बनाया जाता है। जिन्हें मूलभूत तथ्य कहा जाता है वे भी इतिहासकार की विचारधारा और पूर्वनिर्धारित निर्णयों से मुक्त नहीं होते। इस प्रकार वह इन पूर्वनिर्धारित निष्कर्षों के अनुरूप तथ्यों तथा साक्ष्यों का चयन करता है जिन्हें वह ऐतिहासिक तथ्यों एवं साक्ष्यों का दर्जा देता है। तदोपरान्त वह इन्हें प्रभावोत्पादक मन्तव्य या एजेण्डा के अनुरूप पैकेज करके प्रस्तुत करता है। इस पैकेजिंग में वह आवश्यकतानुसार पौराणिकी का प्रयोग भी करता है। दिलचस्प बात यह है कि जो पौराणिक वृत्तान्त उसके मतानुरूप होते हैं वे ऐतिहासिक तथ्य बन जाते हैं और जो भी प्रतिकूल वे मिथ्या या मात्र माईथॉलोजी का अंश होते हैं।

प्रत्येक सम्प्रदाय या समूह अपने इतिहास में पौराणिक

आख्यानों, श्रुतियों, दन्तकथाओं आदि को शामिल करता है और कभी-कभी ऐसा होता है कि यही उसका ऑब्सेशन बन जाता है जिसे वह यथार्थ समझने लगता है। इस तरह वह एक इतिहास को दूसरे इतिहास के प्रतिपक्ष में खड़ा कर देता है। इस प्रकार प्रायः इतिहास और पौराणिकी में अन्तर करना मुश्किल हो जाता है। यह सही है कि यदि हम मानवप्रकृति तथा मूल्यबोध के बारे में जानना चाहते हैं विशेषरूप से उस काल के सम्बन्ध में जिसका रिकार्डिड इतिहास बहुत कम जानकारी देता है हमें मिथ्स का विश्लेषण करना पड़ता है। ग़ौरतलब बात यह है कि जो लोग पौराणिक पाठ को साक्ष्य के रूप में स्वीकार नहीं करते जब वे ही उसके वृत्तान्तों से अपनी बात सिद्ध करना चाहते हैं तो उनके इतिहास पर कितना विश्वास किया जा सकता है। और सच यह भी है कि पौराणिकी तथा साहित्यिक पाठ के बग़ैर इतिहासलेखन को कई प्रकार की कठिनाइयों का सामना करना पड़ता है।

अतः यह विचार कि ऐतिहासिक तथ्य और उसकी व्याख्या इतिहासकार के मन्तव्य से अलग अस्तित्व रखती है भ्रामक है। इस प्रक्रिया की परख भी ज़रूरी है कि जैसे असंख्य तथ्यों में से कुछ का चयन करके उनको ऐतिहासिक (और निर्णायक) तथ्यों के रूप में व्याख्यायित किया जाता है। समस्या उस समय और गम्भीर हो जाती है जब हम प्राप्त तथ्यों को ही पर्याप्त तथ्य मान लेते हैं और उनके आधार पर निष्कर्ष प्रस्तुत कर देते हैं। इसीलिए कहा गया है कि जो इतिहास हम पढ़ते हैं यद्यपि वह तथ्यों पर आधारित होता है वास्तव में वह एकदम यथातथ्य नहीं होता बल्कि स्वीकृत निर्णयों का एक सिलसिला होता है, इसी कारण इतिहासलेखन को इतिहासकार से अलग करके नहीं देखा जा सकता विशेष रूप से ऐसे समय में जब 'तथ्ययुद्ध' में जब 'विचारयुद्ध' भी शामिल हो चुका हो। अब तो ऐसा प्रतीत होता है कि राजनीतिज्ञों की भाँति इतिहासकार भी 'न्यूस्पीक' का प्रयोग करने लगे हैं। ई.एच. कार के कथनानुसार "जब हम इतिहास के तथ्यों के साथ इतिहासकार के सम्बन्धों की परीक्षा करते हैं तो स्वयं को बड़ी कठिन स्थिति में पाते हैं। हम इतिहास को वस्तुगत अर्थों का संकलन मानने, व्याख्या के मुकाबले तथ्यों को प्राथमिकता देने के एक ध्रुव से इतिहास को इतिहासकार के मस्तिष्क की मनोगत उपज मानने के अप्रामाणिक सिद्धान्त, जिसके अनुसार इतिहासकार इतिहास के तथ्यों को स्थापित करता है और व्याख्या की प्रक्रिया द्वारा उन पर प्रभुत्व स्थापित करता है, के दूसरे ध्रुव के बीच झूलते रहते हैं। इतिहास को देखने के इन दोनों दृष्टिकोणों में मुख्य अन्तर यह है कि एक में गुरुत्वाकर्षण केन्द्र अतीत में स्थित होता है जबकि दूसरे में वर्तमान में।"

जब भी इतिहास विचारधारा से ग्रस्त होता है तो इसमें कई प्रकार की विकृतियाँ उत्पन्न हो जाती हैं। प्रत्येक इतिहासकार अपनी विचारधारा के विपरीत लिखे इतिहास को राजनीति से प्रेरित मानता है। अतः बहस ऐतिहासिक तथ्यों और साक्ष्यों पर कम और राजनीति पर अधिक केन्द्रित हो जाती है। अब तो ऐसी धारणा बनती ही जा रही है कि वस्तुगत ऐतिहासिक तथ्य जैसी कोई वस्तु नहीं होती। ऐसी स्थिति में इस प्रश्न का उठना स्वाभाविक है कि क्या कोई ऐसा इतिहास मुमकिन है जिसे समाज के विभिन्न वर्गों की स्वीकृति प्राप्त हो। लिहाज़ा एक ही समय में एक ही समाज में कई प्रकार के इतिहास होंगे। इसमें चिन्ता की कोई बात नहीं। क्योंकि इतिहास को किसी भी दृष्टि से देखा और लिखा जा सकता है। और ये सब इतिहास मिलकर सामयिक इतिहास को सम्भव बनाते हैं। पूर्णरूपेण न सही करीब-करीब तथ्यों के अधिक निकट ले जाते हैं। आज जबकि समाज और समस्त डिस्कोर्स अस्मिता, धर्म तथा विचारधाराओं की राजनीति के कारण खण्डित हो चुका है या हो रहा है। किसी एक इतिहास को प्रामाणिक, सम्पूर्ण और अन्तिम स्वीकार करना कठिन होता जा रहा है। जैसे-जैसे नए तथ्य सामने आएँगे और ज्ञात तथ्यों के बारे में हमारा ज्ञान बढ़ता जाएगा और व्याख्याएँ अनेक होती जाएँगी इतिहास बदलता जाएगा, इतिहास बार-बार लिखा जाएगा। हमें इस तथ्य को स्वीकार कर लेना चाहिए कि हम यथार्थ को पूर्णतया नहीं जान सकते। और प्रत्येक यथार्थ हमारी पूर्वनिर्धारित धारणाओं के आइने में झलक कर अपना स्वरूप धारण करता है।

हम एक ऐसे समय से गुज़र रहे हैं जिसमें ज्ञान-विज्ञान में महत्त्वपूर्ण परिवर्तन हो रहे हैं। अब हर अनुशासन अन्तर्शास्त्रीय हो रहा है। इतिहास भी इससे अछूता नहीं रह गया। समाजशास्त्र, नृशास्त्र, भाषाविज्ञान, नक्षत्र विद्या, कम्प्यूटर विज्ञान, पौराणिकी, साहित्य समेत अन्य कलाएँ और

विशेष रूप से पुरातत्त्व विज्ञान ने तो इतिहास में इतनी दरारें डाल दी हैं कि दोनों शास्त्रों में एक प्रकार का युद्ध छिड़ गया है। नई प्रौद्योगिकियों की इस परिवर्तन में महत्त्वपूर्ण भूमिका है। ऐतिहासिक तथ्यों की प्रामाणिकता पर पुनर्विचार शुरू हो गया है। भूगर्भिय इतिहास, नृशास्त्रीय इतिहास, ब्रह्माण्डीय इतिहास, समाजशास्त्रीय इतिहास, पुरातत्त्वीय इतिहास इत्यादि न जाने कितने इतिहास लिखे जा रहे हैं। और उत्तर आधुनिकतावाद ने तो इतिहास की परिकल्पना ही बदल दी है। अब तो यह भी कहा जाने लगा है कि इतिहास भी फ़िक्शन की भाँति ही लिखा जाता है। इसमें भी कथासाहित्य के तत्त्वों का समावेश होता है।

उत्तर आधुनिकता की समस्या यह है कि इससे पूर्व जो रवैया कट्टरपन्थी या मूलवादी धारण करते थे उसे उत्तर आधुनिकतावाद के अनुयायिओं ने अपना लिया है। इतिहास की जातिगत या विचारगत व्याख्याओं के युद्ध में कभी अतीत को वर्तमान से और कभी वर्तमान को अतीत से व्याख्यायित करके घटनाओं को अपने तात्कालिक एजेण्डा के अनुकूल बार-बार बदला तथा मूल्यों की सापेक्षता के तर्क के तहत बार-बार लिखा जा रहा है। नए तथ्यों की रोशनी में इतिहास का पुनर्लेखन और वर्तमान राजनीतिक एजेण्डा के तहत तथ्यों का चयन और उनकी स्वीकृति-अस्वीकृति दो अलग-अलग प्रविधियाँ हैं। और फिर जब सब कुछ फ़िक्शन है, यथार्थ का कोई वजूद नहीं, सच्चाई एक भ्रम है तो फिर इतिहासबोध पर आग्रह क्यों? उत्तर आधुनिकता अतीत को स्थिर नहीं समझती। अतः कभी पौराणिक आख्यानों को काल्पनिक तथा असत्य मानकर उन्हें रद्द किया जाता है और कभी यथार्थ तथा सत्य समझ कर उसमें निहित वर्चस्ववादी मूल्यों तथा अर्थों को विखण्डन विधि द्वारा अनावृत किया जाता है।

मनस्लो के कथनानुसार भाषाविज्ञान ने जो मोड़ लिया है उसने समस्त समाजशास्त्रों को प्रभावित किया है। विशेषकर इसका अत्यधिक प्रभाव इतिहास में हुआ है। उसने इतिहास की अतीत की पुनः प्राप्ति तथा प्रस्तुति की परम्परागत अनुभववादी छानबीन की योग्यता पर सवाल उठाया है। (*डिकन्स्ट्रक्टिंग हिस्ट्री, 1993*)। इस पुस्तक में ज्ञानमीमांसा, साक्ष्य, सामाजिक सिद्धान्त तथा वृत्तान्त के बारे में बुनियादी प्रश्न उठाए गए हैं जिनका सीधा सम्बन्ध इतिहासलेखन से है। ये प्रश्न वस्तुपरकता, यथार्थवाद और सत्यता जिन्हें परम्परागत इतिहासकार सारभूत मानता है से सम्बन्धित हैं और जिनको चुनौती दी गई है।

समस्या इतनी गम्भीर हो गई है कि सुप्रसिद्ध इतिहासकार जिनका अभी तक अकादमिक प्रभुत्व था अब अपने को 'प्रोफेशनल' इतिहासकार कह कर अपने साम्राज्य को बचाना चाहते हैं। लेकिन उत्तर आधुनिकतावाद, पुरातत्त्वशास्त्र, अन्तनुशासनीय अध्ययनों और 'नॉन-प्रोफ़ेशनल' तथा अन्य नए इतिहासकारों ने इतिहासलेखन के एकाधिकार को करीब-करीब संदिग्ध बना दिया है। कुछ समय पूर्व प्रकाशित जॉन केए की पुस्तक इंडिया'अ हिस्ट्री (2000) को नज़रअन्दाज़ नहीं किया जा सकता। केए पेशेवर इतिहासकार नहीं हैं। "मैं अकादमिक इतिहासकार नहीं हूँ। महज़ इतिहास का लेखक हूँ।" लेकिन उसने इस धारणा को दोषपूर्ण सिद्ध कर दिया है कि केवल पेशेवर इतिहासकार ही 'सत्य' या 'तथ्यात्मक तौर पर सही' इतिहास लिख सकते हैं।

और अन्त में

"(इतिहास) एक दुःस्वप्न है जिससे मैं जागने का प्रयास कर रहा हूँ।" —जेम्ज़ जायस, *यूलिसिस*

अन्त में ई.एच. कार के शब्दों को दुहराना चाहता हूँ : "बिना अन्य, कारणों पर ध्यान दिए...किसी एक कारण के प्रभाव पर केन्द्रित होने से लोगों को सावधान करने के लिए हर सम्भव उपाय करने चाहिए क्योंकि प्रभाव पर अन्य का हाथ भी होता है जो मुख्य कारण के साथ जुड़ा होता है। "महान इतिहासकार या मुझे कहना चाहिए महान विचारक वह व्यक्ति है जो वस्तुओं और नए सन्दर्भों के बारे में पूछता है! क्यों?"

इतिहास का अन्त नहीं होता और न ही इतिहास के पुनर्लेखन का। प्रश्न सिर्फ़ यह है कि अतीत को समकालीन राजनीति के परिप्रेक्ष में व्याख्यायित किया जाएगा या उस सन्दर्भ में जिसमें व्याख्यायित तथ्य अस्तित्व में आए हैं। और सच यह भी है कि हर नई पीढ़ी इतिहास में पुनर्प्रवेश करेगी, पुनर्परिभाषित और पुनर्व्याख्यायित करेगी। अतीत के पुनरान्वेषण की प्रक्रिया अनवरत जारी रहेगी। जब तक इस पृथ्वी पर मनुष्य (अन्तिम ही सही) का अस्तित्व रहेगा इतिहास का पुनराकलन, पुनरावलोकन और नवीनीकरण होता रहेगा।

कथावृत्त : सर्जना और सम्प्रेषण की परिधि में

राजी सेठ

कथा रचना

मेरे पास एक घटना है—निहायत सच्ची जीवन्त और आँखों देखी। क्या उसकी रचना बन सकती है? हो सकता है कुछ-न-कुछ बन जए पर कहानी नहीं भी बन सकती। हालाँकि कहानी को मूल रूप से किसी घटना का ब्यौरा ही माना जाता है। यह सुनना अटपटा लग सकता है कि केन्द्र में किसी घटना का एकदम सच होना कहानी नहीं बना सकता। कहानी को अपना सच स्वयं अर्जित करना पड़ता है। स्वयं ढूँढ़ना पड़ता है और अपनी सृजनशक्ति से उसमें ऐसी अर्थवत्ता भरनी पड़ती है कि वह सच भी लगे और विश्वसनीय भी। कहानी में विश्वसनीयता घटना के सच होने मात्र से पैदा नहीं होती उसे भी कथा-रचना में संरचना के एक जरूरी तत्त्व की तरह कमाना पड़ता है। वह जीवन के प्रति हमारी व्यावहारिक समझ और उस क्षेत्र में हमारे संवेदनात्मक विस्तार से हाथ लगती है। सच यह है कि घटना या घटनाओं का समूह रचना नहीं है बल्कि घटना के सृजनात्मक इस्तेमाल का नाम रचना है, जिसे हम रच कर ही अर्जित कर सकते हैं।

मनुष्यता की नियति से हर पल हाथ डाले बैठे रहने वाले साहित्य के जमे-जमाए नयशुदा आधार नहीं होते। वह किन्हीं नपे-तुले मापदण्डों पर नहीं तुलता। जीवन की साम्यता में वह अपना तर्क-वितर्क खुद गढ़ता है, जीवन का इच्छित क्रम रचता है। जीवन में सब कुछ आगे-पीछे क्रमहीन गति से घटता है, रचना में ऐसा नहीं होता। रचना में हम अपनी इच्छा का, योग्यता का, अपने दृष्टिकोण का, अपने जीवन दर्शन का उपयोग करते हैं। किसी भी घटना य घटना-समूह को किसी क्रम में रख कर एक कलात्मक अन्विति बनाते हैं। कभी-कभी यह अन्विति बहुत-सी स्मृत घटित, अपनी-परायी घटनाओं का कोलाज भी बन जाता है। असली शब्द हैं—बनाना, रचना, गढ़ना। दूसरे शब्दों में किसी आकार को बनाने, रचने या गढ़ने की क्षमता। कुछ चीजों या उपकरणों को इकट्ठा करके रख देने से कोई आकार नहीं बनता। उसमें प्राण-प्रतिष्ठा नहीं होती। उसके लिए हमें रचना के मर्म तक जाना पड़ता है जो घटना रूप नहीं है। रचना के लिए हम घटना की दृश्यमानता में अपनी अनुभूत अदृश्यता शामिल करते हैं।

जब यह स्पष्ट हो जाता है कि घटना कहानी नहीं है, घटना का सृजनात्मक इस्तेमाल कहानी है तो हमारे सामने यथार्थ की परिभाषा और अवधारणा भी बदल जाती है। लिखते समय हम उस यथार्थ को छोड़ भी सकते हैं जो जीवन में घट रहा है। हम यथार्थ की उस काट को लेते हैं जो हमारे काम की होती है। रूपान्तरित होकर ही यथार्थ हमारे अर्थ को वहन करने में सक्षम होता है। हमारी रचनात्मक मंशा को प्रकट करता है। हमें दूसरों तक पहुँचाता है। ऐसा नहीं हो सकता कि दूसरों की कहानी मेरे अर्थ को वहन करे याकि मैं दूसरों का अर्थ वहन करूँ। अपना अर्थ देने या पाने के लिए ही कोई रचना कर्म में प्रवृत्त होता है। यही कारण है कि घटना या कथावस्तु चाहे एक ही हों, अपने-अपने अर्थ और रचना-व्यवहार के कारण रचनाएँ अलग-अलग हो जाती हैं।

हर लेखक कहानी को अपनी तरह लिखता है। अपनी तरह लिखने के कारण भी अपने ही भीतर होते हैं। युगों-युगों से जीवन के ताने-बाने, घटित-अघटित के बारे में लिखा जा

रहा है फिर भी यह प्रक्रिया नहीं थमती। कितनी सदियों से कितने ही साहित्यकर्मी अभिव्यक्ति की इस परम्परा की अग्रसरता में संलग्न हैं फिर भी यह वैसी की वैसी अटूट फिर भी सदा अधूरी है। इसका कारण जीवन की परिवर्तनशीलता और निरन्तरता है। मनुष्य की मुनष्यता है जो सृजन की क्षमता को सदा चुनौती देती और आमन्त्रित करती रहती है। जीवन में घटती घटनाओं की स्थानीयता और साधारणता रचना में अन्तहीनता और विशेषता का प्रतिस्थापन बन जाती है।

रचना की अन्तहीनता की बात हमारे सामने फिर कुछ नए सवाल खड़े कर देती है—क्या रचना कालजयी या अनन्त होती है? यदि हाँ तो क्या सब रचनाएँ इस कोटि की होती हैं? यदि नहीं तो कौन-सी रचना उस कोटि में आती है? इतना तो मानना होगा कि जिस कागज पर रचना लिखी गई हो उसे फाड़ देने से रचना का अन्त नहीं हो जाता। रचना के अन्त के मायने दूसरे हैं। उस रचना का अन्त मान लिया जाता है जो अपने समय से आगे नहीं जाती। आने वाली पीढ़ी उसे अपने चित्त और विचार में धारण नहीं करती। यदि कोई रचना जीवित रहती है तो पाठकों के मन में जीवित रहने के कारण जीवित रहती है। उनकी संवेदना, सोच और प्रेरणा का हिस्सा बन जाने के कारण, पाठक के निर्माण में एक तत्त्व बनकर आत्मसात हो जाने के कारण बचती है। वह पठन-पाठन की क्रिया से बढ़ कर एक रचनात्मक संस्कार बन जाने के कारण जीवित रहती है।

''संस्कार'' एक ऐसा शब्द है जिसका हम पोस्टमार्टम नहीं कर सकते। उसका रेशा-रेशा खोलकर दिखा नहीं सकते कि वह किन विशेष तत्त्वों से बना है। उसमें हमारी कितनी पुश्तों का योगदान है। एक तरह से वह हमारे मानसिक डी. एन.ए. की तरह है। कितने युगों, साधनों, स्मृतियों, परम्पराओं के रासायनिक मिश्रण का योगफल। हमने उसे कब और कैसे पाया, उसमें से कितना अर्जित किया कितना पुरखों के अनुग्रह से मिला इसे जानना भी आसान नहीं। हमारे लिए यह जानना ज़्यादा आसान है कि वही चीजें बचती हैं जो प्राणवान बनी रहें। सप्राण और निष्प्राण की पहचान हम चीजों के बढ़ने-पनपने की ताकत से करते हैं। इस ताकत का होना या न होना ही विकसने-गिरने का कारक-कारण है। बढ़ने की तरह चीज़ें घटती भी हैं। विकृत भी होती हैं। इस क्रिया की पहचान की महादेवी जी ने सुन्दर व्याख्या की है। उनका कहना है परिवर्तन हर चीज का नियम है। उसे तो हर हाल होना ही है पर परिवर्तन के दो रूप हैं—एक रूप है विकास, दूसरा रूप है विकृति। परिवर्तन दोनों दशाओं में होता है पर दोनों को एक श्रेणी में नहीं रखा जा सकता। एक उन्नति का परिचायक है, दूसरा अवनति का। संस्कार को हम इसी तुला पर तौलते हैं—कौन-कौन-सी चीज़ें, कौन-कौन से अनुभव, कौन से दृश्य, कौन-सी सूचनाएँ हमें या हमारे व्यक्तित्व को आगे ले जाती हैं कौन-सी पीछे। किन चीज़ों का फलयोग हमारे जीवन में उत्कर्ष की तरह सामने आता है किन का अपकर्ष की तरह। रास्तों के चुनाव और अपनी संवेदना के इस्तेमाल के लिए यह समझ कारगर हो सकती है।

कोई किसी को बता नहीं सकता कि वह अपनी कहानी कैसे लिखे। लिखने के लिए कौन-सी घटना, कौन-से अर्थ और कौन-से शब्द चुने। वे सब चीज़ें हर किसी की अपनी, अपने जीवन और अपने बृहत व्यक्तित्व से जुड़ी होती हैं। किसके अन्दर किस बात को कहने-सुनने आजमाने की प्रेरणा बन रही है उसे केवल वह ही जानता है। वह ही जानता है कि उसके भीतर कौन-सी घटना केन्द्र में आने को तैयार है जिसे ऐसे देखने की जरूरत पड़ रही है जैसे अर्जुन ने मछली की आँख को देखा था, अपने को एकाग्र करके। घटना के, स्थिति के हर एक पहलू को जाँचते हुए। सारे अन्तर्विरोधों और अन्तर्द्वन्द्वों का सामना करते हुए। यदि घटना के अपने अन्तर्द्वन्द्व नहीं भी हैं तो भी सामान्य रूप से उस स्थिति में जितने भी सम्भावित अन्तर्द्वन्द्व हो सकते हैं, उन्हें जगह देकर, उनका सामना करते हुए रचना को साधारण विवरण से ऊपर उठा लिया जा सकता है। हम अपनी कल्पना और व्यावहारिक अनुभव द्वारा ऐसी बहुत सी दशाओं की अन्तर्रचना कर सकते हैं जिनसे ऐसे केन्द्रों पर प्रकाश पड़े जो मनुष्य के बृहत्तर नैतिक पक्ष का निर्माण करते हों और पढ़ने वाले के लिए किसी जीवन विकल्प या समाधान की शोध-दृष्टि भी दे सकें।

यह बात तो जानी हुई है कि जीवन हमारे हाथ में नहीं है पर रचना हमारे हाथ में है। उसके माध्यम से हम उदात्त मूल्योन्मुखी कलारूपों की रचना कर सकते हैं जिनका प्रभाव साहित्य का संस्कार बनाने में दूर तक सक्रिय रहता है। इसका यह अर्थ नहीं कि रचना को उदात्त और मूल्योन्मुखी बनाने

के लिए हम यथार्थ का त्याग करें। यथार्थ तो साहित्य-रचना का भोजन है। यथार्थ को हम छोड़ नहीं सकते क्योंकि जीवन तत्त्व को प्रकाशित करने का वही आधार है पर हम उसे इस तरह से प्रस्तुत ज़रूर कर सकते हैं कि हमारी दृष्टि और मूल चेतना का निर्माण करे और हमारी इच्छा के अनुसार परिणाम निकलें। लेखक का मनचाहा प्रभाव बन सके। इस बात का उल्लेख करना ज़रूरी है कि प्रभाव-सिद्धि भी रचना के अन्य उपादानों की तरह रचना कर्म का एक उपादान है। वह भी लेखक के नियन्त्रण के अन्दर की चीज है। अच्छा लेखक ज़्यादा बोलने की बजाय संयम से इसका उपार्जन करता है। संकेतों, ध्वनियों, चुप्पियों, अन्तरालों से काम लेने की कोशिश करता है। साहित्य की व्यंजक शक्ति का इस्तेमाल करता है। यह इस्तेमाल बड़े लेखकों के रचनाकर्म में आसानी से देखा जा सकता है। लेखक से ज़्यादा पाठक बनकर इसकी ज़्यादा तीखी प्रतीती होती है।

यह भी सच है कि हर पाठक के मन में एक उत्सुक लेखक बैठा होता है। पाठक उसी प्रक्रिया में से गुज़रते-गुज़रते बहुत कुछ सीखता है। दूसरों के अनुभवों को पढ़ते समय हम अपने आपको पढ़ रहे होते हैं। अपने तादात्म के बिन्दु ढूँढ रहे होते हैं। शब्दों, ध्वनियों, मुद्राओं के अर्थ सीख रहे होते हैं। हमें पता नहीं होता कौन-सा क्षण, कौन-सी स्थिति, कौन-सी स्मृति या दीप्ति हमारे अन्दर सोए हिस्से को जगा देगी कि हम स्वयं रचना प्रस्तुत हो जाएँगे।

यह बातें सुनने में अजीब लगेंगी पर ख़ासी व्यवहार-सम्मत है कि कैसे कभी-कभी कोई बुरी तरह लिखी हुई कहानी हमारे रचना-विवेक को झकझोर सकती है और लिखने का कारण बन सकती है। हमें लगने लगता है, इसी यथार्थ को हम प्रस्तुत लेखक से ज़्यादा अच्छी तरह लिख सकते हैं और एक नया रचनात्मक सिलसिला चल निकलता है। रचने के क्षण ऐसे ही अयाचित, अन्दर की ऊर्जा से प्राणवान होते हैं। वे रचनाएँ हमें ज़्यादा अच्छी लगती हैं जो किसी रूप में हमें छेड़ती या छूती हैं। हमें कौन से और किस स्तर के संवेदन झकझोरते हैं—इसे जान लेने से हमारी अपने बारे में जानकारी बढ़ती है। हम अपने रचनात्मक क्षमता के मर्म को पहचानने लगते हैं। ज़्यादातर तो हमें अपनी समझ और व्यक्तित्व के समतोल की चीज़ें अच्छी लगती हैं या वे दिशाएँ प्रेरित करती हैं जिनका सम्बन्ध हमारे अपने चेतन-अचेतन से हो। अपने चेतन को तो हम रोजमर्रा के जीवन में जानते रहते हैं, अचेतन को नहीं जानते। अचेतन के बारे में हमारी धारणा साफ हो जाए तो वह क्षेत्र भी हमारे यथार्थ का हिस्सा बन जाता है। मोटे तौर पर कहा जा सकता है कि हमारा अचेतन उन चीज़ों से बना होता है जो अभी पूरी नहीं हुईं। पर जिनके पूरा होने या करने की हमारे मन में जबरदस्त आकांक्षा है। इस आकांक्षा में हमारी बहुत-सी अधूरी इच्छाएँ, अभिलाषाएँ, प्रेरणाएँ और सपने शामिल हैं। वे एक खामोश तरीके से हमारे अन्दर दुबके बैठे होते हैं और हमें संचालित नियन्त्रित करते हैं। रचनाकर्म के इतिहास में ऐसा होता रहा है कि कभी भीतरी विस्फोट या बाहरी प्रेरणा से वे वृत्त जाग जाएँ और कोई अचानक लिखने लगे जैसा मेरे साथ हुआ। इससे एक और बात साफ हो जाती है कि लिखने का मतलब शब्दों द्वारा अभिव्यक्ति करना मात्र है, जबकि जिस बारे में लिखा जाता है वह हमारे मन में, हमारे जीवन में बरसों पुराना हो सकता है, इसीलिए कथावस्तु का क्षेत्र अपार है। वह भूत, भविष्य, वर्तमान कहीं से भी ली जा सकती है। लिखने को एक तरह से हम अभिव्यक्ति की कला मान सकते हैं जबकि हमारे सोच, बोध, चिन्तन और अनुभव का एक अरोक सिलसिला है। जिसका थोड़ा ही हिस्सा हमारी रचनाओं में आ पाता है। कोई भी लेखक यह दावा नहीं कर सकता कि वह जो कुछ सोचता रहा है लिख चुका है या अपने जीवनकाल में लिख लेगा। यह असन्तोष हर लेखक के मन में सदा बना रहता है। हम जिस विधा में लिखते हैं उसकी अपनी भी कुछ कलात्मक शर्तें होती हैं जिसके चलते हमें अनुभव की निरन्तरता में से उस कलारूप के अनुरूप अलग-अलग चौखटे काटने पड़ते हैं। इस प्रक्रिया में भी बहुत कुछ घटता-बढ़ता-छूटता है। यह सब कुछ हम लिखते-लिखते सीखते हैं। उसका कोई तैयार फार्मूला नहीं होता।

साहित्य की खूबी यही है कि वहाँ हम घटनाओं के नहीं, संवेदन के भागीदार होते हैं। घटनाएँ तो हरेक के जीवन की अलग-अलग अपनी-अपनी होती हैं। उनका होना या घटित होना हमारे भीतर कोई साँझापन पैदा नहीं करता। संवेदन द्वारा पाटा-बाँटा हुआ रास्ता ही साँझे की अनुभूति पैदा कर सकता है। इसी से साहित्य के सार्वजनीन या सार्वभौमिक होने की प्रतीती होती है। पढ़ते समय रचना से तादात्म हमारे संवेदनतन्त्र

को उकसाता ज़रूर है पर हम लेखक से मुक्त होते जाते हैं, और अपने साथ जुड़ते जाते हैं। अपनी स्थितियों और क्षमताओं को तौलने लगते हैं। साहित्य हमारे सोचने की अन्तर्भूत ऊर्जा को उकसाता है। यह ऊर्जा हमारे अपने ही अन्दर होती है बाहर से नहीं आती। भीतर ही कहीं रखी होती हैं। दूसरों के अनुभव हमें उकसाते ज़रूर हैं पर पहुँचना तो हमें अपने तक ही होता है। साहित्य का सत्य हमें वहाँ तक पहुँचाता है जहाँ हम अपने आपको समृद्ध और सक्षम महसूस कर सकें।

अन्ततः तो लेखन चेतना का क्षेत्र है। दूसरे लेखक हमें प्रभावित या प्रेरित कर सकते हैं पर लेखन का रास्ता तो आत्मान्वेषण और अपनी आकांक्षा और प्रेरणा की पहचान से बनता है। यह रास्ता आसान नहीं है। श्रम, नियम, साधना, निष्ठा, ईमानदारी ही नहीं असफल होने का साहस भी माँगता है। इस क्षेत्र में सक्रिय रह कर यश पा जाने की बात बड़ी उत्तेजक और लालसा भरी लगती है पर होती नहीं। यह रास्ता एक बेहद निर्मम संसार का सामना करने और कड़े प्रतिमानों पर पूरा उतरने के इम्तहान जैसा है क्योंकि यहाँ निजी कर्म सामाजिक कर्म की तरह प्रस्तुत होता है उसे दूसरों के सामने लाना पड़ता है और वह परीक्षणीय भी होता है। ऐसी किसी चीज़ की रचना के लिए हमें सबसे पहले खुद सक्षम होना पड़ता है। अपने को साधना पड़ता है, क्योंकि हम ही वह पात्र या यन्त्र हैं जिसमें रचना सम्भव होती है और समाज के अन्तःकरण का खाद्यान्न होती है।

यश की कामना यदि लिखने की प्रेरणा का कारण हो तो लिखने से विरत रहना ही अच्छा है। लेखन आम का ऐसा कोई पेड़ नहीं जिस पर हर साल रसीले फल लगते हों और हम तभी का तभी उन्हें तृप्ति भर खा भी सकते हों। वैसे भी यह ज़रूरी नहीं जो पेड़ रोपे वह फल खाने की इच्छा रखे। ज़्यादातर लेखक सारा जीवन श्रम करने के बाद भी यश-धन या उल्लेखनीय मान्यता के बिना ही मर जाते हैं। यश की कामना से मुक्त हों और असफल होने की तैयारी मन में हो तो ही लिखने में प्रवृत्त होना चाहिए। लिखना स्वैच्छिक कर्म है, उसे छोड़ा या अपनाया जा सकता है। उसके चुनाव के कारण व्यक्ति की अपनी प्रवृत्ति और प्रकृति में होते हैं। व्यक्तित्व में वैसी अनुकूलता, वैसी प्रतिभा, वैसे उपकरण हों तो ही साहित्य रचना सध सकती है। लेखन के साथ उच्चता या यशस्विता की उपलब्धि का रुमानी विचार जोड़ना ठीक नहीं। इसे धीरज और श्रम की आद्यन्त परीक्षा कहना ही ज़्यादा श्रेयस्कर है।

कथादृष्टि

हमारे सामने दो सवाल हैं। पहला कथा-दृष्टि का सवाल, दूसरा कथा-विधा पर आरोपण के आतंक का सवाल।

इसमें सन्देह नहीं कि गद्य में लिखी जानेवाली, जीवन-सादृश्यता को पाने के लिए सचेष्ट रहनेवाली, परिवेश की स्थूलता को साथ लेकर चलनेवाली कहानी विधा ने अपने लिए सरलीकरण के सैकड़ों खतरे मोल ले रखे हैं। उसकी सहज सरल विवरणात्मकता के पीछे साहित्यिक कृतित्व के लिए ज़रूरी संश्लिष्टता छिपी है, यह बात अनदेखी रह जाती है, क्योंकि तैयार रचनारूप ने अपने सब आड़े-तिरछे कोने अन्दर ही साथ लिए होते हैं। वह अपनी क्रियाशील सतह पर हर तरह के विपरीत (समकालीनता और दृष्टि) का सन्धान करके ही व्यक्त रूप में बाहर आई होती है, अतः यह मानकर चलना चाहिए कि परिणाम के स्तर पर कहानी की सादगी भ्रामक है। अथाह को नापकर एक मुट्ठी में खिंचकर आ जानेवाले जाल से उसकी तुलना की जा सकती है।

विचारधारा के आरोपण का मद्दा बरसों से कहानी के साथ-साथ चल रहा है क्योंकि एक ऐतिहासिक दौर में कथा-विधा के विकास और विचारधारा के बौद्धिक आत्मसातीकरण का तथ्य सहवर्ती होकर चले हैं, इसलिए कथाकारों की बहुत बड़ी पीढ़ी को एकदम बनी-बनाई, एकदम सामयिक–जैसी दीखती कथावस्तु के एकाएक उपलब्ध हो जाने का प्रलोभन बुरी तरह जकड़े रहा। दोनों के बीच जबरदस्त आवाजाही रही, इतनी कि इस बीच फूहड़, सपाट और निस्तेज किस्म की ढेरों रचनाएँ अस्तित्व में आईं। यह थोक उत्पादन छँटाई के संकट को सामने रखता वहाँ तक तो ठीक था, पर इस स्थिति में उसी-उसी अनुभव से गुज़रने की ऊब और विरसता भी पैदा की, जो कहानी के बहुलांश को पढ़े जाने के विरुद्ध पड़ता है। यों नए बनते पाठकों के लिए सपाट भाषा और सरलीकरण से बनते ये फ़ार्मूले सुविधाजनक भी रहे, पर क्या कहानी विधा की समझ, गम्भीरता और संस्कार का दायरा भी विस्तृत हुआ?

कहने का यह अर्थ नहीं कि यह स्थिति मात्र आकर्षण

और प्रलोभन की ही स्थिति थी, इसके पीछे विशेष जीवन-दर्शन की टेक, वैचारिक कमिटमेंट और फलकामिता की सुचिन्तित इच्छा भी सक्रिय रही, इसलिए तब से अब तक कथा के फलक पर यह कथाकार की रचनामंशा की तरह परिभाषित होती रही और अपनी सनूहगत प्रवृत्तियों को 'जनवाद' के नाम से परिभाषित करने का इसरार भी करती रही, (इस बात को भूलकर कि साहित्य सदा से जन का ही हिमायती है। उसकी संवदेना का जल उधर ही बहता है जहाँ गड्ढे होते हैं।) इस वैचारिकी के उत्साह में विचारधारा ही कथावस्तु, अन्तर्वस्तु, रचनामंशा के पर्याय की तरह परिभाषित होने लगी, जबकि यह सब रचना के स्तर पर अलग-अलग और विभेदक तत्त्व हैं। रचना तभी फलकामी और फलगामी हो सकती है, जब वह अपने क्षेत्र के अनुशासन को माने।

इसका दूसरा परिणाम यह हुआ कि जो कुछ जितना कुछ—निजी-अनिजी-क्रम विचारधारा के बाहर का था, उसे कलावाद नाम की गठरी में समेट दिया गया, जबकि कलावाद नाम का कोई विचार, वाद या पद्धति है ही नहीं। वह एक प्रकार के साहित्य से दूसरे प्रकार के साहित्य को अलगाने के क्षोभ का नाम है। इस प्रकार की असहिष्णुता साहित्य—जैसी मत-असहमत के लिए समावेशी जमीन और साहित्यिक आचरण के विरुद्ध पड़ती है। साहित्य एक जनतान्त्रिक स्वचेतन फलक है, वहाँ विचार की स्वतन्त्रता को सदा से एक मूल्य के स्तर तक ले जाकर प्रतिष्ठित किया जाता है।

यों कथा की जमीन पर विचारधारा के इस्तेमाल की बात कोई अछूत किस्म की बात नहीं मानी जा सकती, पर यह नहीं भूलना चाहिए कि कहानी विचारधारा का मञ्च नहीं, बल्कि विधा के आन्तरिक विवेक द्वारा कहानी को उपार्जित करने का रचना—कौशल है. जिसे कहानी के सभी अवयवों के विभाजन की चेतना को उत्सर्जित करके ही पाया जा सकता है। कहानी—जैसी रचनात्मक विधा में विचारधारा का दरजा मात्र किसी कथावस्तु की प्राप्ति से ज़रा भी ज़्यादा नहीं है और कथावस्तु कहानी के इतने अवयवों में से महज़ एक अवयव है—वह भी आधाररूप होने के कारण सबसे ज़्यादा अनगढ़ और स्थूल अवयव, जिसे अन्तर्वस्तु के मर्म और रूपकार को पाने के लिए अपने आपको पूरी तरह त्यागना पड़ता है।

यहाँ शायद इस बात का उल्लेख जरूरी हो कि कहानी में अन्तर्वस्तु (थीम) और कथावस्तु एक ही चीज़ नहीं है। कथावस्तु तो स्थिति, स्थान, पात्रों का चुनाव करती है, जबकि अन्तर्वस्तु रचनाकार की अन्दरूनी रचनामंशा को उद्घाटित करती है, जो कथा के रचने का प्रेरक कारण बनी। वह रचना के पीछे काम करती कथाकार की इच्छाशक्ति का नाम है। वस्तुतः कथावस्तु के रचनात्मक क्रियान्वयन में से अन्तर्वस्तु उपार्जित की जाती है। दोनों में गुणात्मक भेद है। एक सूक्ष्म है, दूसरी स्थूल। कहानी के स्तर पर वह उपलब्ध स्थल में से अनुपलब्ध को पाने की कला है। इसी स्थल पर हर कथाकार की निजता, मौलिकता, नवीनता, आत्मबोध, सौन्दर्य-सृष्टि की सब सम्भावनाएँ सक्रिय होती हैं।

तो फिर कथा-दृष्टि क्या है? कहानी में इसकी क्या स्थिति और स्थान है? क्या वह कथावस्तु की तरह पहले से प्रसूत या उपलब्ध कोई चीज़ है, जिसे दूसरे कथा-अवयवों की तरह नापकर किसी रचना-रसायन में ढालना होता है?

कहानी के कार्यपक्ष तक आते ही कथा-परिवेश का प्रश्न पहले उठाना पड़ता है, क्योंकि ज़्यादातर वही कथा के विस्तार का, आकार का आधार बनता है। यह दिक्कत दूसरी विधाओं के साथ उतनी नहीं है। कविता उड़ाने ले सकती है। अपने अर्थ के लिए (पड़ावों की पहचान दिए बिना) एक शिखर से दूसरे शिखर तक पहुँच सकती है। इसके पास अपना एक अयाचित स्पेस है जिसे लिखनेवाला और पढ़नेवाला बहुअर्थी स्तरों से पाट सकता है, पर कहानी को अपनी विश्वसनीयता पाने के लिए अपना अर्थ और व्यर्थ (परिवेश) साथ-साथ ढोना पड़ता है।

परिवेश एक बहुत बड़ा क्षेत्र है। उसमें कथावस्तु, विषयवस्तु, स्थान, समय, चरित्र और नियति (इस सन्दर्भ से मनुष्य मात्र की नियति) सब कुछ शामिल हैं। कथाकार को परिवेश के इतने बड़े विस्तार और अन्तर्वस्तु के इतने केन्द्रित सरोकार को एक ही समय, एक ही स्थान पर संयोजित करना पड़ता है। कथा-अवयवों की इस बहुलता को वह एक संश्लेष की तरह अर्जित करता है, जो एक आन्तरिक और जटिल प्रक्रिया है। जटिलता का अर्थ रचना की क्रियाशील स्तर पर एक साथ दिखाई देते बहुत से आशयों, संकेतों, विपरीतों की (पहले तो) पहचान, फिर एक समुचित प्रभाव के हक में इन सब पृथकताओं का विलयन है। तब जाकर कोई रचनात्मक

अन्विति सधती है।

कहानी का कर्म है—अनुभव को कला में परिणत कर पाना। उसे ऐसे संयोजन में बाँधना कि रचना किसी वाद्ययन्त्र की तरह बजे। (यह मानक स्थिति का विवरण है। इसमें विचलन तो होते ही रहते हैं, जो अच्छी-बुरी कहानी की श्रेणी को निर्धारित करते हैं।) कहानी मूलतः एक कसी हुई मितव्ययी विधा है, इसलिए कथाकार के रचना-विवेक को बहुत बड़ी चुनौती फेंकती है कि वह 'स्मृत-अनुभूत-आत्मसात' के इतने बड़े हिस्से में से किसे चुने, किसे छोड़े ताकि कहानी के प्रभाव की समग्रता खण्डित न हो और कहानी एक समूचे अनुभव के आस्वाद की तरह पाठक में संवेदित हो, सहवेदन पैदा करे। संवेदन में ही यह क्षमता होती है कि वह दूसरे तक जा सके, क्योंकि वह चेतनागत है। तथ्य तो अपनी तथ्यात्मकता के कारण ही निष्क्रिय और तटस्थ होते हैं, इसीलिए कथा का वाहक विवरण नहीं, संवेदन होता है। कहानी में संवेदन द्वारा पाए अन्वेषित सत्य की तुलना हम उस बल्ब से कर सकते हैं जिस एक के जल उठने से प्रकोष्ठ में सारे आकार-प्रकार प्रकाशित हो उठते हैं। कहानी को इसीलिए उपन्यास की तरह 'उत्तरोत्तर विकास की नहीं एकाएक उद्घाटन' (मार्क शोरर) की विधा कहा गया है।

उद्घाटित होता सत्य सत्य होने के कारण ही विश्वसनीय और दृष्टिवान होता है। दृष्टि का गुण विस्तृत और प्रकाशित होना है; किसी ऐसे बिन्दु को खोज पाना, जहाँ खड़े होकर भूत, भविष्य, वर्तमान सभी प्रकाशित हो सकते हों। अपने सृजनात्मक उत्कर्ष तक पहुँची ऐसी रचना दृष्टिसम्पन्न और स्वायत्त होती है, इसीलिए अपने समय के अलावा हर देशकाल को संदर्भित कर सकती है। उसका सार कथावस्तु में नहीं, उसके पार देखने की अर्थवत्ता में है, जो अपने सृजनात्मक आवेश और उन्मेष में से ही अन्वेषित और उद्भूत हो सकती है। अच्छी रचना एक समूचे अनुभव के आस्वाद की तरह पाठक में संवेदित होती है और अपना अचूक प्रभाव छोड़ती है। प्रभाव अचूक ही इस अर्थ में है कि उसने पाठक में सहवेदन जगाकर अपनी परिधि का विस्तार किया है और उसके मन को एक नए भावबोध से समृद्ध किया है।

दृष्टि एक अमूर्त और चेतनागत चीज़ है इसलिए कहानी के दूसरे अवयवों से गुणात्मक रूप से अलग है। दूसरे अवयव-घटित, पात्र, चरित्र-चित्रण, संवाद, स्थान—सब दिखाई देते हैं, पर यह दिखाई नहीं देती, केवल प्रभाव की समग्रता के स्तर पर हाथ लगती है और सच तो यह है कि कहानी का प्रभाव-पक्ष कहानी के अन्त से पहले कभी दिखाई नहीं देता। रचना की आवयविक पूर्णता से पैदा होती दृष्टि इसीतिए कहानी के कलेवर में सदा संचित हुई रहती है। उसे अपने काल में या हर काल में खोला या संदर्भित किया जा सकता है। लेखक के लिए यह एक कार्यान्विति है, पाठक के लिए एक प्राप्ति। यह प्राप्ति विविधरूपा है। यह कभी संवेदन के विस्तार के रूप में हाथ लगती है, कभी नए भाव-बोध, कभी सत्य की कोई काट, कभी किसी अछूते दृष्टिकोण की उपलब्धि का अहसास जगाकर, कभी पाठक की सोच में नई प्रश्नाकुलता, नया सौन्दर्यबोध पैदा करके। इसे किसी भी रूप में देखा जा सकता है। वह उत्कृष्ट रचना का ही एक आत्मसम्पन्न अंग है। उसका कोई सुनिश्चित रूप नहीं होता। इतना भर तय होता है कि वह अपने समय से आगे जाती हुई प्रभावी, टिकाऊ और अच्छी रचना है।

इस बात का यदि इस रूप में खुलासा किया जाए तो आश्चर्य होगा कि कथावस्तु को इतनी भिन्नता के बावजूद कहानी की वस्तुतः दो ही कोटियाँ हैं—अच्छी कहानी या खराब कहानी। प्रभावी कहानी या निष्प्रभाव कहानी। इनमें से किसी भी कहानी के रचना-विधान को खोलकर उसके अच्छे या बुरे होने की कार्यकारण—शृंखला तक पहुँचा जा सकता है और कथा-दृष्टि के सवाल को साफ किया जा सकता है।

कथा समय

इधर की कहानी का नाम स्वतः ही 'समकालीन' होने लगा है, जैसे कहानियों को खेमों में बाँटते और उन पर टिप्पे चिपकाते जाने की व्यर्थता से थककर कहानी ने अन्ततः अपने विशद और व्यापक दीक्षाधर्म की शरण ले ली हो; वह अपने नामकरण से भी अपने स्वरूप और स्वधर्म के निकट चली गई हो। कहानी से अपेक्षा सदा यही होती है कि वह अपने समकालिक यथार्थ को सम्बोधित और प्रतिबिम्बित करे (चाहे समकालीनता का यह मिथ खुद धुँधलके में है।) समकालिकता में अपने समय के सामने खड़े होने का दबाव ज़रूर है पर कितनी ही कहानियाँ हैं जो समकालीन समय में लिखी जाने के बावजूद

जन्म के क्षण के साथ ही पुरानी हो चुकीं। इसका अर्थ है समकालीनता समय और रचना की टकराहट को इंगित करता एक नाम है और जो तत्त्व कथा की समकालीनता को रेखांकित और विस्तृत करते हैं वे कुछ और या कहीं और हैं।

रचना का अपना समय कहानी में पूरी तरह उपस्थित हो, यह माँग सत्य तो है पर सत्य का सरलीकरण भी। क्या ऐसा सम्भव है कि साहित्य की कोई एक विधा समाज जैसी बहुलतन्त्री, बहुदिशाधर्मी वास्तविकता का प्रतिनिधित्व करे या कर सके? याकि क्या यह सम्भव है कि समय रचना की पकड़ में आ ही जाए? क्या यह ज़रूरी है कि दोनों की प्रकृति एक दूसरे के अनुकूल ही हो?

समय और रचना के सम्बन्ध के सवाल सनातन सवाल हैं जो हर काल में अपनी ज़रूरतों के अनुसार सुलझाए और समझे जाते हैं। इन चेष्टाओं के बावजूद सवाल बने रहते हैं। वे सवाल या तो सुलझाने से परे हैं या उन्हें जानबूझकर छोड़ दिया जाता है। उन क्षेत्रों में दाख़िल ही नहीं हुआ जाता जो इन तत्त्वों के सजातीय रूप को स्पष्ट करते हैं। समय हमारे सामने दो तरह से उपस्थित होता है या हम समय में दो तरह से उपस्थित रहते हैं। सार्वकालिक समय और समकालीन समय। सार्वकालिक समय सदा उपस्थित रहता है। वह हमारी सत्ता से निरपेक्ष और अरोक है। उसका काम अटल उपरामता में बीतते जाना है। इसमें भूत, भविष्य, वर्तमान की श्रेणियाँ नहीं होतीं। ये श्रेणियाँ हमारी चेतना या दृष्टि की दी हुई हैं।

दूसरा समय समकालीन समय है जिसमें हम अपने अस्तित्व के सन्दर्भ से शामिल हैं। उसमें हमारे जातीय संस्कार और स्मृति का सार-तत्त्व भी शामिल है। यही समय हमारा वास्तविक समय है जिसके चलते हम उसके संघर्षों, आहटों, जटिलताओं, खुशियों और उद्वेलनों को जीवनगत रूप से झेलते हैं और अपनी नियतिगत विवशताओं से लड़ते हैं। यही समय वास्तविक समस्याएँ को खड़ी करता और चुनौतियाँ फेंकता है। इन संघर्षों की कसमसाहट में घुटते हम विकल्पों को ढूँढ़ने का उपक्रम करते हैं। रचना एक ऐसा ही उपक्रम है, ऐसी ही तलाश। समस्याओं के घर्षण में एक प्रकार की रचनात्मक बौद्धिक सहचरता का प्रयास। अपनी रचनात्मक दीक्षा और दृष्टि के माध्यम से अपने समय में स्थित रहने की चेष्टा; चाहे यह सवाल भी इस क्रिया में निहित है कि रचना किस मुद्रा में अपने समय से जुड़े कि सार्वकालिक समय में भी अर्थ-सम्भव बनी रहे।

रचना अपने समय में रहे, यहाँ तक तो ठीक है पर दोनों की प्रकृति एक-दूसरे के विपरीत है। समय की सत्ता हमसे बाहर, निरपेक्ष और निरन्तर परिवर्तनशील है। यदि उसके परिवर्तनशील होने का हमें इतना तीखा एहसास न हो तो उसे बदल देने की हमारी इतनी जोश-खरोश भरी आकांक्षाएँ एकाएक रद्द हो जाएँ। जबकि वे इतनी आशा और उत्साह भरी हैं कि पूरे मतवाद, पूरी आइडियोलॉजी को जन्म दे रही हैं—और तो और इस परिवर्तनशीलता की गति इतनी तेज़ है कि जब तक हम जीवन के बारे में अपने आशय और रचना में अपने उपकरण सिद्ध करते हैं, समय आगे निकल जाता है जिसके चलते हमारी जीवनगत समस्याओं का रंग-रूप, आधार-विचार ही बदल जाता है। हम अपने को सदा दौड़ते हुए परिदृश्य की विवशताओं के बीच महसूस करते हैं। उसे रचना में पकड़ पाना या न पकड़ पाना दोनों तनाव भरे हैं। इन सब कारकों के बावजूद रचना सम्भव होती है और अपने समय को झलकाते हुए होती है। इसका अर्थ है रचना के पास अपनी कोई नितान्त निजी एकदम अपूर्व, अ-स्थानान्तरणीय पद्धति तो ज़रूर होती होगी कि यह असम्भव सम्भव होता है। रचना समय से भिड़ने के लिए तैयार हो जाती है और सामने खड़ी चुनौतियों का सामना करने के लिए सन्नद्ध भी।

हालाँकि यह सोचना कि रचना जिस समस्या या घटना को लेकर समय से भिड़ रही है उसका कोई हल तुरन्त निकल आएगा या वस्तु का विधान बदल जाएगा, स्थिति का सरलीकरण करना है क्योंकि समस्याओं और समाधानों की पूरी शृंखला मनुष्य के पूरे जीवन को नियन्त्रित करते असंख्य कारण—समूहों में है, केवल हमारी सोच और संचालन में रहने वाली जमीन पर नहीं। वैसे भी यह ज़रूरी नहीं कि समस्याएँ हों और उनके उत्तर भी हमारे पास हों। यह भी ज़रूरी नहीं कि उन समस्याओं का उत्तर किन्हीं तयशुदा स्थानों पर हो। रचना के द्वारा हमारी चेष्टा उन सवालों को सामने लाने और प्रश्नाकुलता के उस अन्तरिक्ष में दाखिल होने की होती है जहाँ हम अपने उपकरणों पर दबाव डालने के लिए मजबूर हो सकें। सामने घटती घटनाओं के अंकन के लिए अपने दिमागी दायरों में सहवर्ती चरित्र तलाशने लगें। जीवन-यथार्थ के जिस हिस्से

को रचना के लिए चुनें उसकी अन्दरूनी पेचीदगियाँ समझ पाएँ। जीवन-व्यवहार की सरहदें बढ़ाएँ।

रचना करना इस प्रक्रिया, उस सम्भावना में शामिल होने का नाम है, जो अपने समय के साथ-साथ बीते हुए समय और आने वाले समय को साथ रखकर एक साथ देखने में समर्थ है। बेशक अलग-अलग समय के लिए रचना के पास अलग-अलग उपकरण हैं। वह अतीत के लिए 'स्मृति', वर्तमान के लिए 'दृष्टि' और भविष्य के लिए 'सम्भाव्यता' का सहारा लेती है, जो कि मनुष्य के चेतनागत उपकरण हैं। उनका इस्तेमाल भी केवल चेतना के माध्यम से ही हो सकता है, मैदान में उतर कर नहीं। चेतना मनुष्य का लक्षण है, पदार्थ का नहीं। वह व्यक्ति की होती है, समूह की नहीं। वह हर किसी की अपनी और अपूर्व होती है इसीलिए हर कहानी अपूर्व और जीवन अनुभव की भागीदारी और सम्प्रेषण के प्रसार में साझा होती है। अपने एकान्तिक परसेप्शन के कारण वह उसी एक व्यक्ति द्वारा लिखी जाती है। इसीलिए हर कहानी अपूर्व, अकल्पित, अपनी मौलिक उद्‌भावनाओं से चकित भी करने वाली होती है। समय और समस्याओं के एक-सा होने के बावजूद उसका कोई सामूहिक या एक-सा फलित नहीं होता।

हेराक्लाइट्स ने कहा था—एक ही धारा में हम दोबारा पैर नहीं डाल सकते। हमारा अगला क्षण वह क्षण नहीं होता जो बीत चुकता है। वह कोई दूसरा क्षण होता है, यह कोई दार्शनिक उक्ति मात्र नहीं है। समय की सतत प्रवाहमानता को दर्शाता सत्य है। हमारा वास्तविक जीवन तो परिवर्तनशीलता के इस क्रम से हर पल संचालित होता है। इसे स्वीकारते हुए, समोते हुए चलने का यत्न करता है पर रचना इस तर्क को नहीं मानती और दौड़ते हुए प्रवाह में अपनी एक धुरी स्थापित करती है। समय की सतत प्रवाहमानता में कहानी के रूप में किसी घटना और घटित की भँवर में आन टिकती है और उसके भीतर से रचनात्मक रूप से जीवन के अक्स और आशय को विस्तृत करती है। नया समय रचती है। जीवन के सहवर्ती चरित्र और स्थितियाँ खड़ी करती है। आनुभविक और विश्वसनीय शब्दों में जीवन की सानुरूपता दर्शाती है। पैदा की हुई इस सृष्टि को निजी सामाजिक, व्यावहारिक, नैतिक, ऐतिहासिक, राजनैतिक कोई भी ढाँचा दिया जा सकता है।

यह उल्लेखनीय है कि कहानी की संवेदनात्मक प्रस्तुति हमारे बौद्धिक और आत्मिक परिष्कार के साधन ज़रूर उपस्थित करती है पर हमारे सूचनात्मक तन्त्र में कोई खास इज़ाफ़ा नहीं करती। जिस वास्तविकता की हम बहुत दुहाई देते हैं वह हमें जीवन-यापन के दूसरे व्यवहारों, अखबारों और सूचना-तन्त्र के दूसरे औज़ारों के माध्यम से पहले से ज्ञात होती है। रचना के पहले या पीछे, रचना के बावजूद वह सब कुछ हमें उपलब्ध होता है, यदि रचना इन सूचनाओं को कथा-वस्तु के रूप में उठाने का उपक्रम करती है तो वह उस वास्तविकता के चेतनागत आयामों, सम्भावनाओं और स्तरों की खोजबीन और पड़ताल के लिए करती है। उसकी प्रणाली वास्तविकता का यथातथ्य चित्रण नहीं, संवेदना का चेतनागत फलित है। बाहरी घटित का तर्क वहाँ केवल भीतर शामिल होता है। कहानी की सारी बुनता अपने ही रचे हुए कला यथार्थ से होती है, बाहरी यथार्थ से नहीं। उसकी उपलब्धि भी रचनात्मक तर्क से, भाषा शिल्प के रचनात्मक औज़ारों से, रचनात्मक ज़मीन पर ही चरितार्थ हो सकती है। वहाँ जीवन की बाहरी वास्तविकता नहीं बल्कि जीवन के बारे में हमारी संवेदनात्मक समझ उसे उपार्जित करती है। केवल उसी में यह विधायक दृष्टि होती है कि रचना को बनाए और अर्थवान दिशा दे। जीवन से रचना का रिश्ता तो खासा विषमता से भरा है। जीवन ऊबड़-खाबड़, आगे-पीछे, क्रमहीन, अव्यवस्थित है। रचना क्रमवार, अर्थवान, व्यवस्थित है। रचने का अर्थ ही है व्यवस्था करना। रचना आदि-अन्त वाली है, जीवन का आदि-अन्त हमारे हाथ में नहीं। जीवन का घटित हम पर चाहे-अनचाहे, जाने अनजाने झपटता है, हमें हतप्रभ-हैरान करता है। रचना में हम इस अपरिहार्यता, इस निश्चयता को तोड़ते हैं रचना में नई और कई दिशाएँ, नई सम्भावनाएँ जोड़ते हैं। लम्बे समय तक प्रचलन में रहे शब्द और अर्थ जो ज़िन्दगी की धड़कन से छूटने लगते हैं, उन्हें नए और समकालीन समवायों में प्रस्तुत करते हैं। समय तेजी से बदले या अपने उपकरण असिद्ध होने लगें तो इतिहास, पुराण, समाजशास्त्र या अन्य दीक्षाओं को इस दिशा में समाविष्ट कर लेते हैं। पाठक समाज के चेतन-अचेतन पर इच्छित प्रभाव पैदा करने के लिए रचना एक दीक्षित और नियन्त्रित सृष्टि है, दूसरे शब्दों में एक साहित्यिक प्रविधि। कथा-यथार्थ इसीलिए जीवन का रूपात्मक, प्रतीकात्मक प्रतिनिधिक रूप है, जिसके माध्यम से समाज की सामूहिक

चेतना में समस्याओं के प्रतिकार का बल पैदा करने की मंशा रहती है। यह बल अपने चरित्र में सदा नैतिक होता है।

नैतिकता की बात चाहे समाज का नाभिक मामला है फिर भी इन दिनों अप्रासंगिक माना जाता है। वे दिन ज़रूर नहीं रहे जब सामाजिक चिन्तन में नैतिक फैबरिक को कायम रखने की चिन्ता सर्वोपरि मानी जाती थी। यथार्थ और आदर्श की कटी-बँटी कैटगरीज़ होती थी। व्यवहार में यदि यह भेद-विभेद सम्भव न भी हो पाए पर विचार में इसकी परिनिष्ठता बनी रहती थी, पर ज्यों-ज्यों मूल्य बदले, जीवन की जटिलता बढ़ी, तो ऐसा विभाजन बौद्धिक या आत्मिक स्तर पर रख पाना कठिन होता गया और इन अवधारणाओं की सीमाएँ तरल होती गईं, चाहे मनुष्य की इच्छा और मंशा में कोई बुनियादी फ़र्क न भी आया हो। पर मेरी समझ में मनुष्य के सामाजिक चिन्तन में यह श्रेणियाँ अचल हैं, चाहे इनका नाम कुछ भी रख दिया जाए। इसे मनुष्य के 'जीवन' और मनुष्य के 'स्वप्न' की संज्ञा दी जा सकती है। इसे मनुष्य की 'स्थिति' और 'सम्भावना' की तरह समझा जा सकता है। इसे 'होने' और 'चाहने' के बीच के रचनात्मक फासले की तरह देखा जा सकता है। बौद्धिक विकासमानता के तर्क से इन दोनों अवधारणाओं का आशय संश्लिष्ट ज़रूर हो गया है पर इन्हें कथा-यथार्थ और बाह्य-यथार्थ के बीच के भेद माना जा सकता है। आदर्श की परिकल्पना मनुष्य के मन में बेहतर जीवन की परिकल्पना है जिसके परिवृत्त में वह उन सब चिन्ताओं, सम्भावनाओं, उत्प्रेरकों को शामिल करना चाहता है जो उसकी बेहतरी के हक- में हों। यदि हम चिन्तन की पूरी परम्परा को समग्रता में रखकर देख सकें तो थोड़ा आश्चर्य तो ज़रूर होगा कि यह सारी उठा-पटक, चिन्तन-मनन उत्तरोत्तर विकासमानता के स्वप्न को लेकर ही है; साहित्य-कर्म को समाज के दर्पण की यथातथ्यता में रिड्यूस कर देने के लिए नहीं।

कथा-यथार्थ यहीं कहीं जगह तलाशने के लिए जीवन से लड़ता है बाह्य यथार्थ को ध्वस्त करता है, नए साँचे बनाता है, यथार्थ चित्रण के नए आयाम उकेरता है। सम्भावनाओं की जमीन खूंदता है; यदि उपलब्ध यथार्थ को कथा-यथार्थ में रूपान्तरित कर चुकने के बाद भी काम न चले तो मिथक की शरण में जाता है। फैंटेसी रचता है। प्रतीकार्थों में उतारता है। भाषा और अभिव्यक्ति के उपकरणों को आयरनी, अन्योक्ति, व्यंग्य, विद्रूप, वक्रोक्ति की ज़्यादा सुनी जा सकने वाली धार से माँजता है। अन्ततः कथा को कथा-वस्तु से परे ले जाकर एक ऐसा स्पेस रचता है जिसमें उसका स्वत्व और उपार्जित अर्थ एक साथ रह सकें और उसकी दृष्टि का सच फलीभूत हो सके। जीवन को जीवन से ज़्यादा और आगे जाता हुआ अर्थ मिल सके।

हो सकता है कथा-यथार्थ की इसी नम्यता सम्भावनाशीलता और जीवन से सानुरूपता पैदा कर सकने के कौशल के कारण ही कहानी को जीवन की यथातथ्यता का सत्य मान लिया जाता रहा हो, जहाँ संवेदन से नहीं विवरण से काम लिया जाता है। जितनी चेतनागत सम्भावनाएँ उसमें जन्म ले सकती हैं, उन्हें एकार्थी दिशाओं में धकेलते हुए रचनाकर्म को अपना अनुगत या माध्यम मान लिया जाता है; जबकि यह ज़रूरी है कि जीवन और रचना में, कला यथार्थ और बाह्य यथार्थ में, निश्चयात्मकता और सम्भावना में, सार्वकालिक समय और समकालीन समय में भेद किया जाए। दूसरे लोगों को साहित्य की इन बुनियादी चिन्ताओं से दूर रखा जा सकता है, क्योंकि यह नाटक के ग्रीन-रूम या रचना की वर्कशाप के अन्दरूनी प्रश्न हैं, पर रचनाकार के मन में इस सूक्ष्म भेद-विभेद और रचना-प्रक्रिया की पद्धतियों का बोध जरूरी है, नहीं तो हमेशा ही ऐसा सरलीकरण होता रहेगा और समय को यथातथ्य, यथास्थिति के तर्क से चित्रित किया जाता रहेगा।

कहानी में समय की जिस रद्दो-बदल को लेकर हम इतने उत्साही होते हैं, उससे हमारा रिश्ता तो सदा चेतनागत स्तर पर तय होता है और इस बात को स्पष्ट करते हुए होता है कि हमारी धुरी जितनी ही मजबूत होगी, हमारे उपकरण जितने ही दृष्टिगत होंगे, हमारी संवेद्यता जितनी ही रचनात्मकता सूक्ष्मता से संवर्द्धित होगी, वह आतंककारी समय उसे मिलने में असफल होगा। रचना सार्वकालिक प्रवाह में बह जाएगी। अतीत और भविष्य को अपने रचनात्मक प्रयोजन में शामिल करेगी। दूसरी भाषा बनाएगी, अपना अलग परिवार जुटाएगी जिसमें कितने दूसरों के अनुभव शामिल होंगे। एक टिकाऊ कालातीत कहानी में जाने कितनी पीढ़ियाँ और कितने लोग शामिल हो चुकते हैं और हमारी चेतना का हिस्सा बन चुकते हैं। प्रेमचन्द, शरत, रेणु, अज्ञेय हमेशा चेतना में शामिल हो चुके हैं उनसे हमारा संवेदनात्मक एकीकरण हो चुका है। अब

आगे जो कुछ सोचा जाएगा उन्हें साथ रखकर सोचा जाएगा।

रचना में समय की अनासक्त सत्ता में से अतीत और भविष्य को नाथ लेने की जो चेतनागत शक्ति है और स्थूलताओं से भरे जिस निस्सहाय निष्करण संसार के लिए श्रेयष्कर सम्भावनाओं वाला संसार रचने की जो क्षमता है उसे सोचकर अक्सर मन में थरथराहट पैदा होती है। यदि रचना कुछ और न भी करे मनुष्य की नियतिगत विवशताओं के सामने, विकल्पों, प्रारूपों, सम्भावनाओं का मानचित्र ही खड़ा कर सके तो प्रतिरोधक बल की सिद्धि होती है। हमारी धार्मिक, सांस्कृतिक चिति ने तो पुनर्जन्म जैसी संदेहास्पद बात को अच्छे-बुरे कर्मों की कल्पना से जोड़ रखा है ताकि मनुष्य जीवन की अंतिमता के विचार से पैदा हुए वैक्यूम का सामना हो सके। रचना का कौशल तो इसी संसार को सहज, सुन्दर, कल्पनाशील और बहुअर्थी बनाने का है। अँधेरे के अगाध में इतने आयामों वाली चित्तशक्ति और रचना शक्ति से सम्पृक्त होना और अपने आधारों की समझ को झाड़ना-पोंछना कोई छोटा काम नहीं है। एक ऐसे समय में जब हम संकट की पहचान के लिए किसी एक कारण पर हाथ न रख पा रहे हों अपने भीतर रखे शक्ति स्रोतों को स्मरण करना ज़रूरी तो है ही।

वे दिन नहीं रहे जब हम चीज़ों के बारे में अलग-अलग सोच सकते थे। अब परिप्रेक्ष्य को पाने के लिए हमें अपनी दृष्टि के घेरों को बढ़ाना पड़ता है और एक ऐसे व्योम की रचना करनी पड़ती है जहाँ बहुत-सी चीज़ें एक साथ और एक सहवर्ती सत्ता में मौजूद देखी जा सकें। यह मानना पड़ेगा कि इस समय के समाज की समस्याएँ चौतरफा कारण-समूहों की उपज हैं उसमें वैश्विक सन्दर्भ भी शामिल हैं। वह केवल हमारी भावुक कल्पना या संवेदना द्वारा उचके हुए प्रश्न नहीं हैं। जीवन को नियंत्रित, संवर्द्धित, दिशागत करने के लिए हमें रचना का ही नहीं सभ्यता, संस्कृति की चिन्तन परम्परा से विकसित हजारों दूसरे उपादानों का योगदान भी दृष्टिगत रखना होगा जैसे समाजशास्त्र, विज्ञान-प्रौद्योगिकी, संस्कृति-चिन्तन और ऐसे ही कितने ज्ञान-विज्ञान जो अनगिनत नियंत्रकों की शृंखला से उपजते हैं।

समझ या संवेदना का कोई भी औजार हाथ में लिए हम एक बड़े समस्यामूलक विश्व में एक छोटी हैसियत से दाख़िल होते हैं। वहाँ हम केवल अपने कर्म में निष्ठा के चलते ही कायम रह सकते हैं नहीं तो जितने अनगिनत पहलुओं, अनुषंगों, तत्त्वों, कारकों, माध्यमों से बना यह जटिल संसार है उसकी अवगति किसी एक व्यक्ति, किसी एक विधा, किसी एक दीक्षा के हाथ में नहीं मानी जा सकती। हम अपने स्वधर्म के सन्दर्भ में ही इस बड़े संसार की वैकल्पिक कल्पनाओं और समाधानात्मक भूमिकाओं में शामिल हैं। जिस संसार, समाज या जीवन की ओर हम अभिमुख होना चाहते हैं, उसका बड़ापन ही हमें अपने छोटेपन का एहसास कराता है, इसीलिए हमारे भीतर अपने लेखन की गहराइयों, तराइयों, अँधेरों, चुप्पियों, अन्तरालों को छू पाने की इच्छा बलवती होतो है क्योंकि वह रास्ता हमारा अपना और जाना हुआ है। दूसरी दीक्षाओं के लोग वह रास्ता नहीं जानते। कथा-यथार्थ में अपने हिस्से का सच उकेरने का दाय केवल हमारा ही हो सकता है। उसका निभाव भी आत्मसत्ता को जानने की आश्वस्ति से होगा, दूसरों के अखाड़े में कूद जाने से नहीं।

रचना में कथा-यथार्थ के उपार्जन के अतिरिक्त मुझे यह सवाल गहरे आत्मान्वेषण के भी लगते हैं। रिश्ते का स्पष्टीकरण आदमी और आदमी के बीच ही ज़रूरी नहीं होता, अपने कर्म से भी उतना ही ज़रूरी होता है। हमारे कर्म में तो पहले से एक भयानक खतरा निहित है—अमरता के प्रलोभन का खतरा। अपने हर लिखित शब्द के साथ हमारे अचेतन में यह अनुगूँज प्रतिध्वनित होती रह सकती है, यह जाने बिना कि वह कौन-सा शब्द होगा, वह कौन-सा मंत्र होगा जो अपनी अर्थवत्ता और रेसोनेन्स के कारण जिएगा। वह समाज के समकालिक कोलाहलों का इतिहास तो नहीं ही होगा। उसका भेद कहीं और है। जिन मूल्यवान चीजों को हमने बचा लिया होगा या जहाँ कहीं उसके बीज छितरे होंगे उन ठिकानों को ढूँढ़ना होगा। एक ऐसे समय में जब सूचना स्फीति ने हमारे सारे अकेले कोने और अन्तराल, हमारा स्पेस और अंतरिक्ष छीन लिया है तो हमें पुराने समवायों को त्यागकर नए विश्व के लिए अपने उपकरणों को ज्यादा निष्ठा से लैस करना होगा।

साहित्य की दुनिया में कलाएँ

प्रयाग शुक्ल

साहित्य की दुनिया में आकर कलाएँ क्या करती रही हैं, या वे क्या करती रह सकती हैं, इसका कोई एक ही पैमाना नहीं रहा है, क्योंकि प्रायः हर लेखक-कवि-नाटककार-कथाकार-उपन्यासकार, साहित्य और कलाओं के रिश्ते को, अपनी तरह से भी परिभाषित और उद्घाटित करता रहा है। लेकिन यह बात कुछ विश्वासपूर्वक कही जा सकती है कि विभिन्न कलाओं की संगत से कुछ सीखा-समझा और ग्रहण किया जा सकता है, इसकी प्रतीति प्रायः सभी साहित्यकारों में किसी-न-किसी रूप में रही है, और साहित्य और कलाओं के रिश्ते की अनिवार्यता पर एक प्रकार का बल भी रहा है, जो आधुनिक काल में भी धीरे-धीरे बढ़ता ही गया है, कम नहीं हुआ है। यह बात अलग है कि समय और समाज के मुताबिक इस रिश्ते के स्वरूप में कई प्रकार के परिवर्तन होते रहे हैं। कालिदास, भास, बाणभट्ट, शूद्रक के यहाँ इस रिश्ते के जो साक्ष्य मिलते हैं, वे निराला, महादेवी, पंत, प्रसाद, अज्ञेय, शमशेर, रेणु, कुंवरनारायण, कृष्णा सोबती, रघुवीर सहाय, निर्मल वर्मा के यहाँ मिलने वाले साक्ष्यों से बहुत भिन्न हैं। ज़ाहिर है कि एक बदले हुए समय और समाज में, रचनाकार को इस रिश्ते के प्रति एक अतिरिक्त सजगता और संवेदना भी बरतनी पड़ी है। उसे इस बात का गहरा एहसास रहा है कि समाज में विभिन्न कलाओं की व्याप्ति की दशा-दिशा चाहे जो भी हो, पर, अपनी रचनात्मक अभिव्यक्ति के लिए तो उसे प्रायः हर कला-माध्यम के प्रति अपने को खुला रखना पड़ेगा। और कई चीज़ें तो प्रयत्नपूर्वक देखनी-सुननी और साधनी भी पड़ेंगी। हिन्दी की ही बात करें तो अज्ञेय और शमशेर के उदाहरण, इस सिलसिले में ग़ौरतलब हैं। सन् पचास के आसपास आकर, या उससे कुछ पहले ही इन दोनों ही रचनाकारों को यह लगने लगा था कि साहित्य की तरह ही, अन्य कला-माध्यमों में जो आधुनिकतावादी आग्रह बढ़ रहे हैं, जो नई विधियाँ और तरक़ीबें विभिन्न माध्यमों में आकार ले रही हैं, उनको देखना-सुनना-समझना ही नहीं पड़ेगा, उनके साथ-साथ चलना भी पड़ेगा। इसी तरह 'रेणु' के लेखन को हम चाहे जिस कोण से भी देखें, एक चीज़ तो बिल्कुल साफ़ है कि विभिन्न कला माध्यमों, और उनकी प्रविधियों से एक मैत्री भाव के कारण भी उनका लेखन मौलिक, ऊर्जस्वित, प्राणवान, तथा ध्वनि-संगीत से भरा-पूरा रहा है। उनके रिपोर्ताज़ हों या कहानियाँ और उपन्यास, हम उनमें संगीत, नाटक, नृत्य, चित्रकला, फ़िल्म, रेडियो, फोटोग्राफ़ी आदि के न जाने कितने तत्त्व घुले-मिले पाते हैं, और लोक-कलाओं और लोक-संगीत और नृत्य से लेकर आधुनिक और नागर कला-बोध की ही नहीं, कला-इतिहास से भी उनकी परिचिति से कुछ विस्मित भी होते हैं। *परती : परिकथा* से यह अंश देखिए : परानपुर गाँव के एक उजड़े खण्डहर जैसे मकान की कोठरी में बैठकर जित्तन बाबू यानी श्री जितेन्द्रनाथ मिश्र जी एकटक खिड़की से देख रहे हैं—पोखरे में सुपारी, नारियल, साबूदाना तथा यूक्लिप्टस के वृक्षों की परछाइयों को। हल्की चाँदनी की चदरी धीरे-धीरे बिला रही है...। कमरे में हरिकेन का प्रकाश है। दीवार पर देगा की एक तस्वीर की कापी फ्रेम में लटकी है—आध

* 'द्विजदेव स्मृति व्याख्यान' के अन्तर्गत अयोध्या में 23 सितम्बर 2002 को दिया गया व्याख्यान।

दर्जन अर्धनग्न नर्तकियों की टोली-नृत्यरता नायिकाएँ। स्वस्थ फ्रेंच युवतियों की इन रंगीन तस्वीरों की कृपा से जित्तन बाबू इधर काफ़ी कुख्यात हो गए हैं, गाँव में।...धौली की माँ ने गाँव-भर में प्रचार किया है, हवेली में झाड़ू देने कौन जाए? नहीं करती ऐसी नौकरी। सारी कोठरी में मार नंगी मेम की छापी टाँगे हुए हैं। आँख मूँदकर कोई कैसे झाड़ू दे, कहो।

जितेन्द्रनाथ रोज इन तस्वीरों की ओर देखकर मन-ही-मन बुदबुदाते हैं—''पिजारो, वैन गॉग, रेनोओं, देगा। तुम्हारी प्रेमिकाओं को प्रणाम। मानुमेण्ट को एक क्षण भी प्यार करने वाली भद्र महिलाओं को श्रद्धापूर्ण नमस्कार।''

और *परती : परिकथा* के अन्तिम अंश को भी हम सब कहाँ भूले हैं...''पंचचक्र। निवेदक लोकमंच, परानपुर...। परदा खुला। भनभनाहट भी बन्द हो गई। मंच पर अँधकार। सन्नाटा। एक सिसकी भी नहीं। निःशब्द मंच के पिछले परदे पर एक पंछी की छाया उभरी...क्षीण आलोक। पंछी ने पंख फड़काए। छवि स्पष्ट हो गई...पण्डुकी।...तानपूरे की झंकार के साथ मंच पर प्रकाश बढ़ता जाता है, क्रनशः। तानपूरे की झंकार विलीन हुई। सारंगी के झनक-तारों पर सुन्दर-सुभूमि की रागिनी उतरी, हौले-हौले। सुकण्ठ से सुरीले गीत की सुनहरी धारा फूटी।...

तीसरा चक्र: शैडो-प्ले और 16 मिलीमीटर का चलचित्र। आदि-आदि। निश्चय ही *परती : परिकथा* जैसे उपन्यास का लेखक रेणु नाम का व्यक्ति ही हो सकता था, जिसकी सभी कलाओं में गहरी दिलचस्पी थी।

'रेणु' के प्रसंग से जब हम चलचित्र शब्द तक आ पहुँचे हैं, तो इस पर ग़ौर कर लेना बहुत ज़रूरी है कि सौ साल से कुछ ऊपर के इस कला माध्यम चलचित्र या फ़िल्म ने, साहित्य की दुनिया में आकर क्या कुछ कर डाला है, या जो कवि-लेखक इसकी ओर कुछ अधिक झुके हैं, उनकी लेखन प्रविधियों पर इसने क्या असर डाला है। किस तरह सिने-भाषा मात्र ने, शब्द-भाषा में अभिव्यक्ति को दूर तक प्रभावित किया है...

कुंवरनारायण, रघुवीर सहाय, निर्मल वर्मा और विनोद कुमार शुक्ल के साहित्य को भी निश्चय ही वह पाठक/आलोचक/अध्यापक आज ज़्यादा बेहतर तरीके से समझ और समझा सकेगा, जिसकी फ़िल्म-माध्यम में कुछ दिलचस्पी है, या जिसने सिने-भाषा की तकनीकों और प्रविधियों पर कुछ ग़ौर किया है...

यह बात मैं केवल इस आधार पर नहीं कह रहा हूँ कि कुंवरनारायण, रघुवीर सहाय और निर्मल वर्मा की गहरी दिलचस्पी विश्व-सिनेमा की उत्कृष्ट कृतियों में रही है, और उन पर इन्होंने टिप्पणियाँ भी की हैं, या विनोदकुमार शुक्ल के एक आत्मकथ्य से हम जान सके हैं कि वे अपनी कच्ची वय में, सिने-परदे के प्रति कितना आकर्षित रहे हैं, और एक छोटे-शहर का सिनेमाघर कैसे उनके कदमों को अपनी ओर बुला लेता रहा है...दरअसल यह बात तो मैं इस आधार पर कह रहा हूँ कि इनकी रचनाओं की बुनावट में, उनके विन्यास में, सिने-विधियों ने जो कुछ जोड़ा है, उसका एक पाठ मानों हम अलग से भी कर सकते हैं।

पर, इसका यह अर्थ नहीं कि यह पाठ किसी चीर-फाड़ के आधार पर होगा। दरअसल, एक कला-माध्यम जब दूसरे कला माध्यम के साथ कोई क्रिया या अन्तःक्रिया करता है, तो ज़रूरी नहीं कि उसे हम प्रत्यक्ष रूप से देख या पहचान ही लें। हम उसे पहचानते हैं किसी भान, संज्ञान या जानकारी के आधार पर—एक अनुमान के आधार पर भी, अन्यथा किसी भी रचना की प्रक्रिया को, उसमें शामिल केमिस्ट्री को भला, एक-एक रेशा या एक-एक तत्त्व अलग-अलग करके कब पहचाना जा सकता है।

अगर यह माना जाता है कि बीसवीं सदी में विभिन्न विधाओं और कला-माध्यमों की कुछ तयशुदा सीमा-रेखाएँ बार-बार टूटी हैं, और उनके बीच एक आवाजाही कई नये रूपों में सम्भव हुई है—और ऐसा ठीक ही माना जाता है—तो इसके कारण सिर्फ़ यही नहीं है कि किसी एक माध्यम की भिन्न विधाओं के बीच हुई आवाजाही ने कई चीज़ों को बदलकर रख दिया है, बल्कि ये है कि किसी विशेष कला-माध्यम में, अन्य कला-माध्यमों का भी कोई हस्तक्षेप शामिल रहा है। मसलन अगर, कथा-उपन्यास में कविता प्रवेश कर गई है, और निबन्ध, ललित-निबन्ध, रिपोर्ताज, संस्मरण, यात्रा-वृत्तान्त आदि भी उसमें प्रवेश कर नई विधियों और तरक़ीबों को जन्म दे सके हैं, या कविता में भी कथा-उपन्यास और अन्य साहित्यिक विधाओं ने अपना दख़ल कुछ बढ़ाया है, और काव्य-शिल्प में ही नहीं, कथ्य में भी कई तरह के परिवर्तन सम्भव किए हैं, तो ऐसा मानने के साथ, यह मानने की भी

वजहें हैं कि प्रायः सभी साहित्यिक विधाओं ने अन्य कला-माध्यमों से भी कुछ-न-कुछ ग्रहण किया है। और चित्रकला, नाटक, संगीत और फ़िल्म की नई-पुरानी बिम्ब-मालाओं, प्रविधियों, तकनीकों और खोजों ने भी साहित्य के संसार में एक हलचल पैदा की है। हिन्दी की ही बात करें और हाल के कुछ उपन्यासों की तो *समय सरगम, अन्तिम अरण्य, दीवार में एक खिड़की रहती थी, राग विराग, कलिकथा : वाया बाइपास, शेष कादम्बरी, तिरोहित, विभूति बाबू आप कहीं नहीं रहते* में हम साहित्य की विधाओं के बीच की आवाजाही को तो पहचानते ही हैं, अन्य कला-माध्यमों द्वारा पैदा की हुई कुछ नई आहटों को भी देख, और हाँ, सुन-पढ़ भी सकते हैं। बेशक फिर किसी चीर-फाड़ के स्तर पर नहीं, सहज, ज्ञान, भान, संज्ञान आदि के स्तर पर ही।

फिर कलाओं की वह साझी दुनिया तो सदा से मौजूद रही है, और है, जिसमें अपनी रुचियों और पृष्ठभूमि के आधार पर, कोई रचनाकार अभिव्यक्ति के अपने माध्यम के अलावा किसी अन्य माध्यम की ओर अधिक झुका हुआ प्रतीत हो सकता है—सो, चित्रकार हुसैन फ़िल्मकार हुसैन भी हैं, और स्वामीनाथन को हम एक कवि के रूप में भी पहचानते हैं, कवि शमशेरबहादुर सिंह चित्रकला की ओर उन्मुख रहे हैं और चित्रकार रामकुमार एक कथाकार भी हैं, या इसे यों भी कह सकते हैं कि कथाकार रामकुमार हमारे एक प्रमुख चित्रकार भी हैं। हबीब तनवीर और कारंत के रंगकर्म को हम संगीत आधारित रंगकर्म के रूप में भी पहचानते हैं। ज़ाहिर है कि इस सूची में और कई नाम जुड़ेंगे—भारतीय सन्दर्भ में भी, और हिन्दी के सन्दर्भ में भी।

और एक रिश्ता वह भी तो है, जिसमें कोई कवि-लेखक अपने निजी और रचनात्मक जीवन में, किसी अन्य माध्यम के बारे में अपने विचार, और अपनी प्रतिक्रियाएँ लिख और बोलकर भी बताता है। सो, हिन्दी में भी ऐसे लेखकों की कमी कहाँ रही है, जिन्होंने समय-समय पर, अन्य कला-माध्यमों के रचनाकारों को केन्द्र में रखकर भी कुछ रचा है : इसी का तो प्रतिफल है गुलाम रसूल संतोष पर शमशेरबहादुर सिंह की कविता, और सर्वेश्वरदयाल सक्सेना की वे कविताएँ जो किसी संगीतकार या चित्रकार पर हैं। कुमार गन्धर्व और मल्लिकार्जुन मंसूर पर ही नहीं, रज़ा, स्वामिनाथन पर भी अशोक वाजपेयी की कविताएँ भी इसी रिश्ते की ओर संकेत करती हैं।...

ज़ाहिर है कि स्वयं साहित्य के साथ, अन्य कला-रूपों की जो एक साझी दुनिया बनती है, उसका कोई एक ही रूप नहीं है। कभी-कभी यह भी तो होता है कि किसी अन्य कला-माध्यम को एक प्रसंग/रूपक/प्रतीक की तरह बरत कर भी हम किसी अनुभव को अभिव्यक्त करते हैं, और पाते हैं कि उसे सम्भवतः किसी और तरह से कहना सम्भव नहीं था, सो अज्ञेय की *असाध्यवीणा* या *नाच* कविताएँ ऐसी ही तो कविताएँ हैं।

हिन्दी में कुछ ऐसे लेखक-कवि भी हुए ही हैं, जो अन्य कला-माध्यमों की प्रयोगशालाओं की ओर गहरी उत्सुकता और दिलचस्पी के साथ देखते रहे हैं, और अपने लेखन में जाने-अनजाने अन्य कला-माध्यमों की विधियों-प्रविधियों का इस्तेमाल अपने-अपने तरीक़े से करते रहे हैं। फ़िलहाल मैं दो लेखकों का उल्लेख इस सिलसिले में करना चाहूँगा : एक तो विपिनकुमार अग्रवाल का, दूसरे राजकमल चौधरी का। दोनों भिन्न मिज़ाज के हैं, इनके सरोकार भी भिन्न हैं, और अनुभवों के इलाक़े भी—पर, कला-माध्यमों के प्रति एक खुली दृष्टि दोनों के यहाँ मौजूद हैं, और यह आग्रह भी कि साहित्य की दुनिया को, अपनी ही बनाई एक दुनिया का अतिक्रमण कर सकना चाहिए—प्रसंगवश, विपिनकुमार अग्रवाल के लेख से एक अंश भी यहाँ उद्‌धृत करना चाहूँगा : "यदि लेखकों और चित्रकारों में गतिशील आदान-प्रदान हो पाता तो शायद दोनों ही अपने कुओं के बाहर झाँक पाते। पर ऐसा भौगोलिक स्तर पर नहीं हो पाया। इलाहाबाद आरम्भ से ही हिन्दी नवलेखन का गढ़ रहा। आधुनिक चित्रकला ने अपने लिए पहले बम्बई और फिर दिल्ली को चुना। फलस्वरूप आज वास्तविक स्थिति यह है कि लेखक और चित्रकार के बीच 500 मील की दूरी है। दुनिया के किसी देश ने शायद इतने पसंगे के साथ नवसृजन की नींव नहीं डाली। आज हम उसी का फल भुगत रहे हैं। कब और किसके हाथों इलाहाबाद चित्रकला और नाटक का कारखाना भी बन सकेगा और दिल्ली उसका शो-रूम भर, बताना इस लेख के दायरे के बाहर है।"

—विपिनकुमार अग्रवाल
(आज यहाँ और कल यहाँ)

और अन्त में याद करना चाहूँगा : गुलेरी जी की *उसने कहा था* कहानी को। यह तो किसी हद तक साफ़ ही है कि साहित्य की विधाओं की सीमा रेखाएँ टूटने या तोड़ी जाने की सूचना यह कहानी बहुत पहले ही दे देती है, पर, इस ओर भी संकेत करती है कि नाटक हो या चित्रकला या अन्य कलाएँ और ज्ञान-विज्ञान की तमाम अन्य प्रविधियाँ, उन्हें साथ लेकर चलने में, और उनकी ओर उत्सुक बने रहने में, ही साहित्य का भला है। तभी नई तरक़ीबें ढूँढ़ी जा सकती हैं, और मानवीय अनुभवों को सम्भवतम तरीक़ों से व्यक्त भी किया जा सकता है।

दलित-मुक्ति में नवजागरणकालीन हिन्दी पत्रकारिता की भूमिका

कँवल भारती

1914 में जब पटना के हीरा डोम की भोजपुरी कविता 'अछूत की शिकायत' पण्डित महावीरप्रसाद द्विवेदी ने 'सरस्वती' में छापी, तो उनका क्या मक़सद रहा होगा? यह प्रश्न मेरे लिए बहुत विचारणीय है। विचारणीय कई तरह से है। मसलन एक, इसलिए कि उस काल-खण्ड में 'सरस्वती' का पाठक शायद ही दलित वर्ग में कोई हो। तब, सरस्वती के द्विज पाठक वर्ग पर इस कविता का क्या प्रभाव पड़ा होगा? दो, क्या यह गाँधीवाद का प्रभाव था? ऐसा इसलिए नहीं कहा जा सकता कि गाँधी जी के 'हरिजनोद्धार' को 15 साल बाद पैदा होना था। गाँधीवाद (दलित सन्दर्भ में) 1932 में अस्तित्व में आया था, जब डॉ. अम्बेडकर के साथ 'पूनापैक्ट' हुआ था। तीन, क्या इसके पीछे कोई सामाजिक दबाव था? यह हो सकता है। उस काल-खण्ड में इसके कारण भी मौजूद थे। वे कारण क्या थे?

कारण जानने से पहले सरस्वती और महावीरप्रसाद द्विवेदी के सम्बन्ध में चन्द सवाल और...। सरस्वती में हीरा डोम की कविता का स्रोत क्या है? यानी, द्विवेदी जी को 'अछूत की शिकायत' कविता किस प्रकार प्राप्त हुई? हीरा डोम का परिचय क्यों नहीं दिया गया? 'सरस्वती' के 1961 में प्रकाशित हीरक जयन्ती विशेषांक में पृष्ठ 805 पर क्रमांक 249 के अन्तर्गत हीरा डोम, पटना का परिचय इस तरह दिया गया है—"इनका परिचय प्राप्त होने का कोई साधन नहीं है। कविता के साथ 'प्राप्त' टिप्पणी लगी है। इसलिए यह सम्भव है कि किसी अन्य शिक्षित सज्जन ने यह कविता गाते हुए सुनकर लिख ली हो और सरस्वती में प्रकाशनार्थ भेज दी हो। महत्त्वपूर्ण बात यह है कि सरस्वती में 1916 ई. में अछूतोद्धार सम्बन्धी यह कविता छपी थी।"

इस टिप्पणी से भ्रमति हुआ जा सकता है, क्योंकि हीरा डोम की कविता 'अछूत की शिकायत' सरस्वती में 1914 में छपी थी, जबकि यह टिप्पणी बताती है कि कविता 1916 में छपी थी। यह कविता हीरक जयनती अंक में भी पुनर्मुद्रित है। और उसके अन्त में कोष्ठक में 1914 छपा है। मैंने 1914 की सरस्वती का वह अंक नहीं देखा है, जिसमें वास्तव में हीरा डोम की कविता छपी थी, परन्तु विद्वानों द्वारा उसकी पुष्टि की जा चुकी है। इसलिए यह कविता 1914 में ही छपी थी, इसे स्वीकार कर लेने में कोई हर्ज़ नहीं है। लेकिन, हीरा डोम का परिचय न दिए जाने के पीछे सम्भवतः सच यही हो कि "किसी अन्य शिक्षित सज्जन ने यह कविता गाते हुए सुन कर लिख ली हो और सरस्वती में प्रकाशनार्थ भेज दी हो।"

अब सवाल यह पैदा होता है कि इस कविता को छापने के पीछे क्या दबाव थे? यदि महावीरप्रसाद द्विवेदी दलित चेतना या दलित नव जागरण के पक्षधर थे, तो उस समय हीरा डोम ही अकेले दलित कवि नहीं थे, और भी बहुत-सारे दलित कवि थे। उनकी कविताएँ 'सरस्वती' में क्यों नहीं छपीं? इसका कारण यही है कि सरस्वती के दलितों में पाठक नहीं थे। पर, सरस्वती के द्विज पाठकों और स्वयं महावीरप्रसाद द्विवेदी तक स्वामी अछूतानन्द 'हरिहर' का दलित नवजागरण पहुँच चुका था। स्वामी जी न सिर्फ़ आदि हिन्दू आन्दोलन के प्रवर्तक थे, बल्कि दलित कवि और प्रथम दलित मासिक पत्र 'आदि हिन्दू' के सम्पादक भी थे। उनकी 1912 में छपी काव्य-पुस्तकें मिल

गयी हैं। स्वामी जी के आदि हिन्दू आन्दोलन ने दलितों में जो नवजागरण किया, उससे द्विवेदी जी सरीखे अप्रभावित नहीं रहे होंगे। सरस्वती में हीरा डोम की कविता इसी सामाजिक दबाव के कारण छपी थी। निस्सन्देह, इसमें स्वामी जी के साहित्य और 'आदि हिन्दू' पत्र ने सबसे बड़ी भूमिका निभाई थी।

हिन्दी में महावीरप्रसाद द्विवेदी को नव जागरण का अग्रदूत कहा जाता है और सरस्वती में हीरा डोम की कविता को प्रमाण माना जाता है। लेकिन, वस्तुतः यह भ्रामक है। जिस धार्मिक और सामाजिक सुधार के अर्थ में नवजागरण को लिया जाता है, उस अर्थ में नवजागरण की प्रवृत्तियाँ न द्विवेदीयुगीन साहित्य में मिलती हैं और न उनकी सरस्वती में। साहित्य का यह समूचा युग मूलतः हिन्दुत्व के पुनरुत्थान का युग था। हिन्दी के इस कालखण्ड में जहाँ महावीरप्रसाद द्विवेदी नारी को निपट नीच मानकर 'द्रौपदी-वचन-बाणावली', मैथिलीशरण गुप्त 'व्यास-स्तवन' और 'हिन्दुत्व का गुणगान' तथा अनेक कवि 'विष्णु भगवान का वामनावतार' जैसी कविताएँ लिख रहे थे, वहाँ दलित नवजागरण के कवि ईश्वर पर प्रश्न-चिह्न लगा रहे थे और विष्णु के अवतारों को कटघरे में खड़ा कर रहे थे। यह था वह नवजागरण, जो दलितों द्वारा किया जा रहा था।

सरस्वती में हीरा डोम की कविता का छपना उसी तरह संयोग नहीं है, जिस तरह उस समय की अन्य साहित्यिक पत्रिकाओं में दलित साहित्य का न छपना। यदि हीरा डोम की कविता हिन्दी नवजागरण की अवधारणा पर सवाल उठाती है, तो तत्कालीन हिन्दी समाज में दलित चेतना की दस्तक भी दर्ज़ कराती है। हिन्दी नवजागरण ने इस दस्तक की उपेक्षा इसलिये नहीं की कि दलितों में लिखने वाले नहीं थे, बल्कि इसलिए की, कि दलित-विमर्श उससे मेल नहीं खाता था।

स्वामी अछूतानन्द का आदि हिन्दू आन्दोलन दरअसल दलित नवजागरण का आन्दोलन था। यह भाषणबाजी का आन्दोलन नहीं था, बल्कि धार्मिक और सामाजिक सुधार का साहित्यिक आन्दोलन था। स्वामी जी का व्यक्तित्व बहु-आयामी था। वे नेता, कवि, सम्पादक, नाटककार और समाज सुधारक थे। उन्होंने लोक काव्य की शैली में सामाजिक तथा ऐतिहासिक विषयों पर काव्य पुस्तकें लिखीं। मायानन्द बलिदान, रामराज्य और देवासुर संग्राम जैसे नाटक लिखे। उनकी किताबें, घर-घर में पढ़ी जाती थीं। इन किताबों ने दलित वर्गों में क्रान्तिकारी नवजागरण किया था। स्वामी जी की किताबों को हिन्दू प्रेस छापने से इन्कार करता था। कोई एकाध ही गैर-हिन्दू प्रेस छापने को तैयार होता था। इस समस्या को हल करने के लिए उन्होंने कानपुर में 'आदि हिन्दू प्रेस' नाम से अपना प्रिटिंग प्रेस स्थापित किया और अपने ही प्रेस से 'आदि हिन्दू' और 'अछूत' पत्र-पत्रिकाओं का प्रकाशन भी किया। उनके 'आदि हिन्दू' पत्र की महत्ता का अन्दाज़ा इसी से लगाया जा सकता है कि स्वयं डॉ. बाबा साहब अम्बेडकर ने अपनी रचनाओं में 'आदि हिन्दू' अख़बार में छपी सूचनाओं और ख़बरों का उपयोग किया है। क्या इतना बड़ा साहित्यिक नवजागरण दलितों में बिना पाठकों और लेखकों के हो सकता था? दलित वर्गों में स्वामी जी की किताबों ने एक विशाल पाठक वर्ग ही पैदा नहीं किया, बल्कि दलित लेखकों और समाज सुधारकों को भी पैदा किया था।

दलित चिन्तन इस मत से सहमत नहीं हो सकता कि साहित्य सिर्फ़ मनोरंजन की चीज़ होता है। उसके लिए साहित्य वह विचार है, जो क्रान्ति और प्रति क्रान्ति दोनों में अपनी भूमिका निभाता है। यह साहित्य की क्रान्ति ही है, जो कबीर ने की थी और जिसकी प्रति क्रान्ति में आज भी रामचरित मानस का सर्वाधिक प्रचार किया जाता है। इसलिए, दलित चिन्तकों ने कभी भी साहित्य को मनोरंजन की चीज़ नहीं माना। उन्होंने क्रान्ति के लिए साहित्य की सर्जना की। पत्रकारिता भी साहित्य का ही एक अंग है। उन्नीसवीं शताब्दी में ही पत्रकारिता के महत्त्व को दलित चिन्तकों ने महसूस कर लिया था। इसी आवश्यकता के तहत देश भर में दलित चिन्तकों ने अपने अख़बार निकाले। स्वयं डॉ. अम्बेडकर ने कई अख़बार निकाले थे, जिनकी दलित-मुक्ति के आन्दोलन में क्रान्तिकारी भूमिका थी।

दलित साहित्य-लेखन के सन्दर्भ में एक प्रश्न अक़सर यह उठाया जाता है कि दलित साहित्य की सर्जना गैर दलित क्यों नहीं कर सकता? प्रश्न अस्वाभाविक नहीं है। परन्तु, उल्लेखनीय प्रश्न यह है कि दलितों को अलग से अपने साहित्य और अपनी पत्रकारिता की भी आवश्यकता क्यों पड़ी? इस प्रश्न पर विचार किये बिना आगे नहीं बढ़ा जा

सकता। इसके लिए हमें यह देखना होगा कि गैर-दलित साहित्य और पत्रकारिता में दलित समस्या किस रूप में आती है? गैर-दलित लेखक दलित समस्या को किस अर्थ में लेते थे और लेते हैं? क्या हम सबसे पहले हिन्दी नवजागरण-काल के साहित्य और पत्रकारिता को लें? मैं समझता हूँ, यह ज्यादा सही होगा।

हिन्दी नवजागरण-काल का आधे से ज्यादा साहित्य, काव्य में राम-सीता और राधा-कृष्ण के गुण-गान का साहित्य है और कथा में सामन्तों की गाथा का साहित्य है। बाकी एक चौथाई साहित्य में उतना ही जागरण है, जितने में हिन्दू समाज व्यवस्था सुरक्षित रहती है। इस समूचे जागरण-काल में नागार्जुन तक 1949 में 'रामकथा' प्रबन्धकाव्य लिख रहे थे। वैचारिकी पक्ष इस काल का आर्यसमाज के दयानन्द और वेदान्ती स्वामी विवेकानन्द से प्रभावित था, जो दोनों ही वैदिक वर्णव्यवस्था के समर्थक थे। इस काल में दो नाम प्रमुख रूप से सामने आते हैं, जिसमें एक हैं भारतेन्दु हरिश्चन्द्र और दूसरे हैं सितारेहिन्द राजा शिवप्रसाद। भारतेन्दु हरिश्चन्द्र को हिन्दी नवजागरण का स्तम्भ सभी आलोचक मानते हैं। जबकि इस मान्यता से असहमत होते हुए डॉ. वीरभारत तलवार ने राजा शिवप्रसाद को नवजागरण का स्तम्भ माना है। निश्चित रूप से ये दोनों दृष्टियाँ हिन्दी नवजागरण को देखने की अलग-अलग दृष्टियाँ हैं। ये दृष्टियाँ कुछ तो अंग्रेजी साम्राज्य और कुछ भाषा के सवाल से बनी हैं लेकिन दलितों की दृष्टि इन दोनों दृष्टियों से भिन्न है। वास्तव में दलित प्रश्न से हिन्दी नवजागरण को देखने की कोशिश हिन्दी आलोचना में अब तक नहीं हुई।

इस हिन्दी नवजागरण में, चाहे वह उन्नीसवीं शताब्दी का हो या बीसवीं शताब्दी का, दलित कहीं केन्द्र में नहीं है। इससे यह बात साफ़ हो जाती है कि शूद्र और अछूत को इस नवजागरण के प्रवर्त्तक हिन्दू समाज का अंग नहीं मानते थे। वे अपने रचना-कर्म में हिन्दुत्व और हिन्दू धर्मशास्त्रों पर जिस तरह मुग्ध नजर आते हैं, उससे दलित-शूद्रों का जीवन उनके लिए चिन्तनीय हो भी कैसे सकता था?

उस समय की सम्पूर्ण हिन्दी पत्रकारिता में यही स्थिति दिखाई देती है। भारतेन्दु की पत्रिकाओं से लेकर प्रताप नारायण मिश्र के 'ब्राह्मण' तक में दलित-समस्या दृष्टिगत नहीं होती है। एक उदाहरण प्रतापनारायण मिश्र के विचारों से लीजिए, जो उनके मासिक पत्र "ब्राह्मण (खण्ड 9 संख्या 1 पृष्ठ 13-16) में प्रकाशित हुए लेख 'विदेश यात्रा' से लिए गए हैं। वह हिन्दुओं की विदेश यात्रा का विरोध करते हुए लिखते हैं—"...सात समुद्र पार जाने का क्या प्रयोजन है? वहाँ कोई तीरथ नहीं है कि जाते ही पाप कट जाएँगे।...हम नहीं जानते, वहाँ उतनी दूर जाने और धन तथा समय एवं जाति-पाँति इत्यादि कई अलभ्य वस्तु खो के लौट आने में क्या धरा है? ऐसा ही प्रेम फसफसाता हो तो प्रत्येक सहभोजियों के लिए जुदे-जुदे जहान बनवाने का यत्न कीजिए, वहाँ भी हिन्दू आश्रम और खाने-योग्य पदार्थों तथा छूने लायक लोगों में रहने का प्रबन्ध कीजिए और लन्दनेश्वर जी का शिवालय तथा इंग्लैण्ड विहारी की स्थापना का उद्योग कीजिए, लौट कर आने पर अयोध्या, मथुरादि पवित्र क्षेत्रों में प्रायश्चित करने की प्रथा चलाइए तो फिर शौक से जाया कीजिए।"

जो व्यक्ति इस क़दर कूप मण्डूप और अवैज्ञानिक सोच का हो, उसे लेखक कहना ही गलत होगा। जो विदेश यात्रा में धर्म-भ्रष्टता देख रहा था, वह दलित-पीड़ा को क्या समझता?

डॉ. वीरभारत तलवार ने अपनी शोध पुस्तक 'रस्साकशी' में रहस्योद्घाटन किया है कि प्रतापनारायण मिश्र पुराणपंथी, छुआछूत-समर्थक और समाज-सुधार के विरोधी थे। वह समाज-सुधारकों से इस क़दर घृणा करते थे कि उन्हें दण्डित किए जाने के पक्षधर थे। उनके अनुसार भारतेन्दु हरिश्चन्द्र, बालकृष्ण भट्ट आदि लेखक-पत्रकार, जो नव-जागरण के अग्रदूत माने जाते हैं, किसी भी तरह के सामाजिक सुधार और परिवर्तन के विरोधी थे। वे हिन्दुत्व, वर्ण व्यवस्था और जातिभेद के समर्थक और मुस्लिम-विरोधी उसी तरह थे जैसा कि आज के संघ परिवार के लोग हैं। दलितों के प्रति बालकृष्ण भट्ट के विचार, जो उन्होंने अपने मासिक पत्र 'हिन्दी प्रदीप' में व्यक्त किए थे, जरा गौर करें—"सन् 57 के गदर में देखा गया कि कोरी, चमारों, धुनिया, जुलाहों, हिजड़ों के जी में भी बहादुरी का बीज जमा, पर जब काम पड़ा तो उन लोगों के मुँह से सिवा इसके कि आप की सलामती रहे, बोलबाला रहे, बलैया लूँ, आप ही का

दिया टुकड़ा खाने वाला हूँ, और कुछ न निकला। अपनी-अपनी जान लेकर भागे।'' इस पर डॉ. तलवार ने ठीक ही टिप्पणी की है कि ''इस गढ़े हुए दलित-विरोधी किस्से में भद्रवर्गीय ब्राह्मण की अहम्मन्यता झाँक रही है जिसने वर्षों से अंग्रेजों की चाकरी बजा रही द्विज जातियों की स्वार्थपरता को बिल्कुल छुपा लिया है।'' (रस्साकशी, पृष्ठ 260)

डॉ. वीरभारत तलवार ने लिखा है, ''हिन्दी नवजागरण के लेखकों ने ऐसे हर आन्दोलन का विरोध किया, जो जातिप्रथा को गम्भीर चुनौती देता हो।'' (वही, पृष्ठ 279) यह सिर्फ़ आरोप नहीं है, वरन् उनके रचना-कर्म से यह साबित भी होता है। ऐसा नहीं हो सकता कि नेतृत्व उन्नीसवीं सदी का दलित नवजागरण, जिसका महाराष्ट्र में ज्योति बा फुले, बंगाल में चाँद गुरु, केरल में नारायण गुरु, उत्तर भारत में अछूतानन्द और मध्य प्रदेश में गुरु घासीदास कर रहे थे, हिन्दी नवजागरण के लेखकों को पता ही न हो। दरअसल वे इन आन्दोलनों से खूब परिचित थे और इसीलिए उसके विरोध में थे। लेकिन, इस काल के सभी दलित लेखक-पत्रकार और सुधारक हिन्दी के इन 'हिन्दू' लेखक-सम्पादकों की परवाह किए बगैर ब्राह्मणवाद के खिलाफ ज़बरदस्त काम कर रहे थे।

हिन्दी नवजागरण का दूसरा काल बीसवीं शताब्दी के पूर्वार्द्ध में राष्ट्रीय आन्दोलन के समय में शुरू होता है। इस काल में डॉ. अम्बेडकर के दलित आन्दोलन ने ज़बरदस्त दस्तक दी थी। उनके पानी के लिए पहाड़ सत्याग्रह, मन्दिर प्रवेश के लिए धर्म-सत्याग्रह और राजनैतिक प्रतिनिधित्व के लिए पृथक निर्वाचन की माँग तथा उस पर हिन्दू नेताओं के साथ हुए पूना-समझौते ने दलित प्रश्न को राष्ट्रीय आन्दोलन का मुख्य प्रश्न बना दिया था। यही वह काल है, जब हिन्दी लेखन में दलित प्रश्न दिखाई पड़ता है। इस काल के हिन्दी लेखकों और सम्पादकों ने दलित समस्या पर भी कलम चलाई। लेकिन, इसके पीछे सामाजिक सुधार या परिवर्तन की कोई भावना नहीं थी, वरन् वे राजनैतिक दबाव थे, जो काँग्रेस के राष्ट्रीय आन्दोलन को प्रभावित कर रहे थे। डॉ. अम्बेडकर के इस प्रश्न ने राष्ट्रीय आन्दोलन के नेताओं को विचलित कर दिया था कि उन्हें अंग्रेजों से आजादी माँगने का क्या हक़ है, जो अपने ही लाखों देशवासियों को गुलाम बनाकर रखे हुए हैं? अम्बेडकर का कहना था कि ऐसी आजादी का दलितों के लिए क्या महत्त्व, जिसमें उन्हें वंचित बने ही रहना है? उन्होंने डंके की चोट पर कहा था कि दलित इस स्वतन्त्रता संग्राम में क्यों भाग लें, जबकि यह स्पष्ट दिखाई दे रहा है कि यह आजादी सिर्फ पूँजीपतियों और शासक वर्ग को ही मिलने वाली है? जब डॉ. अम्बेडकर ने स्वतन्त्र भारत के भावी संविधान की रूपरेखा तय करने के लिए लन्दन में होने वाले गोलमेज सम्मेलन में दलितों के लिए पृथक निर्वाचन की माँग की, जिसे ब्रिटिश प्रधानमन्त्री के साम्प्रदायिक निर्णय (कम्यूनल अवार्ड) में स्वीकार कर लिया गया, तो जैसे भूचाल ही आ गया था। उस समय के सम्पूर्ण राष्ट्रीय प्रेस ने इस निर्णय की आलोचना की थी। हिन्दी अखबारों और पत्रिकाओं में इस निर्णय की आलोचना मिलती है। स्वयं प्रेमचन्द ने अपने 'हंस' में इसकी आलोचना की थी। प्रेमचन्द ने पृथक निर्वाचन के विरोध में 1932 में लिखा था—''हम अपने उन अछूत भाइयों को जो हमसे रूठ गए हैं, मनाएँगे और उनके चरणों पर गिरकर मनाएँगे। हमें विश्वास है डॉ. अम्बेडकर और मि. श्रीनिवासन भी दो राष्ट्र की इस याचना को अस्वीकार न करेंगे। अन्ततः डॉ. अम्बेडकर ने पृथक निर्वाचन की माँग को त्याग दिया।''

उल्लेखनीय है कि पृथक निर्वाचन के विरुद्ध महात्मा गाँधी ने पूना की यरवदा जेल में अनशन किया था। (क्योंकि कम्युनल अवार्ड के समय गाँधी जी यरवदा जेल में बन्द थे।) गाँधी जी का अनशन डॉ. अम्बेडकर के साथ यह समझौता होने के बाद टूटा था कि दलित सामान्य निर्वाचन प्रणाली को स्वीकार करेंगे। प्रेमचन्द जी के विचार पूना पैक्ट पर उनकी प्रतिक्रिया के रूप में हैं। प्रेमचन्द ने अछूतों के सदा से चले आये सामाजिक अलगाव को महसूस न कर उन पर यह आरोपित किया कि वे राजनैतिक लाभ के लिये हिन्दुओं से रूठ गये हैं। प्रेमचन्द ने दो राष्ट्र के सिद्धान्त की भी वकालत की और अछूतों को हिन्दू राष्ट्र स्वीकार करने की डॉ. अम्बेडकर से आशा व्यक्त की थी।

1932 में ही प्रेमचन्द ने अछूतों को सरकारी सुविधा दिए जाने के सम्बन्ध में अपनी टिप्पणी इस प्रकार व्यक्त की थी—''यदि हम अपने हरिजन भाइयों को उठाना चाहते हैं तो हमें ऐसे साधन पैदा करने होंगे, जो उन्हें उठने में मदद दें।''

का समर्थन करते हुए लिखते हैं, ''समय तो इस समस्या को आप ही हल करेगा, पर हिन्दू जाति अपने कर्त्तव्य से मुँह नहीं मोड़ सकती।'' प्रेमचन्द के लिए यह राजनैतिक समस्या थी, जो समय द्वारा अपने आप हल हो जाने वाली थी।

प्रेमचन्द का दृष्टिकोण फिर भी सकारात्मक था, जबकि उनके कई समकालीन लेखक तथा पत्र-सम्पादक दलित-समस्या को अंग्रेजों द्वारा पैदा की गई विघटनकारी मानते थे। वे राजनैतिक कारणों से गाँधीजी के हरिजनोद्धार के समर्थक बने हुए थे, परन्तु डॉ. अम्बेडकर के दलित-मुक्ति आन्दोलन के समर्थक बिल्कुल नहीं थे, जिसका आधार वर्ण व्यवस्था का उन्मूलन था। इस समय की हिन्दी पत्रिकाओं में 'चाँद', 'हंस' और 'विशाल भारत' काफी प्रगतिशील थीं। इसके बावजूद, इन पत्रों में न तो उत्तर भारत के आदि हिन्दू आन्दोलन की ख़बरें मिलती हैं और न महाड, नासिक और पूना के ऐतिहासिक दलित-संघर्षों का जिक्र मिलता है। लेकिन गाँधी जी के हरिजन-उद्धार को इन पत्रिकाओं ने काफी समर्थन दिया। जब पंजाब में पहली बार सरकार ने एक दलित को रावलपिण्डी के बोर्ड का सदस्य नामजद किया, तो 'चाँद' ने उसको ख़बर के रूप में छापा। उसने लिखा—''हरिजन भाई का नाम चौधरी हकीम लाल है। आप मेहतर संघ के प्रधानमन्त्री हैं। चौधरी हकीम लाल का स्थानीय मेहतर संघ ने नगर में जुलूस निकाला, जिसमें सैकड़ों मेहतरों ने भाग लिया।'' (अगस्त 1939 पृष्ठ 303)

इसी तरह महात्मा गाँधी पर पूना में बम फेंके जाने पर 'विशाल भारत' में सम्पादकीय विचार में यह छपा—''बम किसने और क्यों फेंका, यह बात अभी तक अनिश्चित है, पर लोगों का अनुमान है कि यह दुष्कर्म किसी कट्टर सनातनी का है, जिसका क्रोध महात्मा गाँधी के हरिजन-आन्दोलन के कारण पागलपन की सीमा तक पहुँच गया है। यदि यह अनुमान सत्य है तो इसमें सन्देह नहीं कि दरअसल यह बम महात्मा जी पर नहीं पड़ा, बल्कि अछूतपन के किले पर पड़ा है, जिससे वह नष्ट-भ्रष्ट हुए बिना नहीं रह सकता।'' सम्पादकीय ने महात्मा जी पर बम के फेंके जाने को अछूतपन के राक्षस की अन्तिम समय की छटपटाहट बताते हुए कहा कि ''वर्णाश्रम—स्वराज्य-संघ के काले झण्डे उस कालिमा के सूचक हैं, जो मृत्यु के समय प्राणियों के चेहरे पर आया करती है।''

'विशाल भारत' के सम्पादक बनारसीदास चतुर्वेदी थे, जिनके प्रगतिशील विचारों का प्रभाव 'विशाल भारत' में स्पष्ट दिखाई पड़ता है। उन्होंने छुआछूत के विरोध में सनातन धर्म की आलोचना की और इसी सम्पादकीय में लिखा, ''जो मनुष्य-मनुष्य में भेदभाव की दीवार खड़ी करता है। उस नाममात्र के सनातन धर्म को जीवित रहने की आवश्यकता ही नहीं है।'' (जुलाई 1934, पृष्ठ 105)

लेकिन 'विशाल भारत' के इसी अंक में रघुनाथप्रसाद पाठक का लेख ''निरक्षरता का अभिशाप'' छपा है, जिसमें भारतीय समाज के बारे में यह सफेद झूठ बोला गया है कि नीग्रो की तरह भारत में कोई गुलाम नहीं है। इस लेखक ने भारतीय समाज में गुलाम बनाकर रखे गए अछूतों की पूर्ण उपेक्षा करते हुए लिखा है, ''यद्यपि भारतीय प्रजा राजनैतिक दृष्टि से पराधीन है, फिर भी रंग-विद्वेष या जाति-विद्वेष के मूल से प्रवाहित होने वाली ऐसी असुविधाएँ भारतीय प्रजा को नहीं हैं, जैसी नीग्रो जाति को; न उन अर्थों में भारतीय प्रजा गुलाम है, जिन अर्थों में नीग्रो जाति; और न इस पर उस प्रकार के जुल्म और अत्याचार होते हैं, जिस प्रकार के नीग्रो जाति पर।'' (पृष्ठ 66) अछूतों की गुलामी और उन पर होने वाले जुल्म इस लेखक को यदि दिखाई नहीं दे रहे थे, तो सिर्फ़ इसलिये कि नीग्रो और अछूतों को देखने की उसकी दृष्टियाँ अलग-अलग थीं।

इस काल के राष्ट्रीय वातावरण में दलित-प्रश्न गूँज रहा था। राजनैतिक, सामाजिक और धार्मिक रूप से जाति एक चर्चित विषय था। अतः इस प्रभाव से हिन्दी की पत्रकारिता भी अछूती कैसे रह सकती थी। हिन्दी के लेखकों और पत्रकारों ने वस्तुतः इसी काल में जाति व्यवस्था पर सबसे ज्यादा विचार किया। पर, मुख्य रूप से यह विचार छुआछूत के विरोध पर आधारित था, न कि वर्ण-व्यवस्था और जाति-प्रथा के उन्मूलन पर। 'विशाल भारत' के इसी अंक में जगन्नाथप्रसाद मिश्र का 'जातीय आदर्श' लेख छपा है, जिसमें उन्होंने जाति को मजबूत करने पर जोर दिया है। उन्होंने लिखा है, ''जिस जाति का आदर्श स्थिर और लक्ष्य अविचलित होता है, वह इस प्रकार की क्षणिक असफलताओं से घबराती नहीं, अपने आदर्श से विचलित नहीं होती।'' (पृष्ठ 68)

राष्ट्रीय आन्दोलन में दलितों और अन्य अल्पसंख्यक समुदायों के प्रतिनिधित्व का प्रश्न उनके लिय क्षणिक अर्थात् क्षण भर में समाप्त हो जाने वाला प्रश्न था। उससे विचलित होकर जाति के आदर्श को कमजोर करने की ज़रूरत नहीं थी। इसलिए उन्होंने लिखा, ''किसी दल या सम्प्रदाय की मनस्तुष्टि के लिए आप चाटुकारिता-पूर्ण साहित्य की सृष्टि करके जातीय जीवन की प्रतिष्ठा नहीं कर सकते; आपको अपने आदर्श के अनुरूप ही साहित्य का निर्माण करना पड़ेगा।''(पृष्ठ 69) यह जातीय आदर्श क्या है, इसे स्पष्ट नहीं किया गया है जैसे यह पहले से ही स्पष्ट हो। जाति की सुरक्षा ही यह आदर्श हो। ऐसा इन पंक्तियों से स्पष्ट होता है—''जब तक जातीय सभ्यता और संस्कृति की धारा अक्षुण्ण बनी रहती है, तब तक जाति की मृत्यु नहीं होती। मृत्यु-मुख में पतित होकर भी वह जाति बार-बार जीवित हो उठती है। और नाना रूपों और नाना भावों द्वारा अपनी सत्ता को अभिव्यक्त करती है।'' (वही)

साम्प्रदायिक निर्णय की आलोचना इस काल की लगभग सम्पूर्ण हिन्दी पत्रकारिता ने की। साम्प्रदायिक निर्णय का मतलब था, ब्रिटिश प्रधानमन्त्री का वह निर्णय, जिसमें अल्पसंख्यक समुदायों को विधानसभाओं और परिषदों में आनुपातिक प्रतिनिधित्व दिया गया था। इनमें ईसाई, मुस्लिम, सिख समुदायों के साथ-साथ दलित भी शामिल थे। पर, पूना—समझौते के बाद दलितों को इससे अलग कर दिया गया था। हिन्दू नेता अल्पसंख्यक समुदायों को भी प्रतिनिधित्व दिए जाने के खिलाफ़ थे। 'विशाल भारत' के इसी अंक में काँग्रेस द्वारा साम्प्रदायिक निर्णय के सम्बन्ध में पारित किए गए प्रस्ताव की कटु आलोचना सम्पादकीय विचार में की गई है। लिखा है—''काँग्रेस के इस प्रस्ताव से कोई भी राष्ट्रवादी कदापि सन्तुष्ट नहीं हो सकता।'' (पृष्ठ 108) सम्पादकीय आगे कहता है, ''जो लोग राष्ट्रीयता को क्षुण्ण करके भी विभिन्न सम्प्रदायों के बीच समझौता स्थापित करने का स्वप्न देखते हैं, उन्हें यह स्मरण रखना चाहिए कि इस प्रकार के कृत्रिम समझौते द्वारा आप साम्प्रदायिकता के विषाक्त मोह से राष्ट्र को मुक्त नहीं कर सकते।'' (पृष्ठ 108-09) इन विचारों में भारत की राजसत्ता पर हिन्दू वर्चस्व का अहंकार बोलता है। यह हिन्दू बनाम भारतीय के राजनैतिक संघर्ष में हिन्दू बनाम हिन्दू अर्थात् द्विज बनाम द्विज की वाणी है, जिससे साम्प्रदायिकता नष्ट नहीं, विकसित होती है। इसी अंक में 'मार्डन रिव्यू' के सम्पादक रामानन्द चट्टोपाध्याय, जो 'विशाल भारत' के संचालक थे, का सम्पादकीय नोट छपा है, जिसमें साम्प्रदायिक निर्णय की तुलना अमेरिका की दासत्व-प्रथा से करते हुए कहा गया है, ''जिस प्रकार दासत्व-प्रथा को नष्ट किए बिना अमेरिका का संयुक्त राज्य संयुक्त और वास्तव में स्वतन्त्र नहीं रह सकता था, उसी प्रकार भारत भी तब तक सयुंक्त और स्वतन्त्र नहीं रह सकता, जब तक कि यह साम्प्रदायिक निर्णय नहीं बदला जाता। यह निर्णय यदि बदला न जाएगा, तो यही हमारी चिर स्थायी गुलामी का साधन बनेगा।'' (पृष्ठ 120)

ऐसी ही कटु आलोचना हमें सरकारी नौकरियों में आरक्षण की व्यवस्था पर मिलती है। 'विशाल भारत' ने तो यहाँ तक लिखा—''हिन्दुओं या मुसलमानों को कुछ अधिक नौकरियाँ मिल जाएँगी, इससे न तो देश को स्वभाग्य-निर्णय का अधिकार प्राप्त हो सकता है, और न उन लक्ष-लक्ष (लाख-लाख) उपेक्षित और निर्यातित मनुष्यों के भाग्य में कोई परिवर्तन हो सकता है, जो अन्न-वस्त्र के अभाव में अत्यन्त दयनीय जीवन व्यतीत कर रहे हैं।'' (अगस्त 1934, पृष्ठ 232-33) 'विशाल भारत' के सम्पादक का यह भाग्यवादी चिन्तन किनके हितों को सुरक्षित कर रहा था, और किनके हितों पर कुठाराघात, इसे आसानी से समझा जा सकता है। नौकरियाँ दलितों के लिए रोजगार थीं, जो दलित-मुक्ति में क्रान्तिकारी भूमिका निभा सकती थीं। पर, हिन्दू व्यवस्था के समर्थक दलित-मुक्ति के आर्थिक आधार पर बात नहीं कर रहे थे। वे बस छुआछूत का विरोध करते थे और उसी को दलित-मुक्ति मानते थे।

'अछूतोद्धार' कैसे होगा, इस पर एक सज्जन का पत्र 'चाँद' के जनवरी 1930 के अंक में छपा है। उन्होंने मुजफ्फरपुर के आर्यसमाजियों के अछूतोद्धार पर प्रकाश डाल है। आर्यसमाजियों ने एक सभा की—जिसमें ''भंगियों (मेहतरों) को बुलाया गया। व्याख्यानदाता ने बड़े उच्च स्वर से लोगों को ललकार कर कहा कि ऐ हिन्दू भाइयों! अगर तुम लोग ज़रा भी हिन्दू जाति की भलाई चाहते हो तो उठो और इन भंगियों के हाथ का पानी पियो। इसका प्रभाव लोगों पर

कड़ाके के साथ पड़ा, विशेष कर विद्यार्थियों पर। वे लोग बेधड़क पानी पीने लगे।'' (पृष्ठ 585) यह अछूतोद्धार आर्यसमाजियों द्वारा 'हिन्दू जाति की भलाई के लिए किया जा रहा था। अछूतों की भलाई से उनका कोई सम्बन्ध नहीं था।

यद्यपि 'चाँद', जो अपने समय की सबसे अधिक प्रगतिशील पत्रिका थी, गाँधी जी के अछूतोद्धार की समर्थक थी; पर इस कार्य में किसी भी ढोंग और पाखण्ड की विरोधी थी। इसी अंक में 'काँग्रेस और अछूत' नाम से सम्पादक की एक लम्बी टिप्पणी है, जिसमें ''राष्ट्र की कमजोरियों का पोषण'' करने वाले ''राष्ट्र के पूज्य और सम्मानित महारथियों'' पर क्षोभ व्यक्त किया गया है। काँग्रेस ने अछूतोद्धार-उप समिति बनाई थी, जिसके सदस्य सेठ जमनालाल बजाज और पण्डित मदनमोहन मालवीय थे। यह समिति कितनी गम्भीर थी, इसका खुलासा करते हुए 'चाँद' के सम्पादक ने लिखा है, ''अछूतोद्धार समिति के सदस्य सेठ जमनालाल जी बजाज ने कराँची में अछूतों की सभा में भाषण देते हुए उन्हें समझाया कि मनुष्य-गणना के समय इन लोगों को अपने को अछूत नहीं, वरन् हिन्दू बतलाना चाहिए। इससे सरकार को अछूतों की अधिक संख्या का पता नहीं चलेगा और वह भारतवासियों की कमज़ोरिय्रों के लिए उन्हें लज्जित न कर सकेगी।'' (पृष्ठ 639) सेठ जी को सरकार की चिन्ता थी, अछूतों की नहीं। इस पर 'चाँद'-सम्पादक ने फटकारते हुए लिखा—''हम नहीं समझते कि इससे बढ़कर अछूतोद्धार का ढोंग और क्या हो सकता है! सेठ जी के इस कथन से मालूम होता है कि अछूतोद्धार-समिति अछूतों की दशा सुधारने के लिए इतनी उत्सुक नहीं है, जितना वह सरकार की दृष्टि में उच्चवर्ण के हिन्दुओं को प्रतिष्ठित बनाने के लिए व्याकुल है। रोग को मिटाने का प्रयत्न नहीं किया जा रहा है; प्रयत्न किया जा रहा है उसे छिपाकर संसार की आँखों में धूल झोंकने का।'' (वही) सम्पादक ने सवाल किया, ''क्या मनुष्य-गणना की संख्याओं में परिवर्तन हो जाने से ही अछूतों का उद्धार हो जाएगा? अथवा, सरकारी अफसरों की दृष्टि में उच्चवर्ण के हिन्दुओं का प्रतिष्ठित साबित हो जाना ही दलित अछूतों का सबसे बड़ा स्वार्थ है?'' (वही) सम्पादक पर डॉ. अम्बेडकर के दलित आन्दोलन का प्रभाव दिखाई पड़ता है, क्योंकि आगे जो उन्होंने लिखा है, वह एक तरह से डॉ. अम्बेडकर के ही विचार हैं—''सच बात तो यह है कि काँग्रेस अमीरों की संस्था है। वह अछूतों, मजदूरों और किसानों का साथ वहीं तक देना चाहती है, जहाँ तक इन श्रेणियों की सहानुभूति अमीरों के स्वार्थ-साधन में सहायक हो सकती है। काँग्रेस को इस बात से कुछ मतलब नहीं कि अछूतों की दशा सुधरती है या बिगड़ती है, समाज में उन्हें नागरिकता के अधिकार प्राप्त होते हैं या वे चिरकाल तक पद-दलित, परतन्त्र ही बने रहते हैं। काँग्रेस का प्रधान उद्देश्य अछूतों को फुसला कर उनके द्वारा अमीरों के स्वराज का समर्थन कराना है।'' (वही)

काँग्रेस ने अछूतोद्धार की बात 1930 में ही कहनी शुरू की थी, जब लन्दन के गोलमेज सम्मेलन में डॉ. अम्बेडकर ने दलितों को, अल्पसंख्यक वर्ग साबित करते हुए, स्वतन्त्र भारत की शासन-सत्ता में पृथक प्रतिनिधित्व दिए जाने की माँग की थी। काँग्रेस का 'अछूतोद्धार' के पीछे का मक़सद खुद को सम्पूर्ण हिन्दुओं की प्रतिनिधि पार्टी प्रदर्शित करना था। डॉ. अम्बेडकर ने काँग्रेस के दावे का खण्डन किया और इस बात को साबित किया कि सिर्फ़ धार्मिक अलगाव ही किसी समुदाय को अल्पसंख्यक नहीं बनाता है, वरन् सामाजिक भेदभाव भी बनाता है। उन्होंने इसी आधार पर दलितों को हिन्दू नहीं माना और एक पृथक अल्पसंख्यक समुदाय घोषित किया। राष्ट्रीय आन्दोलन में इसी दलित प्रश्न ने काँग्रेस और महात्मा गाँधी का अछूतों के प्रति ध्यान आकृष्ट किया था और हरिजनोद्धार-कार्यक्रम उनकी राजनैतिक विवशता थी। लेकिन साम्प्रदायिक निर्णय के बाद उन हिन्दू लेखकों के भी स्वर बदल गए थे, जो दलित-प्रश्न का समर्थन कर रहे थे।

लेकिन, पूना-पैक्ट के बाद गाँधी जी ने हरिजन-सेवक-संघ का निर्माण किया और 'हरिजन' नामक पत्र भी निकाला। 'विशाल भारत' में हमें एक लेख हरिजन-सेवक-संघ की गतिविधियों के बारे में मिलता है। हालांकि यह लेख ''हरिजनों के व्यवसाय'' के बारे में है, जिसमें कहा गया है कि ''यदि वास्तव में संघ को हरिजनों का सुधार करना है तो संघ के कार्यकर्त्ताओं को चाहिए कि वे गाँवों में जाकर रहें, उनको उनकी आर्थिक अवस्था कैसे सुधरे, इसके उपाय सोचें और उनके अन्दर शिक्षा और संगठन का प्रचार करें, जिससे वे पशुवत जीवन बिताना

छोड़कर मनुष्यता की ओर झुकें। सिर्फ़ मन्दिरों के बरामदों पर चढ़ा देने से तथा वोटर-लिस्ट में उनका नाम छपवा देने से कोई लाभ नहीं हो सकता।''(जुलाई 1934, पृ. 21)

इस लेख के लेखक रामजीवन शर्मा हैं। वे हरिजनों के लिए किस तरह की शिक्षा चाहते हैं, यह भी वे इस लेख में स्पष्ट कर देते हैं। उन्होंने पैतृक व्यवसायों को ही अच्छे ढंग से करने की तकनीकी शिक्षा देने का पक्ष लिया है। उदाहरण के लिए, वे चमारों के पेशे के बारे में लिखते हैं कि ''अब जूतों के व्यवसाय पर मुसलमानों का एकाधिपत्य हो गया है, जिससे चमारों का यह व्यवसाय उनके हाथ से निकल गया है।'' इसलिये वे हरिजन-सेवक-संघ को सुझाव देते हुए कहते हैं कि ''यदि आज भी उनको पूँजी तथा चमड़े का सामान बनाने की शिक्षा मिले, तो वे मुसलमानों से पीछे कदापि नहीं रहेंगे।...संघ को चाहिए कि वह गाँव-गाँव में नहीं, तो कम-से-कम हर जिले में तो एक-एक आश्रम ऐसा ज़रूर खोले, जहाँ चमार भाइयों को इस तरह की शिक्षा दी जाय।'' (वही, पृष्ठ 19)

स्पष्ट है कि 'विशाल भरत' के यह लेखक दलितों के लिए स्कूल-कालेजों की शिक्षा की बात नहीं कर रहे हैं और न यह चाहते हैं कि दलित अपने घृणित और अपमानजनक पेशों से मुक्त होकर अन्य सम्मानजनक जीविका अपनाएँ। वे विकास और राजसत्ता में भी दलितों को भागीदार बनाने की कोई बात नहीं करते हैं। दरअसल गाँधीजी और काँग्रेस के हरिजनोद्धार की दिशा भी यही थी। यदि हम एक अपवाद के रूप में 'चाँद' की रेडिकल पत्रकारिता को छोड़ दें, तो इस काल की सम्पूर्ण हिन्दी पत्रकारिता ने दलित प्रश्न को गाँधी जी की हिन्दू-दृष्टि से ही देखा था, उसने डॉ. अम्बेडकर की दलित-मुक्ति की दृष्टि से उस प्रश्न को बिल्कुल नहीं देखा। दलितों ने इसी कारण से वैकल्पिक दलित पत्रकारिता को स्थापित करने की दिशा में कदम बढ़ाया।

भगवत रावत : तीन कविताएँ

हुआ तो वही

पता नहीं 'बुद्ध' ने कभी
किसी से कहा था या नहीं
कि संघ के जीवन में एक दिन
ऐसा आएगा
जब धर्म को धराशायी करने वाला ही
धर्म की ध्वजा फहराएगा

'बुद्ध' ने कभी किसी से ऐसा कहा
इसका तो कहीं कोई प्रमाण नहीं
लेकिन 'बुद्ध' ने जो-जो कहा वह तो
हज़ारो-हज़ारों को
मुँह ज़बानी याद है

फिर उसका क्या हुआ
हुआ तो वही-वही
जो 'बुद्ध' ने कभी किसी से नहीं कहा

सुनो अशोक

सुनो अशोक!
अब मारने वाला नहीं रहा हत्यारा
हत्यारा वह जो बचा नहीं पाया

बचा नहीं पाया और बचा रह गया
फिर रहा मारा-मारा
सिर झुकाये चुपचाप
खोजता लाशों के बीच
अपनी आत्मा

अब वह नहीं रहा
होता था जो मारने वाले से बड़ा
मारने वाले से बड़ा
मुहावरे से भी बाहर हो गया
नहीं अब नहीं कहीं कोई अपराध
नहीं कहीं कोई ग्लानि
कोई पश्चाताप
अब तो पूरा देश हो रहा कलिंग
बदला जा रहा इतिहास
लौट आओ
मत करो अपने किए का
कोई शोक

सुनहु पवनसुत रहनि हमारी

पिछले एक वर्ष में
अर्थात् फरवरी '2002 के बाद से अब तक
मेरे घर के आसपास अचानक उग आए
कई-कई मन्दिर

एक घर के पिछवाड़े
एक सामने की सड़क के बाएँ मोड़ पर
एक घर के ठीक सामने सड़क पार कर
सारे मन्दिर इतने-इतने पास
कि उनके अलावा अब और कोई नहीं आसपास

सभी पर लगे हुए चार-चार लाउडस्पीकर
दसों दिशाओं में करते रहते हैं

निरन्तर जय घोष
बड़ी सुबह से दोपहर तक
शाम से बड़ी देर रात तक

पिछले एक साल में
धरम मेरे चारों ओर इतना-इतना बढ़ा कि मैं
अपने ही घर में अधरमी हो गया
सुनाई नहीं देती अब मुझे
घर के भीतर की कोई चीख
घर के बाहर की कोई पुकार

इस तरह घेर लिया गया हूँ सब तरफ से
चिह्नित हो गया है बीचों-बीच फँसा
मेरा घर ऐसे
फँसी रहती हैं जैसे दाँतों के बीच
बेचारी जीभ

न लिख पाता हूँ न पढ़ पाता हूँ
भीतर ही भीतर गुस्से में
तुलसी बाबा की चौपाई दोहराता हूँ
सुनहु पवनसुत रहनि हमारी।

स्वप्निल श्रीवास्तव : पाँच कविताएँ

लोहे का बैल

उनके पास बैलों की तीन जोड़ी
हलवाहे, जुआठे और हल थे

जब वे खेत की तरफ जाते थे
उनके गले में बज उठती थीं
घण्टियाँ
लोग तन्मय होकर सुनते थे
हवा में बजता था संगीत
एक दो मरकहे बैल थे
उनके पास
आते-जाते लोगों को
हुरपेट देते थे
और पगहा तुड़ा कर
भागते थे
उनको लेकर गाँव में
होती थी, हँसी दिल्लगी
कुछ दिनों बाद उनके घर
जाना हुआ
नहीं दिखाई दिये बैल
मैंने उनसे पूछा—कहाँ गए
बैल
उन्होंने उदास होकर कहा
बैल बाजार में बिक गए

उसकी जगह आया है
यह लोहे का बैल
यही जोतता है खेत

मैंने बैलों के बारे में सोचा
वे रहते थे तो कितना
रहता था, मन मनसायन
वे नहीं हैं तो दरवाजा कितना
लगता है सूना
जैसे परिवार के कुछ लोग
बाहर चले गए हों

इस लोहे के बैल से
क्या बतकही करूँ
कुछ बोलता चालता नहीं
बैल बोलते नहीं थे
तो कम-से-कम हिलाते थे
सिर
हमारे भीतर एक साथ
कई घंटियाँ बज जाया
करती थीं

इस तरह जीवन से तिरोहित
हो जाती हैं मूल्यवान
चीज़ें
उन चीज़ों के साथ हम भी
थोड़ा, बहुत गायब हो
जाते हैं।

अयोध्या में बन्दर

मैं नहीं जाऊँगा अयोध्या
वहाँ जाऊँगा तो बढ़ेंगे
दुःख

सीखचों के भीतर ईश्वर
को असहाय देखकर
मैं अनीश्वरवादी हो सकता हूँ
डगमगा सकती हैं
परम्परागत आस्थाएँ

छल छद्म से गठरी छीनने वाले
बन्दर अयोध्या में आ गए हैं
बढ़ रहे हैं उनके उत्पात
वे नगर को नेस्तानेबूद
कर रहे हैं

हमारे ये पूर्वज नहीं थे
इतने आक्रामक
उन्हें अपनी पूछ गँवाने में
हजारों साल लगे थे

आज ये बहुत जल्दी
हिंसा में हो गए पारंगत

छीना-झपटी और उपद्रव की
कला सिखाने वाले मदारी
अयोध्या में देखे जा
रहे हैं
वे डमरू बजाते हैं
बन्दरों की फौज इकट्ठा
हो जाती है

ऐसे अराजक माहौल में
मैं नहीं जाऊँगा अयोध्या

क्योंकि अयोध्या सिर्फ एक
नगर का नाम नहीं है।

बाँसुरी

मैं एक बाँस का टुकड़ा था
तुमने मुझे यातना देकर
बाँसुरी बनाया
मैं तुम्हारे आनन्द के लिए
बजता रहा
फिर रख दिया जाता रहा
घर के अँधेरे कोने में
जब तुम्हें खुश होना
होता था, तुम मुझे
बजाते थे
मेरे रोम-रोम पिघलती
थी तुम्हारी साँसें
और मैं दर्द से भर
जाया करता था

तुमने मुझे बाँस के कोठ
से अलग किया
अपने ओठों से लगाया

मैं इस पीड़ा को भूल
गया कि मेरे भीतर
कितने छेद हैं।

मैं तुम्हारे अकेलेपन की
बाँसुरी हूँ
तुम नहीं बजाते हो तो भी
मैं आदतन बजता रहता
हूँ।

पृथ्वी की खोज

जीवन के शुरू से ही था
जीवन में दुःख

असमय माँ चली गई
दुःख हुआ
पिता चले गए
और दुःख हुआ
संगिनी नहीं रही
सबसे ज्यादा दुःख हुआ

दुःख धीरे-धीरे नदी
बन गया
मैं डगमगाती हुई नाँव

दुःख के बीच से मैंने
साहस की खोज की
मुझे कोलम्बस की याद
आई
और मैं पृथ्वी की खोज में
निकल पड़ा

अनवरत विपरीत परिस्थितियों में
नाँव खेते हुए
मुझे दिखाई दी पृथ्वी

पृथ्वी के ऊपर एक चाँद था
मैंने उससे कहा—
तुम ही कछ बोलो मैं हो
गया हूँ गूँगा

चाँद के भीतर बैठी हुई
माँ ने कहा—

तुम्हें पृथ्वी मिल गई है
अब सुख की खोज करो।

पुलोवर

तुम्हारे हाथ का बुना हुआ
पुलोवर पहना
और उष्मा से भर गया

इसे पहनकर मैंने पार की
ठण्ड की नदी
भीगा नहीं
सिर्फ भीगी थी मेरी आँख

बारिश के दिन न हो
तो भी, इन आँखों में
बादल उतर आते हैं

कितने ताने-बाने से
बुना गया होगा पुलोवर
तुम्हारी आँखों की कितनी
रोशनी खर्च हुई होगी
कितने दिन-रात लगे होंगे
इसे बुनने में

जब तुम इसे बुन रही थी
तब मैंने तुमसे कहा था—
बुनना हो तो सपने बुनो

मुझे जाड़े के दिनों के सपने
बहुत अच्छे लगते हैं

यह सुनकर तुम अपने भीतर
कुछ बुनने लगी थीं

तुम्हारी आँखें उधेड़ बुन में
लगी हुई थीं

बहुत बाद में मुझे समझ में
आया—सपने टूटने के लिए
ही बुने जाते हैं क्या?

तुम्हारी अनुपस्थिति में इस
पुलोवर को पहनकर
तुम्हारी उँगुलियों का स्पर्श
महसूस कर रहा हूँ

मैं अकेले अकेले इन दिनों को
पहन रहा हूँ
जिन दिनों में तुम नहीं हो
मेरे पास।

पंकज चतुर्वेदी : पाँच कविताएँ

प्रेम

तुम्हारे रक्त की लालिमा से
त्वचा में ऐसी आभा है
पानी में जैसे
केसर घुल जाता हो

आँखें ऐसे खींचती हैं
कि उनकी सम्मोहक गहनता में
अस्तित्व डूबता-सा लगे
अपनी सनातन व्यथा से छूटकर

भौंहों में धनुष हैं
वक्ष में पराग
तुम्हारी निष्ठुरता में भी
हँसी की चमक है
अवरोध जैसे कोई है नहीं
बस बादलों में ठिठक गया चन्द्रमा है

तुममें जो व्याकुलता है
सही शब्द
या शब्द के सौन्दर्य के लिए
वही प्रेम है
जो तुम दुनिया से करती हो।

कहीं बाहर नहीं

हँसते हुए बुद्ध की प्रतिमा
तुमने मुझे दी थी
कहते हुए कि यह
सौभाग्य की प्रतीक है
इसे अपने कमरे में रखना
मैंने तब सोचा था
और आज भी मुझे लगता है :
सौभाग्य क्या हो सकता है
इसके सिवा
कि हमारा साथ होता

संघर्ष के क्षणों में
तुम्हारे हाथ में
मेरा हाथ होता

प्यार का मतलब
परिष्कार होता
अपना और इस दुनिया का
जिसमें हम रहते हैं

और यह नहीं हो सका तो
क्या कर सकते हैं बुद्ध?

बुद्ध जो कहते थे :
आकाश में जैसे कोई चिह्न नहीं है
श्रमण कहीं बाहर नहीं होता

तुम्हारा अन्तर तो विचलनों से आच्छन्न है
बाहर को सँवारने से क्या होगा?

प्यार से पृथक्

अस्तित्व ही वेदना है
अगर वह प्यार से पृथक् है

वह एक आँसू है
जो तुम्हारे प्रिय को मंजूर नहीं

एक आकांक्षा है
जो सिर्फ़ तुम्हारी है
कोई उसका साझेदार नहीं

एक इमारत है
चिनी हुई दीवारों से
जिसमें उम्मीद का
कोई झरोखा नहीं

जिसमें रात है
भाषा की पराजय-सी

किसने कहा तुमसे
तुम हारना नहीं यह युद्ध
किसने अभिषिक्त किया तुम्हें
अपने सौन्दर्य के जल से

वह जो तुम्हारे लिए
सपने नहीं देखता
उसके पहलू में तुम
चैन से सो नहीं सकते

निरावरण वह

(फ्रांसीसी कलाकार गुस्ताव कूर्बे की कृति 'चित्रकार का स्टूडियो' को देखकर)

देह हो निरावृत करने में
वह झिझकती है
क्या इसलिए कि उस पर
प्यार के निशान हैं?
नहीं
बिजलियों की तड़प से
पुष्ट थे उभार
आकाश की लालिमा छुपाये हुए

क्षितिज था रेशम की सलवटों-सा
पाँवों से लिपटा हुआ
जब उसे निरावरण देखा
प्रतीक्षा के ताप से उष्ण
लज्जा के रोमांच से भरी
अपनी निष्कलुष आभा में दमकता
स्वर्ण थी वह

इन्द्र के शाप से शापित नहीं
न मनुष्य-सान्निध्य से म्लान
वह नदी का जल
हमेशा ताज़ा
समस्त संसर्गों को आत्मसात् किए हुए
छलछल पावनता।

न मेरे पास

न मेरे पास मोरपंख का मुकुट था
न धनुष को तोड़ने का पराक्रम
कंठ भी निरा कंठ ही था

किसी के ज़हर से
नीला न हो सका

क्षीरसागर में बिछी हुई
सुखद शय्या नहीं थी
नहीं थी सम्पत्ति से मैत्री
देवताओं में ईर्ष्या जगाने वाली
ऐसी तपस्या न थी
जिसे भंग करने के लिए
तुम्हारे प्रेम का
अभिनय ज़रूरी होता

ययाति की तरह यौवन न था
लौटकर आता हुआ उत्साह से
और वह कौशल भी नहीं
जो काँपते प्रतिबिम्ब के बल पर
किसी की आँख को घायल करे

तुम्हें मन्त्रमुग्ध कर देने को
मेरे पास बाँसुरी न थी
और न वह छल
जो सिर्फ़ जल का आवरण है
तुम्हारी देह पर
तुम्हारे स्वप्न में
भीगा हुआ कमल है।

प्रेमरंजन अनिमेष : पाँच कविताएँ

बीती सभ्यता का एक शिलालेख

कैसी भी लड़ाई हो
मत मारो अनबोलते को
मत मारो
दूध पीते खाते खेलते को

मारो मत अचक्के में
उसे जो लगा है अभी
अपने रथ के चक्के में

पौ फटने से पहले
सूर्यास्त के बाद

मारो नहीं
जहाँ कोई देने को न हो पानी
जिसने शरण दी हो
जिसकी तुमने की मेज़बानी

निहत्थे में
पीठ पीछे से
कभी नहीं

जो नींद से सोया है
जो याद में खोया है

कपड़े बदलते हुए
घर से निकलते हुए

बनने से पहले
किसी भरोसे को
जन्म लेने से पहले
किसी सपने को
मत मारो

अफरातफ़री में नहीं
अपनेपन से प्यार से
मारना कभी मत
किसी भोथरे हथियार से!

अनबोलते का घाव

उस कोने लगी है चोट
जिधर न देख सकतीं आँखें
न खुजा सकते हैं खुर

ऐसी जगह ज़िन्दा है दुःख
जहाँ न हाँक सकती है पूँछ
न चाट सकती है जीभ

बस छू सकता दर्द के तार
महसूस कर सकता सिहरन की लहर
देह में हर कहीं

यह व्यथा जिसके साथ
न बैठ न भाग पाता
न सो न जाग सकता

यह घाव
जिस पर उछारी जाए न अपनी धार
न पलकें गिरा सकें दो बूँद

इस मरुथल में
तकता जाता दूर तक रास्ता
कि मिले कोई
अपने-सा अनबोलता

दुःख में लेकिन डूबा हुआ नहीं
मेरी ही तरह चारों ओर
कुछ देखता ढूँढता...!

जूता

जैसे सर्वथा अपरिचित दो जन
तय हो जाते जीवन निबाहने के लिए
एकदम अजाने जूतों के जिस्म
अचीन्हे तलवों के लिए खुल जाते

फर्क़ इतना
कि जूतों के लिए कम-से-कम
पैरों की नाप का ख़याल किया जाता है

नया जूता
काटता है
शुरू-शुरू में
जैसे बात करना चाहता हो
उस आदमी से जो उसके भीतर उतरा है

यह समझने तक
कि परिचय का कोई मतलब नहीं
परिचय मतलब भर है उसके लिए...

डर लगता
जूते में पाँव डालते
अक्सर धड़कता हुआ महसूस होता वह

यह जो इतना लंबा रास्ता है
इस पर पदचिह्न होने चाहिए थे उनके
जो अपने छालों पर चले
लेकिन पैरों के निशान नहीं इतिहास में हैं
जूतों की छाप
और सुनाई दे रही अभी
भविष्य की आहट नहीं
उन्हीं की टाप

दरअसल जूता
आदमी का बूता है
और कोई झुककर पाँव नहीं
जूता ही छूता है

जाने क्यों ऐसा लगता है फिर भी
सभ्यता चल रही है एक नंगे आदमी के पीछे
और हमेशा साथ सफ़र में रहा है कोई
जो राह में जहाँ काटो पानी होता है
अपने जूते हाथ में ढोता है...

मारवौल

चिकित्सक इलाज करते हैं
और ठीक करता है ईश्वर

सफ़ेद पर स्याह चढ़ाये वकील
फीस वसूलते झूठ को माँजने की

ठेकेदार बनाते
फिर टूटने फिर जोड़ने के लिए

सड़के ऊँची हुईं
तो घरों में आ जाएगा पानी
समझाते जनता को जनप्रतिनिधि

ज़रूरी चीज़ों के दाम बढ़ना
उनका महत्त्व बढ़ाता है जीवन में
राजा का बयान आता

तेल है यह तो इस तन्त्र का
मेज के उस पार बैठा आदमी
मुट्ठी बन्द करते कहता

दिन दहाड़े खून कर भागता गुण्डा
उस तख़्त पर थूकता पीक
जिस पर लिखा
प्रशासन सदैव तत्पर
आपकी सेवा सुरक्षा में

दूर दोनों तरफ़ देख
पेड़ की ओट में एक किनारे
निवृत्त होने के लिए ठिठकता बेचैन राहगीर
और आ जाते पकड़ने के लिए
दाएँ-बाएँ दो सिपाही...।

पानी में पैसे डालने का खेल

पानी से भरी हुई बाल्टी होती थी
तल में जिसके बीचों-बीच
रखी रहती थी एक डिबिया

बस इतने से चलता था मेले का यह खेल लुभावना
जो पैसा उसमें गया वह दुगना

पानी साफ़ और झलकता
और उतना ही सरल लगता
यह दाँव देखने में

लक्ष्य साधकर
डालते हम अपना सिक्का
पर हमारी प्रार्थना के बावजूद
वह सीधा नहीं चलता
भटक जाता राह
और जाकर बैठ जाता पेंदे में

अपने डूबे हुए पैसे
दिखाई देते नींद में
सपनों में करते बेचैन
हाथ देकर पुकारते उबारने के लिए

फिर भागते हम उधर आधी नींद लिए
जाकर डालते नए पैसे
इस कोने उस टोने से
कि अपनी अजानी चाल में
वे उस डिबिया तक जाएँगे
और लौटा लाएँगे अपने साथियों को

मगर हमसे ज़्यादा सुनी जातीं उसकी मनौतियाँ
जो यह खेल चलाता

दाँव ख़त्म होते
अहसास होता
सीधी राह दूभर है
बनना क्या
बचना भी पैसों का

हारकर
लौटने पर भी
देर नहीं हुई थी
आँखें गीली थीं

बड़ा होकर देखा
जो पानी के छोटे पात्र थे
हो गए हैं विशाल
अपने पैसे दाँत से पकड़े
लोग आप छलाँग लगाते हैं
तल में उस अंधे कूप तक जाने के लिए
जहाँ पहुँचकर दुगने हो जाएँगे उनके पैसे

यह धीरे-धीरे जाहिर हुआ
कि आस-पास जो लोग हैं राह पर जितनी भीड़
सब डूबे हुए इसी में

बचपन में उस मेले में तो
पानी पारदर्शी था
दिखाई देते थे डूबे हुए पैसे
यहाँ कुछ नहीं दिखाई देता गँदले जल में
बस सतह पर कुछ बुलबुले

जो हाथ लगते ख़त्म हो जाते...

विशाल श्रीवास्तव : पाँच कविताएँ

आज जब लिखे जाने की ज़रूरत है

हमारी कविता में शब्द चले आते हैं
किसी कवि के ख्यात भाषण के टुकड़ों से
चली आती है भाषा
किसी पौराणिक आख्यान के सर्गों से छिटककर
जैसे हमारा जाना-सोचा
हो जाता है व्यतीत—हमसे पहले ही
जब ज़रूरत है तो
चला आएगा कोई विचार—नाजुक-सा
स्मृति की अवसादी पर्तों में दबा
दोहराई जा चुकी बात-सा पुराना

ताज़्जुब है
हमारी कविता में आज भी
परिन्दे, नदियाँ और पहाड़ आते हैं
मिथक और झुठलाए पूर्वग्रह भी

शब्द आते हैं
विचार आता है
भाषा आती है
...
इस तरह पता नहीं
क्या-क्या चला आता है हमारी कविता में
आज जब
लिखे जाने की सचमुच बहुत ज़रूरत है।

दुःखभरे समय में जाने से पूर्व

किसी मौलिक दुःख को सोचने में
समय के अलग-अलग टुकड़ों पर
कुछ चीज़ें इस तरह रखता हूँ–
बारिश का पानी
जिसमें बिल्कुल नमी नहीं
धूप
जो अभी गीली है शायद
आसमान
जो नीला तो बिल्कुल नहीं

इस तरह
इन चीज़ों की कमी के सहारे
कम होता दुःख
और बेहद कमियों वाले
मुझे कुछ रूपक चाहिए
मैं इस दुःख भरे समय में
जाने से पहले
उन सबको सोच डालना चाहता हूँ।

जिसे हम दुनिया में जीना कहते हैं

दुनिया में जीना
समय में नहीं,
समय के मुक्त टुकड़ों में जीना है
टुकड़े, जिनमें स्वच्छन्द दुनिया की बेतरतीब त्रासदियाँ रहतीं
वाकई जीते होते तो
बाँहों में ज़रा ख़म भर लाते
नन्हीं छेनियाँ नहीं
भारी कुदालें चलाते
गढ़ते ठोस और बुलन्द इमारतें
घबराये आदमी के चेहरे का रंग सोचते
जो चुपचाप अभी बगल से चला गया

कोई बात कहते-कहते रुककर

रंगीनियों और नक्काशीदार इमारतों से भरी दुनिया में
धूम भरा ताज़ा संगीत सुनते हुए
जहमत भरे विचार संभालने के लिए
किसको इतनी फुरसत है।

अनुभव के लिए कोई शब्द

इस दिनोंदिन शहर होते जाते
क़स्बे के भीड़ भरे बाज़ार से गुजरते हुए
मैं खालीपन जैसे अनुभव के लिए
कोई शब्द खोजना चाहता हूँ
सन्नाटे से भी ज्यादा मौलिक और विशुद्ध
जबकि इस खालीपन जैसी चीज़ के भीतर
कुछ समय के हिस्से हैं, जिनमें
टुकड़ा-टुकड़ा विचार की तरह बसी हुई है दुनिया
शहर की सबसे बढ़िया सड़क पर चलते हुए
इस सबसे सुन्दर दुनिया के बारे में
सबसे बेकार बातें सोचते हुए कि
दुनिया किसी पुराने खण्डहर का अस्पष्ट शिलालेख
किसी सहज-सी कविता का बेहद उलझा हुआ पाठ
जैसे दुनिया कोई न जाने लायक जगह

एक खालिस अनुभव के लिए
मैं कोई ठोस शब्द ढालना चाहता हूँ
शब्द तो क्या, आवाज़ तक नहीं मिलती
पर चीज़ों को जाने बिना उनको खोजने की
असफलता में खाली काग़ज पर
इस अनुभव के सामने अपनी बेबसी जैसा
सहमा हुआ कोई शब्द रखना चाहता हूँ।

बड़ी होती लड़कियों के लिए शोकगीत

लड़कियाँ बड़ी हो जाती हैं
प्रायः कुछ जल्दबाजी में ही
वृद्धि के प्रतिमान और औसत ध्वस्त करती
सपनों की फैंटेसी में दुनिया में रेशम बुनने की उम्र
आती हैं छोड़
बासी होती मासूमियत पर
लावण्य का पर्दा ओढ़कर
निर्मम दुनिया की सतह पर
झिझक कर रख देती हैं पाँव
किसी मुश्किल मुहावरे-सी होती हैं लड़कियाँ
बोलने में आसान, समझने में मुश्किल
शब्दों-सी कठिन दुनिया का अभ्यास करतीं
लड़कियाँ पर्स से बची रेजगारी से
घर लौटने के किराये का हिसाब करती हैं
रोज़ अखबार पढ़ते हुए
खुद से जुड़ी खबरों को भूलने की करती हैं कोशिश
मायूसी से भरे निर्जन क्षितिज पर
उम्मीद जैसा कोई दुर्लभ शब्द तलाश करती लड़कियाँ
कितनी जल्दी बड़ी हो जाती हैं
एकदम बदल जाती हैं लड़कियाँ।

❑

अलविदा से पहले

(स्व. हरिभजन सिंह की कविताएँ)

यदि किसी कविता का चरम उत्कर्ष शब्द, लय और सुर में एकमेक हो जाना है, तो पंजाबी के शिखर-कवि हरिभजन सिंह ने इसे अपनी कविता में बड़े सुन्दर ढंग से अर्जित किया था। उनकी कविता में लोक-ध्वनियों की अनुगूँजें हैं, मिथकीय उपस्थितियों के लिए पुकार है और एक विचित्र अकेलापन है। भाषाई ध्वनियों का एक संसार, न दीखता एक समुदाय और अनवरत चलती हुई एक बातचीत—मनुष्य के आदिम अकेलेपन को हरिभजन सिंह की कविता जैसे अनेक तरह से उकेरती जाती है—कुछ इस तरह की अन्ततः रचना ही अपना समाज बन जाती है।

हर महान कविता की तरह हरिभजन सिंह की कविता भी अनुवादातीत है। अधिक-से-अधिक हम उसकी शाब्दिक देह रूपान्तरित कर सकते हैं। लेकिन रचना में घूमती-फिरती वे सब प्राण-छायाएँ, जो एक परम्परा-विशेष से, भाषा-विशेष से आती हैं—अक्सर एक लम्बा काला रास्ता तय करके—क्या उनकी, उनके उस तय किए रास्ते की तस्वीर उतारी जा सकती है?

यहाँ प्रस्तुत कविताएँ हरिभजन सिंह के सन् 1984 में छपे संग्रह 'अलविदा से पहले' में से ली गई हैं। संयोग से ये वह समय था, जब वे गले के कैंसर से पीड़ित थे और उन्हें कीमो-किरणें दी जा रही थीं। आसन्न मृत्यु की छायाएँ इनमें देखी जा सकती हैं, हालाँकि हरिभजन सिंह इस बीमारी से उबर गए और बरसों जिए—एक दूसरी व्याधि के मुँह में फँसे हुए पिछले वर्ष सितम्बर में उनकी देह-मुक्ति हुई और तब से वह हमारे भारतीय साहित्य-आकाश में सप्त-ऋषियों में चमकते हुए देखे जा सकते हैं।

गगन गिल

अलविदा से पहले

1

मिलो प्रभु जी हँसते हँसते

बहुत बार मिले तुम हमको
आँसू आँसू
तिप तिप गिरते
छम छम झरते

बहुत बार तुम बहुत उदासे
बहुत अकेले
मन की व्यथा
जरा न कहते

बहुत बार हो धर्मखेत को
जाते देखे
और फिर धर्मखेत से
देखे भगते

बार बार तुम क्रोधवान हो
फनियर काले
आस पास को डँसते डँसते

बहुत बार तुम पंछी ढेला
खा कर गिरते
बिना बात के
मौत में फँसते

कब मिलोगे तेजस-तेजस
गिरते गिरते
दया स्वरूपी
बसते बसते
हँसते हँसते

2.

कौन बड़ा तू ढूँढ़ जी ढूँढ़ जी
बहुत बड़ा मेरा दुख जी दुख जी
बहुत बड़ा कहते रब जी रब जी
कौन बड़ा तू ढूँढ़ जी ढूँढ़ जी

दुख जी उपजे रब जी ध्याऊँ
दुख बिनसे रब बिसर जाऊँ
दुख जी रब जी जुड़वाँ भाई
कौन बड़ा कुछ कहन न जाई
एक मूरत एक सूरत छबि जी
कौन बड़ा तू ढूँढ़ जी ढूँढ़ जी

अँखियों से जब दुख जी चूएँ
होठों पे रब जी हाज़िर होवें
भय और निर्भय दोनों संगी
दुगुनी वस्तु मिले बिन माँगी
जहाँ जहाँ दुख जी वहाँ वहाँ प्रभु जी
कौन बड़ा तू ढूँढ़ जी ढूँढ़ जी

हे मेरे दुख जी प्रभु जी होवो
मिट्टी मेरी को मल मल धोवो
प्रभु जी हो कर जो कोई पीवै
दुख का सागर अमृत होवै
मैं कैसा दुखिया दुखिया सब जी
कौन बड़ा तू ढूँढ़ जी ढूँढ़ जी

3

सुन्दर सुन्दर रचना
प्रभु जी
सुन्दर सुन्दर रचना

सुन्दर मन सुन्दरतर करनी
सुन्दर सुन्दर वचना
सुन्दर बोल
खामोशी सुन्दर
न-सुन्दर कोई सच ना

डाली डाली फूल खिला जो
जूड़े जूड़े सजना
तुम बहुरूपी सगल स्वरूपी
हर थान तुम्हें है जँचना

नन्हे नन्हे पानी नन्ही नन्ही पवन में
नाचना प्रभु जी नाचना

4

चलो हरि जी चलें देस को
धुर से बुलावा आया है
जिसको सुन हमसे पहले
नाच उठा हमसाया है

किस आसन पर बैठे
जिसके दावेदार हज़ारों हैं
कोई अकेला रस्ता है
जो राही बिन उचटाया है

उपहास भले कड़वा है काला है
हास है फिर भी
कहेंगे हँसती दुनिया
छोड़ के कोई सिधारा है

दीया जला के धर जा
इस के बुझ जाने का गम न कर
समझ लेंगे किसी ने जलाया था
जो ये किसी ने बुझाया है

रात हुई कुल सगे सनेही
रो धो कर सो चले हैं

पर एक गैर नहीं सोया
जो सुना आपने जगाया है

5

उस गली से गुज़र फ़कीरा
जहाँ पे भौंके कुत्ते
कुत्तों तक को कभी न कोसें
कुत्ते हमसे ऊँचे

कुत्तों-फ़करों का संग पुराना
हर मौसम हर रुत में
दुनिया सो गई तेरी खातिर
कुत्ते अभी न सोये
हमसे ऊँचे

चल अकेला तुझे किसी ने झेला
लोग तो ऐश में डूबे
गाँव से बाहर छोड़ने आए
धूलों लिथड़े कुत्ते
हमसे ऊँचे

जिस मौला ने कम्बली दी
अपने हाथों तेरे पे
उसी मौला तेरे संग
लगाए कुत्ते पगले
हमसे ऊँचे

उस गली से गुज़र फ़कीरा
जहाँ पे भौंके कुत्ते
कुत्तों तक को कभी न कोसें
कुत्ते हमसे ऊँचे

6

कैसी विदा कैसे दर्शन
क्षमा करो महाराज

एक चुप तेरी एक चुप मेरी
जीते जी की सांझ
एक चुप तेरी एक चुप मेरी
मरण समय की लाज
क्षमा करो महाराज

अपने से अपने तक
अपने मरहम की आवाज़
दरियाओं के पानी बिन
कौन सा दर्द इलाज
क्षमा करो महाराज

चिड़ियों ने तो डार में उड़ना
कागों के संग काग
चिंगारी ने उड़ना अकेले
अकेले ही शाहबाज़
क्षमा करो महाराज

7

दुनिया में जो भी आया है
दुनिया से किस धज जाएगा
कुछ मिट्टी में कुछ पवनों में
कुछ जोत में जोत समाएगा

कल पवनों में जो महकेगा
उसमें कुछ मैं भी होऊँगा
उससे भी मेरा रिश्ता है
जो सीने में चुभन चुभोएगा

आज जो सूरज डूबा है
कल उसी सूरज ने चढ़ना है
उजले दिन में जिसको कोंचा था
वह सोते में बड़बड़ाएगा

माथे पर लेख लिखा था जो
उस तक को अभी मिटाते हो
जो आपने पीठ पे लिखा था
उस लेख को कौन मिटाएगा

आग जैसे जले तो बहुत दुखे
जलकर जो बुझे तो और दुखे
दुख से दुख तक अपना ठौर
इस ठौर से कौन उठाएगा

मिट्टी में जी कर देख लिया
अब जीभ-जीभ पर जीना है
जुग जीए बोल शरीकों का
जो हमको जीभ बसाएगा

8

बीत गई मैं चलती चलती

धूप चले परछाइयाँ चलतीं
दोनों चलते बुर्दो-बुर्दी

अंगों के बीच चले थकान
चलती गई मैं भुर-भुर करती

ठंडी रात में नदी बेचारी
सोती सोती जाए चलती
जिसने चलते चलते जीना
उसके लिए क्या सर्दी-सुर्दी

चलन-देवता खुश न हुआ
पूरी हो गई चाल उमर की

उमर के बाद भी चलते जाना
ख़बर नहीं अपने घर घुर की

कब्र से निकलकर रात में बाहर
तभी चलें हैं मुर्दा मुर्दी

चलते चलते प्यार गया वह
याद करूँ मैं मुस मुस करती

9

चाहे इस दर से आ
चाहे उस दर से आ
दर के आगे आँख
दर के पीछे आँख
काली काली जागती निगाह

जहाँ जहाँ दरवाजा
वहाँ वहाँ खड़ी है दीवार
आना-जाना हो किस राह
प्यार का पाहुन
कभी आगे कभी पीछे
गया दोनों जगह दर खटका
चाहे इस दर से आ
चाहे उस दर से आ

मक्का की दहलीज़ पर
खड़े माँगी जो मुराद
वही अपना प्यार है गुनाह
आशिकों नमाज़ियों को
सब ओर नमोशियाँ हैं
यहाँ वहाँ कोई न ख़ुदा
चाहे इस दर से आ
चाहे उस दर से आ

उजाले में जग आगे नंगे
और अँधेरे में हमें
अपने से अपना छिपाव
जो जो कदम कभी

मेरी तरफ रखा तूने
वही मुझसे दूर और जुदा
चाहे इस दर से आ
चाहे उस दर से आ

10

अभी तू न हुआ है शुरू

अभी कुछ न सीखा
अनसीखा ही लिखा
तू चेले से पहले गुरु

तूने सिर्फ़ हवाओं पे
लिखा है नाम अपना
ये नाम तो आजकल में भुरेगा

तूने जोड़े न पहिए
और कहता है बैठें
तेरी गाड़ी चलेगी कैसे

चलता है पाँव नंगे
तो साँप क्यों न डँसे
ज़हर इसका सिर पे चढ़ेगा

सदा साँप जागे
सदा तेरे पास
ये वैरी है तेरा गुरु

तेरे भाग अच्छे
गुरु ज्ञान डँसे
तेरी बात हुई है शुरू

11

पीड़ा मेरी ने कहा
होना है कल विदा
तेरा क्या कुछ होएगा
मेरे बिना निबाह
चूल्हा तेरा खाली
नंग-मनंग पड़ा
बिन ईंधन बिन लौ के
देगा कौन सुलगा
तपते थल के साथ का
ताज़ा टुक्क पका
कौन कहे रे महरमा
मैं खाऊँ तू खा
साथ तेरे ये कौन चले
जलती चिता जैसा
सिर पर सूरज कूकता
पाँवों में दहके राह
मेरे बिना अकेले ओ
तेरा कौन खुदा
पीड़ा मेरी ने कहा
होना है कल विदा

पंजाबी से अनुवाद : गगन गिल

लौटती आहट

गीतांजलि श्री

मैंने पूछा निकलते हुए कि क्या?

वह बोला खीझते हुए कि अख़बार।

कि होटलवालों से कह दिया था पर...ओफ़्फ़, वह बीच उस शिकायत के दूसरी शिकायत की फाँस से ओफ़्फ़ कर बैठा जब मैंने अपनी बगल में दबा अख़बार बढ़ाया। तुम ले गई थी? बाथरूम में? तुम उस वक़्त पढ़ती हो? हगते हुए? और मैं इधर पगला रहा हूँ?

शिकायतों का आरोह।

दो उँगलियों से, लगभग न छूते हुए, अख़बार लिया जैसे बाथरूम से कुछ गन्दे-सन्दे कतरे उस पर ज़रूर चिपक गए होंगे पर इसलिए भी कि मैंने उसे गोला कर दिया था हाथ धोने के दौरान और कुछ तो बस छेड़छाड़ में।

शिकायतों का अवरोह।

वैसे मुझे कभी समझ नहीं आई आदमियों की यह अख़बार-परस्ती। कोई भी आदमी। मेरे बाप, मेरे चाचा-ताऊ, मेरे जीजा बहनोई, मेरे कोई भी आदमी। बाप के लिए वह—अख़बार—जैसे बच्चे के लिए स्तन। सुबह हुई नहीं कि हाज़िर—चाय केला बिस्कुट अखबार। ट्रे में पेश। बतौर छोटा हाज़िरी, साहबों नवाबों की ख़िदमत में। क्या मालूम स्तन भी! साहबों नवाबों की खिदमत में! ट्रे पे अलबत्ता नहीं। और चाचे आदि, जब वे आते, ग़नीमत है एक-एक करके आते, सबकी ज़रूरत, सूर्य की पहली किरण के फूटते ही कि बढ़े उनका हाथ और समाए अख़बार उसमें। जैसे कोई मेल जगत से जो नित्य सवेरे फिर जमानी है, खुद को अख़बार के साथ एक टाँके में बुनकर, जैसे इस बढ़ती बिनाई में ही है उनके जीवन का स्टाइल। जहाँ तक जीजा की बात है तो दाता जाने किस जिंस से रचा है उसे चूँकि मैं तो बस इतना जानूँ कि उसका ख़याल भी खीझ बनकर दौड़ जाता है मेरी रगों में और अख़बार उठाने के लिए उस शख़्स के हर झुकने के साथ, बहन के लिए मेरी इज़्ज़त भी झुक जाती है, फिर उठती नहीं। कहाँ की बात हुई भला कि जवान इनसान वह, साबुत और सलामत, बराबरी के इस युग में, जवान सलामत बहन मेरी की तरह और साथ और नौकरीपेशा दोनों और दोनों की कमाऊ साझेदारी का ही तो खुशअंजाम यह अनेक बेडरूम, अनेक बाथरूम वाला फ़्लैट, महँगाई से भरी उस महानगरी में और दबाता है बटन, नित सुबह वह जीजा हमारा, उस घड़ी का जो अलार्म का बटन है कि घोंट दे उसकी कानफाड़ चीख और चल पड़े खुद, सोते-सोते, नंगे पाँव की बेसुधी में, सामने के दरवाज़े की तरफ और जुट जाए उन अनगिनत क्रियाओं में कि इधर दबा के साँकल को रिहा करा, उधर उठाके ताले का मुँह खोला, पंजो पर उचक के सिटकनी दी सरका, घुंडी घुमाई बाएँ कि दाएँ कि बाएँ और कुछ और भी ऐन-तैन खोलता गया, जिन सबका मूल यह कि जैसे, राणा साँगा बन, पार की बड़े शहरों की किलेबन्दी और खोल दिया इस तरह मुख्य द्वार, ताकि बाहर भीतर आ सके और झुक गया उठाने नया, कैलेण्डर-सा लपेटा पड़ा अख़बार और जो नहीं उठाया वह है उसी से सटा लगा दूध का पैकेट जिसे पल-भर बाद आएगी, उठाएगी, उबालेगी बहन मेरी, उसके और उसके बच्चों के लिए।

घोर पुरुष-प्रधान समाज यह अख़बार समाज। यहाँ कि

कि अख़बार सब तलक पहुँचाने वाला भी आदमी। हालाँकि उस जीव के लिए मेरे मन में प्रशंसा का जज़्बा उठे बग़ैर नहीं मानता कि वाह जी वाह क्या तीरंदाज आप जो बिना साइकिल से उतरे और बिना उसका पैडल घुमाना पूरा रोके ही निशाना मारें और न चूकें। अपार्टमेंट बिल्डिंग के आगे ज़रा रफ़्तार को टोक दी, पहिया फिर भी घिर्र-घिर्र-घुर्र-घुर्र घूमता, एक पंजा धरती पर हल्के से टिकाया, मानो स्प्रिंगदार कुछ जो उछल सकता है और रबरबैंड में लिपटे-लपेटे अख़बार सूँ सूँ कोनकोर्ड प्लेन की तरह उड़ते हुए जाएँ और एक के बाद एक, अलग-अलग बाल्कनी पर उतरें, ऊपर की सारी मंजिलों पर और ग्राउंड-फ़्लोर है तो सामने के दरवाजे के सामने टप से पड़ जाएँ। यहाँ से नहीं चुन सकते क्या अन्तर्राष्ट्रीय क्रिकेट के लिए कभी, कभी मैंने सोचा भी।

पर यह कभी नहीं सोचा कि अख़बार से डाली भी काटी जा सकती है। जिस पर चढ़े खुद बैठे हों! कि मानो उसका दूसरा नाम कुल्हाड़ी। अख़बार का।

वैसे कौन जाने उस वक़्त असल में मैं क्या सोच रही थी। समकालीन वक़्त मैं स्वप्न की तरह जीती हूँ। जो बाद में याद आता है जिस तरह जागने पर सबको सपना याद आता है। याद जो फिर से जोड़-जाड़ के सपने को नए वक़्त में बनाती है और वही अब कर रही हूँ उन छः दिनों को याद करके जिन्हें जी रही हूँ अभी न कि अब को, जो खैर सपना है जो बाद में याद आएगा और जी रही हूँ अख़बार को भी।

जिसको लेकर कभी मैंने समझौता नहीं किया, कैसे करती, उसका एक अतीत है, इतिहास, राजनीति, बिंधा लिसड़ा लिंगभेद का रंग है। अख़बार, दुनिया, दुनिया बाहर की दुनिया, बाहर, पुरुष, इसलिए पुरुष का हक अख़बार। दूध का पैकेट, चपचप चिपचिपाता, पतीली, चूल्हा, रसोई, घर, औरत। घर और बाहर। घोरे बाइरे। बाहर। भीतर। तुम्हारी भूमिका और मेरी।

होना नहीं है ऐसे, सोचा होगा मैंने उस अवचेतन मन से, जो इस सबको लेकर मेरे पलते-बढ़ते दिनों से बन गया क़ायदा है। हम जैसी, उन पूर्व-निर्धारित, बने बनाए, रेडीमेड, रूढ़िग्रस्त फ्रेम में नहीं फ़िट होतीं। न होंगी। चटका के उन फ्रेमों को निकल आई हैं बाहर और जी, अख़बार हमें भी उतना ही अधिक चाहिए जितना अधिक तुम्हें।

जितना कम तुम्हें भी कह सकती हूँ। क्योंकि कहना उसका यह था कि सब बकवास है। बस एक सफ़ा है अख़बार का जो झूठ नहीं बोलता और वह है खेलकूद समाचार का, वह बोलता, और वह भी, मैंने दानिशमन्दी जताई, बदल गया हो शायद क्रिकेट स्कैम के दिनों से।

पर झूठ या नहीं, सवेरे का उदय सूरज से नहीं, पेपर से होना था, उसके लिए भी और उसे सीखना पड़ा कि मेरे लिए भी।

तो शायद वह हमारा नया-नया सवेरा ही था जब वह होटल के स्टाफ़ को गलियाने लगा कि क्या अंग्रेज़ी भी नहीं समझते और इतना कहने पर भी पेपर नहीं देते और पाया कि मैं निकली चली आ रही हूँ बाथरूम से पेपर थामे। नया-नया सवेरा, होटल का कमरा, बड़ा-सा गुदगुदा बिस्तर जिसको साथ झेलने की हमारी आदत नहीं है, चूँकि रहते तो हैं अकेले, अलग, मीलों, समुन्दरों, आसमानों दूर, पर आ गए हैं साथ आज़माने, एक बीते रोमांस की याद में जब दोनों कालेज में थे और कलम और किताब देते हुए मरमरी और सरसरी छुअन से एक दूसरे में धीमे से उतर लेते और फिर अलग हो गए अपने-अपने कामों में और बरसों में और बस प्यार की तासीर वाले उस बुलबुले को हल्के-हल्के फूँक मारते कि वह फूटे ना पर ज़रा सिमर-सिमर सिहरे और शोख़ पत्रों और नर्म फ़ोन कॉल से उस सिहरन को दूसरे तक रवाना कर देते और बस, क्या बात है कि यों पहुँच गए इन सवेरों तक, दोनों के लिए अपरिचित किसी शहर में और मैं आँखें बन्द करके रचती हूँ उस भोर को जिसमें मैं लेटी हूँ आँखें बन्द किए, सोने के दौरान बिस्तर के एक कोने पर लुढ़की पड़ी, चूँकि आदत तो अलग रहने की है और यह साथ, यह सवेरा, यह बिस्तर तो नया है पर अब जागती हुई, बन्द आँखों के भीतर ही और याद धीमे-धीमे लौटती हुई कि यह स्वप्न-सा पल अभी का है, जिसे मन-ही-मन अरसे से जीती रही हूँ, अभी के इस सपने की ही तलब में, जब दूरी नहीं है बल्कि वह नज़दीकी है जिसकी इच्छा उस बुलबुले को सिहरता और सतरंगी बनाती गई है और मेरी अँगड़ाइयों में मीठा-मीठा कुछ है और अभी भी कुछ जागी कुछ सोई-सी याद करती हूँ कि अब नहीं है अम्बरों सागरों की दूरी, इस प्यारे-न्यारे आदमी

से, बस कुछेक इंच भर की है, तो झूमती हूँ धीरे से नींद कह लीजिए उसी में, उस सलोने सुन्दर तन की तरफ़, जानते हुए कि आँखें खोलूँगी तो वह भोर की शीतल उजास में भीनी-सी छाया के रंग का होगा और मैं कराह पड़ी और मेरी त्वचा भी और बिस्तर भी कुछ लचक गया कि सरक आऊँ बिना प्रयास उसकी बाँहों में कि तभी बिस्तर ने झटका दिया जो प्रेम की लय में फ़िट नहीं होता और आधी तरफ़ उछला, जो उसकी तरफ़ का आधा था, जहाँ वह लेटा था और अब नहीं लेटा था, जब मैंने चौंक के आँखें खोल दीं और पाया कि वह नहीं अब वहाँ।

नहीं वह वहाँ! हाँ। टी.वी. था सामने, दीवार पर बने लकड़ी के आले में सजा। साइड-टेबल मेरी बगल में। मेरी छोटी ट्रैवल क्लौक उस पर। और ज़रा-सी वाइन अभी भी गिलास में ज़रा-सी खट्टी महक उड़ाती जैसे ही मेरी नज़र उस पर पड़ी और मेरी अँगूठियाँ और चूड़ियाँ और कड़े जिन्हें मैंने उतार दिया था उसकी पीठ का लिहाज़ करके। उस तरफ़ बिस्तर की उसकी साइड थी जहाँ सिंका-सा एक गड्ढा उसके वज़न के अनुपात का अभी बरकरार था और मेज पर उसके निरे आधुनिक औज़ार और नाक में डालने वाले ड्रॉप और नाक पे चिपकाने वाली पट्टी कि खर्राटों को निकलने न दिया जाए हालाँकि मैं कहती रही थी कि मेरी नींद को कुछ नहीं बेध पाता पर उसकी अड़ थी कि वह फ़िकर करता रहेगा कि बेध पाता है और मेरी नींद बिगाड़ रहा है और सो नहीं पाएगा और हँसा नहीं जब मैंने कहा कि फिर खर्राटे भी तो नहीं भरेगा।

बड़ा स्वीट है न मैंने सोचा उसके तकिये में सिर घुसाते हुए, हम औरतों जैसा, क्योंकि मैं समझ गई थी वह उछलकर दाँत को इश्तिहार-छाप चमक-दमक देने और मुँह को पेपरमिंट-छाप महक-महक देने गया है, इसके पहले कि मैं उसे धर दबोचूँ। उसी पल बाहर से आती सड़क सफ़ाई की हाई फ़ाई आवाज़ें मैंने सुनीं—खच-खच ब्रश और कचड़े को हवा के साथ हप्प-हप्प निगलता अजगर जैसा पाइप और इंजन की घिर्र्र-घुर्र्र और मैं भी फुदकती गई खरगोश माफ़िक अचानक चेत कर कि यह तो सवेरा हो गया और अख़बार-वक़्त हो गया और मीठे मुख श्वास वाला आदमी ज़रूर मुझ तक आने की यात्रा के बीच उस तक जाएगा।

खरगोश ने बाज़ी मार ली।

लेटी रही बिस्तर पर फैल के और अख़बार फैला के और वह फैले कपड़ों के बीच से बढ़ता चला आया खबरों की तलब में।

सबसे नौयज़ी कमरा है यह, उसने खुनस्ना शुरू कर दिया, अख़बार ढेर नौयज़ करते हुए उठाते-उठाते। वैसे सच खिड़की से इंजन का शोर और हवा का मशीन के संग शप शप शूँ-शूँ, अन्दर घुसते दिखाई पड़ रहे थे। हम होटल बदल देंगे, उसने आँखें तरेरी अगर वह कमरा नहीं बदलते

मुझे होटल पसन्द आ गया था। अभी जब याद से फिर उसे खड़ा कर रही हूँ तब भी पसन्द आ रहा है। सारी कोशिशों के बाद भी थोड़ा निम्न टेस्ट के भोंडेपन से चिपके रहने की लाचारी वाला होटल। लॉबी और रिसेप्शन की दीवारें तस्वीरों से भरी कि दीवार न हो नदी का पाट हो और तस्वीरें न हों नदी खुद हो जो बलखाती बहती चली जा रही है, सीढ़ियों की दीवार पर भी मटराती हुई और कमरों में भी लहलहाती और हमारे कमरे में मातीस, क्ले, क्लिम्ट के रीप्रोडक्शन। फ़र्श पर और सीढ़ियों पर मढ़ा मोटा, गाढ़ा, लाल कालीन सरासर ग़लत अगर जगह और विस्तार का आभास कराना हो जहाँ वे हैं नहीं। और पुस्तिकाएँ और पत्रियाँ, अख़बार के हुजूम जैसी, रिसेप्शन पर रखी कि यह वॉक, यह दृश्य, पर्यटकों के लिए इस शहर में।

जिस शहर में ख़ास कुछ ऐसा नहीं कि कोई कहे यह इस शहर की ही बात।

पर कौन हम वहाँ उसकी गाइड बुक और टूरिस्ट वॉक और हाई स्पॉट देखने आए थे। हम तो आए थे वहाँ सुहानी सम्भावनाओं की देहरी लाँघने। घूमे ज़रूर हम इधर-उधर गली चौबारों बाग-बगीचों में, उस शहर के, जो निरे और शहरों जैसा ही था, अपने बीच के अरसे को मिटाने और सब बढ़िया था। चंगा, दुरुस्त मैंने सोचा होगा। छेड़छाड़ प्यार-व्यार के अपने एक बीते लमहे के सतरंगी बुलबुले को ई-मेल, पत्र, फ़ोनादि पर फूँक मारके दौड़ाते-लुढ़काते, खुद भी ललक से दौड़ते लुढ़कते, चले आए थे। किसी इस शहर में, सारा अन्तराल मिटाने, खींचा-खींची करते हुए अख़बार की और एक दूजे की और करके खींचा-खींची फिर करने को तैयार और फिर फिर करने को तैयार प्रेम की खींचा-खींची।

हो सकता है—विश्लेषण, खोज परख पर उतर आऊँ तो कहा जा सकता है—हम उसी बिन्दु से जलसा उठा रहे थे जिस पर काफ़ी दिन पहले हमने एक दूसरे को छोड़ा था, बीच के सारे लमहों को ग़ायब करके और उसमें उठे सारे कदमों को नज़रअन्दाज़ करके। उस शुरू के बिन्दु के बाद जीवन ठिठक गया था हमारा कि फिर चल पड़ेगा। तभी जब मिलेंगे, इस तरह हम मिल रहे थे।

या मैं?

होटल के कमरे को ही अपना घरौंदा बनाके, उसका कश्मीरी ड्रैसिंग गाउन मेरी इन्डोनेशियन-सारौंग से चुपचाप होड़ में जुटा कि हुक पर किसका पहला हक। चुपचाप की मीठी होड़। और हमारी आपस की कि पेपर पर किसका पहला हक़। वह भी चुपचाप की मीठी होड़। कभी उतनी चुपचाप नहीं।

मुझसे पूछा जाए तो कहूँगी हो न हो हमारी सुबह की नोक-झोंक में नोक अख़बार की थी और झोंक प्यार की और दोनों एक दूसरे से स्वाद पाकर और मज़ेदार होते चले। कौन पहले अख़बार झपट ले। मेरा अंगद-सा पाँव—डीलडौल में न सही, इरादे में ज़रूर—और वह नीचे फँसा पड़ा, आँखें बन्द और सब।

जाने दो यार, मैं सिर्फ़, कह रहा हूँ न सिर्फ़, दाँत ब्रश करने उठ रहा हूँ। आवाज़ कहीं आनन्दित।

बासी पड़े शादी शुदाओं की तरह मत बनो कि पहले हाथ धो लें, कुल्ला कर लें, मैं नीमहोश में ही गुर्राती, लाड़ से पर शंका में भी कि पेपरमिंट की इस ख़्वाहिश के पीछे बीच सफ़र का दूसरा पड़ाव आएगा।

अर्रे यार मैं सफ़ाई-पसन्द आदमी हूँ बस, वह बुदबुदाया पर मुड़ गया वापस और मेरी चटनी बनाने लगा। शायद, शायद मैंने सोचा हो तब कि क्या पता धनिया पुदीना को भी चटनी बनने में मज़ा आता होगा।

असल में तुम रह गई न उस बदबूदार देश में तो बस बदबू ही रास आती है तुम्हें, बदले की भावना थी उसकी मस्ती की आवाज़ में।

असल में मुझे गन्दे आदमी पसन्द हैं तभी मैं इतनी दूर तुमसे मिलने चली आई, मैंने भी फ़िकरा कसा।

तो...अब बोलो...यह क्या है...उकताया शादी शुदा आदमी...साठोत्तर की उमर...वह दाँत पीस रहा था...वैसा हूँ मैं...वह ललकारा।

नहीं जी, मैंने मखौल मारा, तुम तो औरत हो, औरत जो सफ़ाई की धुन में पागल है और मल-मल के, रगड़-रगड़ के, खाल घिस डालती है, फिर सिर से पाँव तक इत्र उँडेल के, बतौर महकते तोफ़े-सा, अपने आप को सौंपती है आदमी को।

अच्छा...तो आप आदमी...अच्छा तो...वह खेल में उतराता गया पर ऐसे भी कि खेल न हो तो भी दिखा न दिया तो वह आदमी नहीं।

पता नहीं क्या ज़वाब था मेरा, था भी या नहीं, था भी तो कब दिया और ऐसा तो नहीं कि उसी ने दिया पर जुगजुगान्तर बिस्तर में तो पड़े नहीं रह सकते थे तो किसी पल अपने बीच छेद बनाकर मैं फिसल ली और अख़बार मेरे हाथ लग गया।

इस पर हुआ यह कि हममें से किसी एक ने कहा कि हाँ-हाँ वाकई मैं आदमी हूँ क्योंकि मुझे अख़बार की बीमारी है।

वह रूठा-रूठा लगा तो मैंने उसके सिर पर हल्के से हाथ फेरा, उन घने घुँघराले बालों की याद में जिन्हें जब वे थे मैं छू न पाई। तब बाल सहलाने की छूट अपनी नहीं थी। अब तो खैर सारी छूट थी, पर बाल चले गए थे।

फिर भी उसने अख़बार लपकने की कोशिश की पहले तो ऐसी न थी कहते हुए और जब देखा मेरी मंजिल बाथरूम है ज़ोर से बोला मुझे दे दो। आँखें जैसे कड़े किसी धातु की उस क्षण। आज देख रही हूँ।

तुम अभी सो रहे हो।

नहीं सो रहा, वह फ़ुर्ती से उठ बैठा और तकिया सिरहाने खड़ा करके उस पर टेक देकर ज्यों मुकाबले के लिए तैनात।

मैंने अख़बार के हिस्से करना शुरू किया, खेल वाला पेज उसे दूँ, सम्पादकीय साथ रखूँ।

नहीं, वह चीख उठा, तोड़ो नहीं, फोड़ो नहीं। अख़बार के टुकड़े-टुकड़े मुझे बहुत ही बुरे लगते हैं, ठीक है बाबा ठीक है, तुम पहले पढ़ो पर पूरा रहने दो, वह हार के बोला, और पूरा देना, उसने हार को आदेश में गुमाना चाहा और गीला मत करना, उसने गुस्से की लेप लगाई।

गीला होगा तो साफ़ पानी से, मैंने सफ़ाई दी और चिढ़ाया, पर क्या ज़रा रिरियाई भी?

घिन आती है, उसकी आवाज़ क्या कठोर और ठंडी थी?

अगले रोज़ कौन जनाब बाथरूम से पेपर लेकर निकल रहे हैं? वह जनाब खुद।

तो अब हग्गू वग्गू पेपर से घिनाते नहीं? मैंने ताना दिया पर तेवर बनावटी।

न गीला है, न हग्गू वग्गू है, उसने खिलकर कहा, अख़बार को लपेटकर डंडी बनाया, हल्के-हल्के मुझ पर आज़माया। हल्के-हल्के पर ज़ोर-ज़ोर की चाह से। फ़तेह की मुस्कान से।

गन्दे कहीं के, मैंने चुभोया। ड्राई क्लीनिंग करके चले आए। पश्चिमी सभ्यता। इधर-उधर बचने को कसमसाती और उसे अख़बार छीनने की कोशिश जतलाती पर हार तो गई ही थी।

पहले पूरब की जलभरी सफ़ाई, छपाक-छपाक, फिर पश्चिमी ड्राई क्लीनिंग। सब पर हावी उनका टॉयलेट पेपर।

तो यह दूसरी तरह का पेपर हमें भी देख लेने देंगे? मैंने हाथ फैलाया अपने भिखमंगेपन पर खिन्न हो। क्यों गधी ने, मैंने खुद को कोसा, रात इतनी वाइन पी ली, सोती रह गई न और सब तभी न?

देर हो रही है, नाश्ता नहीं मिलेगा, नीचे ले चलो, वहीं पढ़ना। उसका निर्देशन चालू हो गया, खुश खुश कि मेरा संचालन उसके हाथ में आ गया है। वैसे मैं देख चुका हूँ, चुटकी भी ली, इतना सुख मिल रहा था उसे, तुम पढ़ती नहीं हो, बस बराबरी दिखानी है आदमी से, तो हाथ में पकड़े रहना है।

तुम कह रहे हो यह तुम कह रहे हो, मैं हकलाई बजबजाई और अब क्या मालूम छेड़ में कि सच में क्योंकि नाटक और वास्तविक ज़रा इधर ज़रा उधर भर का मामला है और क्या पता मैं गम्भीर कुछ मज़ाक के लहजे में उठा रही थी? कि तुम, आदमी, कह रहे हो, जो सबसे ज्यादा बस हाथ में पकड़े बैठे रहते हो।

अख़बार नहीं सारा खोया पौरुष पा गया था ऐसी खिल खिल उसके चेहरे पर! तुम तो कहती हो मैं आदमी हूँ ही नहीं, औरत हूँ। फिर काबिज़ हो गया मुझ पर कि जैसे अभी तो और पौरुष जमाना है।

अब नाश्ते को देर नहीं हो रही? दूसरी तरह की हमारी पकड़म-पकड़ाई होने लगी।

ठीक लगती थी यह सारी खटापट। कुश्तम-कुश्ताई, ताना-तन्नाई। इस किस्म की भी उस किस्म को भी। दोनों ही लगते थे सुन्दर। एक खास वक़्त और जगह का चमकता कण जो जड़ा था हमारी रोमांस की अँगूठी में किसी बेशकीमती नगीने की तरह जिसे मैं पहनूँगी निरन्तर आने वाले दिनों में प्यार से, हर्षोल्लास से।

कोई पूछेगा मुझसे तो मैं अख़बार को वह फिरकी बताऊँगी जिस पर नाचे वह चमकते दिन। और रात। अगर पूछेगा। मुझसे। कोई। हाँ फिर से कहना पड़ रहा है क्योंकि अब आज है, वे दिन नहीं और अख़बार बीत और बहुत कुछ कहीं फिंका लुटा धूल खाता।

फिर भी कहूँगी, ज़िद्दिया के कहूँगी कि अख़बार फिरकी ही नहीं, ऐसा मंच भी था जिस पर चढ़के हम अपनी मनचाही सारी रोल अदायगी का मज़ा देते और लेते रहे। उन साथ के दिनों में। जो खुशनुमा खुशफ़िज़ा थे मैं तो कहूँगी। ज़ुबान दी अख़बार ने हमें, गालियों की, प्यार भरी गालियों की, दलीलों की, बकवाद तक की, कुछ की भी और सब कुछ की भी। राजनीति, धर्म, गुज़रा हुआ अन्तराल, जिसपे चाहा उसकी बात की हमने, अख़बार के आपसी दंगल के बहाने उन साथ के दिनों में। खुशनुमा खुशफ़िज़ा मैं तो कहूँगी। हर समय अख़बार में घुसे रहने के बाद भी तुम इतनी जाहिल जपट कैसे वह घुड़कता, मेरी राय से असहमति हो तो। तुम कितने बड़े झूठे हो, मैं पिल पड़ती, जो आँकड़े अख़बार से उठाते हो अपने सबूत देने जबकि कहते हो उसका हर पेज झूठा है। लौट-लौट के अख़बार पर, बात जो भी, मूड जो भी और अपने-अपने ढंग रंग जो भी। यों चला। प्रेम का दंगल। सुबह और अख़बार। फ़ोकस और अड़। और मुकाबलाबाज़ और शक्की। और शेर और चूहा। और आदमी और औरत। और जीते और हारे। और रिश्ते ही रिश्ते। नहीं दूँगी अख़बार जब तक कोई सौदा नहीं करते। अरे बस देख लूँ मैच में क्या हुआ। बारिश. मैंने ठहाका दिया। उसने मुँह टेढ़ा किया, बॉक्सिंग की ढकी-ढुकी हिंसा। अख़बारी नखरे।

अख़बारी प्यार। सब कुछ बीच में क्योंकि अख़बार।

इसलिए सब कुछ होना है आगे भी, मैं मान के राग छेड़ती, कि अगला प्लान भी तो चलो बनाएँ कि फिर कब मिलेंगे और उसके आगे? आगे मैं कह रही थी और देख पीछे रही थी, अख़बार के दिनों से पीछे हमारा टिमटिमाता जोड़ा।

आया, जैसे आएगा ही, आखिरी दिन। रात वही सब हुआ था फिर से। सदियों से होने वाला पागलपन। वही क्रियाएँ, वही स्पर्श, वही शब्द, आदम और हव्वा के ज़माने से दोहराए जाते और फिर भी कोई क्यों नहीं उकता गया है? वह नर्म-नर्म बातें पर अंग-अंग यों कि मानो नर-हत्या पर उतारू। हिंसा की महक। कस्तूरी और चन्दन और मुसे हुए फूलों की महक।

यह लो, अख़बार। उसने कहा, दरवाज़े के नीचे से झाँकते उसके कोने को खींच। और मेरी तरफ़ बढ़ा दिया। जैसे पहले कभी नहीं। आँखें स्नेही। आवाज़ ठंडी। खतरे की घंटी हमेशा की तरह बेध्वनि। बजे तब और सुनाई दे अब।

मुझे नहीं चाहिए था। दूसरी बातें तय करनी थीं। उसे नहीं करनी थीं। देख रही हूँ अब।

लावारिस पड़ा अख़बार। और मेरा पूछ लेना हालाँकि नहीं पूछना चाहिए था और शायद तब भी कहीं जान रही थी पर हूँ न औरत, चिन्ता, आदत, चक्कर, संस्कार, व्यवस्थापक, राजनीति, गले में हड्डी, न ऊपर न नीचे, तो पूछ लिया बनी रफ़्तार के बहाव में, प्लान, हमारा प्लान, आगे, अगला, मोड़, मुलाकात।

उसका चेहरा। उधर कि फिर लौटना नामुमकिन। मौत का जैसे।

सुन रही हूँ अब।

पर बोलती गई क्योंकि पहिया कुछ देर अपनी रौ में ही बढ़ता चलता है और इस भागमभाग दुनिया में प्लान व्लान पहले से पक्के करने होते हैं।

यहाँ आओ, उसने बिस्तर अपने बगल में थपथपाया, मुझे कुछ कहना है।

क्योंकि मस्त रहे पर यह बात तो करनी ही है।

फिर कुछ नहीं कहता।

ज़रूरी है कि

पर नहीं है ज़रूरी, तब कहता है।

देखो...

देख ली कहता है

कि

अपनी सीमा। यही है

मैं जानती हूँ तीर कैसे जाता है।

ज़िन्दगी अजीब है, उसने कहा।

और भीतर घुस के अटक जाता है।

तुम रात कितनी सुन्दर लग रही थी। और फिर जब आगे निकलता है तो तीर की तरह नहीं, कुएँ से उठती डोलची की तरह खदबदाते हुए।

यह सीमा नहीं है, खदबद, खदबद, लपड़ सपड़, निकला मेरे मुँह से, अख़बार है बस। डाली एक घबराई नज़र उसके पन्ने पर कि क्या वहाँ रोज़ की मारधाड़, कत्ल, आत्महत्या, बलात्कार, चोरी की खबरों के अलावा जो उसका चेहरा इस सन्देश से भर गया है।

सुनो ए मैंने कहा। उसे दूर होते जाते देख, जाना पहचाना उसका जिस्म, छह फ़ुट और सब, पास मेरे, छोटा होता गया, होता गया, पीछे और पीछे, किसी बीते हुए बुलबुले की तरफ़, जाता रहा, जाता रहा, विलीन होने उसमें और बस दूर कहीं।

लम्बे अरसे के बाद मिलते हैं, अजनबियत होती है, पंख सी उड़ जाने दो, चूम कर पुँछ जाने दो, ज़रा वक़्त दो, ज़रा और वक़्त दो, लेने दो काया को एक सँजोई स्मृति से तपन और फैलने दो उसे एक दूसरे में, नए कोनों कोटरों में, नए जोड़ जमाव में, नाप में माप में और अख़बार नहीं जो सिर्फ़ बहकाता है, भटकाता है और कुछ और जो हो रहा है उसे छिपाता है और फिर देखो कैसा तो झटका लगता है और वह सारी बातें जो मैंने नहीं कही और कह देनी थीं पर क्या कह देनी थी?

अख़बार की बात नहीं है अब बस। उसका ठव यों कि अब बस।

अख़बार झूठ बोलता है मैंने रेलवे स्टेशन में उसकी जाती पीठ पर पुराने मज़ाक का लप्पा लगाया।

वह मुड़ के मुस्कराया, खेल के सफ़े को छोड़कर और ट्रेन में चढ़ गया।

फिर कुछ नहीं बचा था कहने को। सच्ची। कुछ नहीं। बचा था। कहने को। गया। दाँत साफ़ करने नहीं। न बीच राह अख़बार लपक लेने। हो गया था पूरा। किस्सा। छह दिन में उसने अपनी सीमा दिखा दी थी। छह दिन में उसने अपना पूरा जीवन जी लिया और मर गया और जैसी कि उसकी सिफ़त है पूरा होते ही प्रेम भ्रम बन गया। कोई फ़र्क नहीं पड़ता कि एक माने या दोनों, एक ही मानें तो भी काफ़ी है और हो गया खत्म। और प्रेम प्रसंग खत्म होता है तो कस्तूरी और चन्दन वापस बदल जाते हैं पसीने और घुटन की महक में और वही रहते हैं वे फिर।

ठुकराई हुई और आज़ाद मैं मुड़ी कि अपनी ट्रेन के आने तक समय काटूँ किसी जुगाड़ से।

थक गई थी। कितनी। फिर सफ़र। फिर समेटो। फिर सहेजो। ये। और वो। शहर वैसा ही लग रहा था जैसा कल और जैसे हमेशा से हम यहीं रहते थे। जाना पहचाना, अपना अपना। सड़क पर आने जाने वाले भी परिचित लग रहे थे, खरीदारी, खाने-पीने के चाव में निकले। वक़्त था कि पार्क तक घूम आऊँ, पुराने किले की दीवार छू आऊँ और लौट लूँ और क्यों नहीं जब वक़्त था।

सो किया वही।

गई पैदल टैरेस कैफ़े की बगल से जहाँ हर रात हम नाइट-कैप के लिए आते थे और खेल-खेल में कयास लगाते थे कि सामने से निकलते लोगों में दूसरे को किसमें दिलचस्पी होगी, उसके चेहरे को देखकर या भाव को या चाल को, एक दूसरे की पसन्द की अपनी सूझ का सबूत देने। पुराने गिरजाघर के पास से निकली और दुकानों और चिमनी वाली छतों की बगल से और नई सपाट चपटी छतों के ब्लॉक के पास से और पेड़ों की कतार के नीचे सड़क पर गाड़ियों की चीखों के बीच से और लाल बत्ती पर पैदलों के संग और हरी पर उस पार पार्क में और वापस उसी राह, शहर वैसा ही दीखता, शहर वैसे ही देखती, पर पहली बार अपनी अकेली आँखों से केवल, जानते हुए कि असल तो हर बार उसी तरह देख रही थी और उन छह दिनों में भी जो उतने में ही हो गए थे पूरे।

तन्द्रा टूटी पर रौ नहीं जब उन नये माचिसनुमा घरों के आगे से निकली। चाल की गति में फ़र्क नहीं ला पाई, लय भरसक बनाए रखने की चाह की आदत में। अहाते में बेहद लड़ाकू मजमा। पुष्ट तन जवान लड़के, झगड़ते, धक्का देते, आँखें तरेरते, चीखते। पौरुष, मर्दानापन, सामाजिक-ऐतिहासिक-राजनैतिक संस्कार और स्वभाव। हाथापाई मुकाबला माफ़ियापन। हवा में सनसनी और बूढ़े और अधेड़ लोग, बच्चों और कर्त्तव्यों के बीच, घबराए धुकधुकाए ज़ोर ज़ोर से पुकारते हुए—रोको उन्हें जल्दी वह रहे—और सायरन, ढेरों पुलिसकारों के, पास और पास आते हुए और मैं अपनी चाल, अपनी दिशा, कुछ भी बदल पाने में नाकामयाब, अनमनी निकल रही हूँ निरावेग ढंग से, ठीक उस फाटक के आगे से, सोचती कि क्या हो अगर उनमें से कोई एक पिस्तौल या चाकू अचानक फहरा दे और क्या हो अगर उनकी क्रौसफ़ायर में मैं आ जाऊँ और सोचती अचानक कि हूँ क्या आखिर, सिर्फ़ कमज़ोर औरत एक, अकेली, बेसहारा, ढोती उसी इतिहास को जिसने मेरी कहानी कहाँ कही है और देखती मन के पटल पर एक सिंगल रील में घूमती सदियों की हिंसा और दहेज़ और जली औरतें और बाढ़ और बाल विवाह और परमाणु बम और साम्प्रदायिक विस्फोट और बलात्कार और अकाल और छूटी औरत और रह गई औरत और दुनिया भर के ज़ुल्म का अहसास मुझमें धँसता हुआ और सिर मेरा दुख और पस्ती से झुकता हुआ भीतर ही भीतर, और उठा के चलती जा रही हूँ उसे, बाहर ही बाहर, दिखाने को कि सहज हूँ, हौसला है और जानती हुई उनकी बगल से निकलते हुए कि अकेली हूँ और कोई नहीं बचानेवाला मुझे और रो सकती हूँ अभी और हर आस्था, हर मूल्य को खो सकती हूँ और पुलिसवैनों की दबक-दबक जलती बत्तियाँ हैं और पी-पौं पी-पौं चीखते हॉर्न हैं और चारों ओर सशस्त्र फौज है और उनके चुस्त लिबास पर बटन दप-दप चमक रहे हैं और वे भाग रहे हैं, घेर रहे हैं जहन्नुम की आग हों जैसे।

चलती चली जा रही हूँ बिना मुड़के देखे कि क्या हो रहा है।

खिड़की

शशिभूषण द्विवेदी

बरसों पहले कथागुरु ने कथा कहने के लिए मुझे कुछ सूत्र दिये थे। तब से वे मेरे पास यूँ ही पड़े हुए हैं। मुझे नहीं मालूम कि मुझे उनका क्या करना है या उनके जरिए कोई कथा कही भी ज़ा सकती है या नहीं। वैसे सूत्रों के जरिए कथा कहने की प्रक्रिया पुरानी है और दिलचस्प भी। चूँकि काफी दिनों से मैंने कोई कथा नहीं कही इसलिए बेचैन हूँ। डरता भी हूँ कि प्रयोग के चक्कर में कहीं अच्छी-भली कथा का सत्यानाश न कर बैठूँ। लेकिन कथा है कहाँ? जब कोई कथ्य ही सामने नहीं तो कथा कैसी? लेकिन यह तय है कि मुझे आज एक कथा कहनी है और जब कथा कहनी ही है तो कुछ न कुछ तो करना ही पड़ेगा। क्यों न आज कथागुरु के सूत्रों को आजमा ही लिया जाए। शायद उसी से कुछ निकल आए। लेकिन उससे पहले मेरे सामने अतीत के महान कथागुरुओं की कुछ चेतावनियाँ भी हैं। एक चेतावनी कहती है कि सूत्रों के जरिए कथा वे कहते हैं जिनमें प्रतिभा नहीं होती और जिनमें प्रतिभा होती है, उन्हें किसी सूत्र की कभी कोई ज़रूरत नहीं होती। यानी कथागुरु का फार्मूला लेने के लिए पहले मुझे खुद को प्रतिभाहीन मानना होगा। चलिए, यह भी सही...मान लेते हैं। वैसे भी प्रतिभा का चक्कर बड़ा गड़बड़ है। उसके बारे में ठीक-ठीक कोई नहीं जानता जैसे मैं नहीं जानता कि इस समय मैं आपको कौन-सी कथा सुनाने जा रहा हूँ।...फिलवक्त तो मैं अपने छोटे से कमरे में बैठा कथागुरु के सूत्रों का वाचन कर रहा हूँ और कथागुरु कह रहे हैं कि वत्स! कथा कहने का पहला सूत्र यह है कि कोई भी बात कहीं से शुरू करो। कथा में इससे कुछ फ़र्क नहीं पड़ता, न इस बात से कि आपकी कथा का विषय क्या है। कथा किसी विषय पर कही जा सकती है। बस, थोड़ा-सा गणित का अभ्यास, कल्पना की उड़ान और बातें बनानी आनी चाहिए। तुम चाहो तो गाय, भैंस, घोड़े, बिल्ली, मेज-कुर्सी, छुरी, चाकू–किसी पर भी कालजयी कथा कह सकते हो। याद रखो विषय महत्त्वपूर्ण नहीं होता। महत्त्वपूर्ण होती है दृष्टि। मैं गुरु की बातों को सिर आँखों पर रखते हुए अब सोच रहा हूँ कि जब इतने सारे विषय सामने हैं तो कथा कहूँ किस पर? फिलहाल मैं जहाँ बैठा हूँ उसके ठीक सामने एक खिड़की है। खिड़की पर परदा पड़ा है। मैं सोचता हूँ कि जब गुरु कह रहे हैं तो क्यों न खिड़की पर ही कथा कहूँ। लेकिन इस खिड़की को देखते हुए न जाने क्यों मुझे पन्द्रह साल पुरानी एक खिड़की याद आ रही है। यह उस छोटे से कस्बे में थी जहाँ मैंने अपनी ज़िन्दगी के सबसे बुरे दिन काटे। इतने बुरे कि मैं उन्हें याद नहीं करना चाहता लेकिन...

मुर्दा लोग, लहूलुहान शहर और वह खिड़की...

याद आ रहा है पन्द्रह साल पुराना वह लहूलुहान शहर जिसकी चीत्कार तब किसी ने नहीं सुनी। मैंने भी नहीं। खिड़की से मैं उसे उसी तरह देखता था जैसे कोई धरती से चाँद को देखता है। बादलों के बीच लुकाछिपी करता चाँद कभी बहुत मोहक तो कभी बहुत उदास-हताश नज़र आता है। उसकी उदासी, उसकी पीड़ा, उसका अकेलापन सब कई बार बादलों के पीछे छिप जाते हैं। शहर की उदासी बादलों के पीछे तो नहीं...हाँ, कई बार टीवी के एंटिनों के

पीछे ज़रूर छिप जाती थी। खिड़की से मैं देखता दूर-दूर तक गगनचुम्बी एंटिनों का विशाल झुण्ड...लगता जैसे शहर के शरीर में किसी ने हजारों-लाखों बर्छियाँ धँसा दी हैं और वह तड़प रहा है। राकेश शर्मा को चाँद पर गये तब सात साल हो चुके थे और शहर आँखों में चाँद का ख्वाब लिये हाँफ रहा था। मैं इसे हाँफते-तड़पते चुपचाप खिड़क से देखता। जिस खिड़की से मैंने इसे देखा वह सात बाई नौ फुट के एक छोटे से कमरे में थी। कमरे में दरवाजा था लेकिन खिड़की में कोई दरवाजा नहीं था। मुझसे पहले जो आदमी इस कमरे में रहता था उसने अखबार वगैरह चिपकाकर इसे ढक रखा था। ऐसा करने के बाद इस कमरे में खूब अँधेरा होता होगा। इतना कि दिन में भी बल्ब जलाने की ज़रूरत पड़े। जो आदमी मुझसे पहले इस कमरे में रहता था, शायद उसे अँधेरे से बहुत प्यार था। अँधेरे से प्यार का मतलब रोशनी से घृणा भी हो सकता है। रोशनी से घृणा करने वाला आदमी समाज से भी घृणा करेगा—ऐसा मुझे बचपन में सिखाया गया था। बचपन की सीख के आधार पर ही उस वक्त मैंने यह निष्कर्ष निकाला था कि मुझसे पहले जो आदमी इस कमरे में रहता था, वह शत-प्रतिशत समाजविरोधी रहा होगा। मेरे लिए यह चिन्ता की बात थी क्योंकि मेरे बगल वाले कमरे में भी एक अराजक आदमी रहता था। उसके बगल में भी दो-चार लोग रहते थे जो समाजविरोधी तो नहीं थे लेकिन बहुत सामाजिक भी नहीं थे। उनके कमरे के सामने से गुजरते हुए मुझे हमेशा एक अजीब-सी दुर्गन्ध आती थी। मैं इस दुर्गन्ध से घृणा करता था। शायद यही कारण था कि मैंने उन लोगों से कभी बात नहीं की। न उन लोगों के कमरे में कभी घुसा। उन्होंने भी कभी मुझसे बात नहीं की। मुझे आश्चर्य होता है कि बिल्कुल सामने रहते हुए हमने कैसे बिना बात किए इतने दिन गुजारे।

मैंने जब यहाँ कमरा लिया तो पहली बार तो उबकाई-सी आई थी। आश्चर्य हो रहा था कि लोग यहाँ कैसे रह लेते हैं। लेकिन धीरे-धीरे आदत पड़ गई। इसके सिवाय और कोई चारा भी तो नहीं था। उस वक्त मेरी यह हैसियत नहीं थी कि मैं शहर की पाश कालोनियों में रह सकूँ। वैसे ये कालोनियाँ भी कहने को ही पाश थीं, जैसे यह शहर कहने को शहर था।

तो इस शहर में मैं जब पहली बार आया तो काफी परेशान हुआ। कायदे का कोई होटल भी नहीं। किराये का कमरा भी मिला तो यहाँ बजबजाती नालियों के बीच। लगता था जैसे सारा शहर मुझे घूर रहा है मानों मैं चिड़ियाघर से छूटा कोई जानवर हूँ।

ऐसे ही किसी वक्त यह खिड़की मेरा आसरा बन गई थी। अपना अकेलापन काटने को मैं यहाँ से बाहर की उस दुनिया को देखने की कोशिश करता जो मेरी होते हुए भी नहीं थी।

मेरा कमरा दूसरी मंजिल पर था जिसकी खिड़की से पूरी गली का विस्तार साफ नजर आता था। सिर्फ़ यही नहीं, गली के बाईं तरफ वाली सड़क भी यहाँ से साफ़ दिखती थी जहाँ अक्सर शाम को कुछ कारें खड़ी दिखाई देती थीं। उस वक्त शहर में सिर्फ़ एक सिनेमाहाल था जो पहले लकड़ी के लट्ठों पर खड़ा था और जिसके चारों ओर काली पालीथीन लपेटकर अँधेरा किया गया था। बाद में यह सीमेन्टेड हो गया। हाल के बाहर एक चाय की गुमटी थी। वहाँ शायद पकौड़े वगैरह भी बनते थे। उसी के बगल में कोतवाली थी जहाँ दो-चार पुलिस वाले हमेशा फुर्सत में सुर्ती फाँकते दिखाई देते। सिनेमाहाल के आसपास शहर का बाजार था। एक सीधी-सी सड़क थी जिसके दोनों तरफ दुकानें सजी रहती थीं। दुकान से ज्यादा सड़क पर ठेले और खोमचे थे। पान लगाने वाले या सिन्दूर, टिकुली और काजल बेचने वाले। शहर के बीचोंबीच बाल जीवन घुट्टी का एक विशाल होर्डिंग लगा था जिसमें एक हृष्ट-पुष्ट बच्चा ताली पीटते हुए शहर के तमाम बच्चों को चिढ़ा रहा था। स्त्रियाँ जब भी उधर से गुजरतीं एक नजर उसे ज़रूर देखतीं। उसे देखते हुए उनकी आँखों में पल भर को खास तरह की चमक आती। फिर वे अपने दुबले-पतले मुरझाए बच्चे को देखतीं और उन्हें छाती से लगा लेतीं। छाती से चिपका बच्चा जब दूध के लिए मचलता तो वे उसे अपने आँचल में छिपा लेतीं।

सिनेमाहाल के सामने साँडे का तेल बेचने वाले, अँगूठी और जादुई ताबीज़ बाँटने वाले और इस तरह के तमाम लोग बैठते थे। वहीं कानों में बड़े-बड़े कुण्डल डाले एक ज्योतिषी भी बैठता था। उसके पास पिंजरे में बन्द एक तोता था। वह लोगों का भविष्य बताता। उसके पास आने वाले ज्यादातर छात्र और मजदूर वर्ग के लोग थे। यहाँ कभी-कभी संपेरे

और बन्दरों का खेल दिखाने वाले भी आते थे। आदिम सैल्समैन बिसातियों का तो यह अड्डा ही था। यहीं एक पगली बैठती थी जो दिन भर शहर में मारी-मारी फिरती और रात में यहाँ आकर सो जाती। सर्दी-गर्मी-बरसात का उस पर कोई असर नहीं। न कभी किसी ने उसे बीमार होते देखा। उसके बारे में कोई कुछ भी नहीं जानता था। न उसका कोई अतीत था, न भविष्य।

सिनेमाहाल के पीछे शहर का एकमात्र इण्टर कॉलेज था। यह आश्चर्यजनक है कि इस कॉलेज में तब लड़के-लड़कियाँ साथ पढ़ा करते थे। उससे भी ज्यादा आश्चर्यजनक यह कि इसमें एक अध्यापक महिला थीं। ममता पाण्डे नाम था उनका। निहायत ही खूबसूरत और सलीकेदार। बाद में उन्होंने आत्महत्या कर ली। ठीक आठ बजे मैं रोज उन्हें खिड़की से कॉलेज की तरफ जाते हुए देखता। याद नहीं कभी इसमें कोई नागा हुआ हो या समय में कोई हेर-फेर। उनके बालों की हल्की सफेदी बताती थी कि उनकी उम्र यही कोई चालीस के आस-पास रही होगी। कहते हैं कि उन्होंने शादी नहीं की। शहर में अकेली रहती थीं। शादी न करने के अलग-अलग कारण लोग बताते। उसमें एक कारण यह भी था कि उनके पिता बचपन में ही गुजर गये थे। भाई-बहनों की जिम्मेदारी उठाते-उठाते उन्हें अपना ख्याल ही नहीं रहा। लेकिन उनकी आत्महत्या के बाद लोग ऐसा नहीं मानते। दरअसल यह आत्महत्या नहीं, एक सुनियोजित हत्या थी। आज से पन्द्रह साल पहले उस छोटे कस्बे में ऐसा हुआ—सोचकर ही मुझे आश्चर्य होता है। चालीस साल की उस अधेड़ औरत की चीखें अब भी कई बार मुझे बेचैन कर देती हैं।

जिस दिन उन्होंने आत्महत्या की, उसके दस दिन बाद तक मुझे उनके बारे में कोई सूचना नहीं मिली। उन दस दिनों तक मैं रोज खिड़की पर बैठकर उनका इन्तजार करता रहा। दसवें दिन अचानक पान की दुकान पर किसी ने कहा कि 'वो मास्टरनी तो बड़ी रण्डी निकली'। मैं चौंका। पूछने पर पता चला कि ममता पाण्डे ने सल्फास की गोलियाँ खाकर खुद को मार डाला उस समय उनके पेट में बच्चा था। आगे सूचना यह थी कि ममता पाण्डे अपने ही कॉलेज के किसी छात्र से फँस गईं थीं। लड़के के अभिभावकों को जब पता चला तो उन्होंने ममता पाण्डे को खूब खरी-खोटी सुनाई। वह सलीकेदार और सभ्य औरत वह सब बर्दाश्त नहीं कर सकी और एक सम्भावना जो जन्म दिये बगैर ही इस दुनिया को रुख़सत कर गई। उस रात मैं घर लौटकर खाना नहीं खा पाया। एक अधेड़ स्त्री का चालीस साल लम्बा हाहाकार मुझे बेचैन किये हुए था।

दस-पन्द्रह साल पहले इस घटना ने शहर को भीतर ही भीतर हिलाकर रख दिया था। मैं कभी उस छात्र से नहीं मिल पाया, न उसके परिजनों से लेकिन उनके बारे में मुझे सज्जन मियाँ ने बताया। इस मामले में सबसे प्रामाणिक सूचना उन्हीं के पास थी। वे इक्का चलाते थे। ममता पाण्डे का जिक्र आते ही उनके चेहरे के भाव बदल जाते। गहरी साँस लेकर आसमान की ओर उँगली उठाते हुए कहते—'बेचारी...!'

सज्जन मियाँ मझोले कद के हँसमुख इन्सान थे। खिचड़ी बाल और लम्बोदरा चेहरा। दाढ़ी ऐसी जैसे पैदायशी हो। मुँह में हमेशा पान दबाए रहते। उनके लिए सवारियाँ रिश्तेदार की तरह थीं। किसे कहाँ जाना है—यह उन्हें मालूम रहता। कुरेद-कुरेदकर उसकी पूरी वंशावली जान लेते। बताने वाला कितना ही ढीठ हो—सज्जन मियाँ के आगे उसकी एक न चलती। सज्जन मियाँ के इक्के की घोड़ी भी उन्हीं की तरह थी। दुबली-पतली...मरगिल्ली। बच्चे उसे लेकर सज्जन मियाँ को खूब छेड़ते। ताली पीट-पीटकर कहते—'मियाँ, घोड़ी है चंचल चाँदनी...क्या काबुल से आई...' और सज्जन मियाँ उन्हें सोंटा लेकर दौड़ाते हुए कहते—'काबुल से न आई तो का तोरी अम्मा के मयका से आई...सरऊ हमरी घोड़ी के नजर लगावत हैं' बच्चे ताली पीटते हुए भाग जाते। सज्जन मियाँ का एक लड़का भी था नसीम। उम्र यही कोई सोलह-सत्रह साल रही होगी। स्कूल से आने के बाद वह वहीं सिनेमाहाल के सामने गुमटी पर बैठ जाता और इधर मेरी खिड़की की तरफ देखता रहता।

प्यार तब भी एक खूबसूरत गुनाह था...

मेरी खिड़की से वहाँ की गतिविधियाँ बहुत साफ-साफ दिखाई देती थीं क्योंकि वे सड़क के उस तरफ होतीं। इस तरफ गली और उसके ऊपर छत का विस्तार ही मुझे दिख पाता था। बगल वाली छत पर मैं लगभग हर शाम एक लड़की को खड़ा पाता जो बड़ी खामोशी से सड़क के उस पार

सिनेमाहाल की तरफ देख रही होती थी। उसके हाथ में कभी कोई किताब होती, कभी गुलाब की कोई टहनी। जब उसके हाथ में गुलाब की टहनी होती तो वह सिनेमाहाल की तरफ देखते हुए धीरे-धीरे उसे नोंचती रहती। उसका चेहरा तो अब मुझे याद नहीं...हाँ, उसकी चुटिया याद है। बहुत करीने से वह दो चुटिया बनाती थी। बाद में मुझे पता चला कि सज्जन मियाँ का लड़का नसीम उसी के लिए नियत समय पर सिनेमाहाल की गुमटी पर बैठता था और लड़की भी उसी के लिए दो चुटिया बनाकर छत पर आती थी। दुनिया की नजर बचाकर वे घण्टों एक दूसरे को देखते रहते। उन्हें शायद नहीं मालूम था कि उनके सामने एक खिड़की भी है जो उन दोनों को देख रही होती थी।

उस छत पर लगभग हर शाम एक बूढ़ा गौरैयों को दाना डालने आता था। पुचकार-पुचकार कर वह गौरैयों को अपने पास बुलाता और अपनी मुट्ठी से थोड़े-थोड़े दाने पूरी छत पर बिखेर देता। दाने बिखेरने के बाद वह चुपचाप छत की मुण्डेर पर जाकर खड़ा हो जाता। गौरैया जब अपनी नन्ही-सी चोंच से दाना उठाती तो बूढ़े की खुशी देखते ही बनती थी। बूढ़ा शायद उस दो चुटियों वाली लड़की का दादा था क्योंकि पिता की उम्र का वह नहीं लगता था। जब तक सूरज डूब नहीं जाता वह वहीं छत पर खड़ा रहता। लड़की भी अपनी किताब या गुलाब की टहनी लेकर वहीं आ जाती।

इस मुहल्ले के पीछे की तरफ क्षेत्र की एकमात्र रबर फैक्ट्री थी। खिड़की से यह नहीं दिखती थी लेकिन मुहल्ले के अधिकांश लोग इसी फैक्ट्री में कामगार थे। सुबह वे सब एक साथ फैक्ट्री की तरफ जाते। शाम को वापस आते। जब वे आते तो उनके कंधे झुके हुए होते। चेहरा थकान और पसीने की चिपचिपाहट से भरा होता। खिड़की के ठीक सामने जो मकान था, वह उधर ही सड़क की तरफ खुलता था। इस तरफ सिर्फ़ एक खिड़की थी। वैसी नहीं, जैसी मेरी खिड़की थी। यह दीवार को तोड़कर बनाई गई थी जहाँ से हवा या प्रकाश आ-जा सकता था। चाहे तो कोई आदमी भी। लेकिन आदमियों को उधर से जाते मैंने नहीं देखा।

मेरी खिड़की चूँकि दूसरी मंजिल पर थी इसलिए इस खिड़की के पार मैं बहुत कुछ देख सकता था, लेकिन उधर से मेरी तरफ देखने के लिए ज़रूरी था कि खिड़की के बाहर ऊपर की ओर देखा जाए। जाहिर है कि इतनी मशक्कत कोई नहीं करता, सो मैं निरापद था।

इस खिड़की पर अक्सर साबुन की टिकिया, सर्फ या शैम्पू आदि रखे रहते थे। इसलिए मैंने अनुमान लगाया कि यह शायद बाथरूम की खिड़की होगी और यह सही भी था। अब झूठ क्या बोलूँ जिस दिन इस खिड़की पर मैंने साबुन की टिकिया देखी थी उसी दिन से मेरे भीतर एक चोर बैठ गया था। यह चोर बार-बार इस खिड़की से उछलकर उस खिड़की पर जा बैठता और जबरन भीतर घुसने की कोशिश करता। ऐसा उस दिन से हुआ जब मैंने उसे वहाँ नहाते हुए देखा था।

नहाते हुए मुझे सिर्फ़ उसकी पीठ ही दिखती थी। चमचमाते इस्पात जैसी जिसे वह हाथ पीछे ले जाकर बार-बार, इतनी बार मलती थी कि आश्चर्य होता था।...कैसे जमती होगी किसी की पीठ पर इतनी मैल...!

मैं उसकी पीठ को देखता...पीठ पर फिसलते साबुन और पानी को भी। पानी से मुझे ईर्ष्या होती। दिन के उजाले में पूरा-का-पूरा मैंने उसे बस एक ही बार देखा था। यह सुबह का वक्त था जब वह पानी लेने नल पर खड़ी थी। नल पर तमाम औरतें लड़ रही थीं। उसके आते ही सब शान्त हो गईं। उसने सिर झुकाकर नल से पानी भरा। झुकते समय सूरज की रोशनी में उसकी नाक की लौंग चमक उठी थी। हालाँकि यह फिजूल-सी बात है लेकिन मैंने उसे बस इतना ही देखा था। उसने ज़रूर मुझे भर नज़र निहारा और बाल्टी भरकर चली गई। खिड़की से जब भी मैं नहाते हुए उसकी पीठ देखता, मेरे सामने उसकी नाक की लौंग आ जाती और मुझे लगता खिड़की के उस पार भी वह उसी तरह चमक रही होगी जैसे पानी भरते समय नल पर चमक रही थी।

उस खिड़की से मैंने बच्चों की किलकारियाँ, मारपीट और रोना-पीटना भी सुना था और टीवी की तेज आवाज में कोई फूहड़-सा गाना भी। यानी पहली नज़र में वहाँ सब कुछ सामान्य था। सुबह-शाम उस घर में पूजा भी होती थी शायद...क्योंकि घण्टियों की आवाज बताती थी कि यह किसी देवता के लिए बजाई जा रही है।

मेरे बगल वाले कमरे में शकील रहता था जिसके बारे में प्रसिद्ध था कि वह पेशेवर हत्यारा है और हमेशा शराब

के नशे में धुत्त रहता है। मैं हर वक्त डरा-सहमा उससे बचने की कोशिश करता लेकिन शकील था कि मेरा पीछा ही नहीं छोड़ता। अक्सर वह मौका देखकर मेरे कमरे में आ जाता और दुनिया-जहान की गप्पे हाँकता। अपराधियों की दुनिया की अन्दुरूनी जानकारियाँ मुझे उसी से मिली थीं। हत्या के तमाम तरीके भी उसने मुझे बताए थे और बहुत संजीदगी से कहा था कि किसी को मारने का सबसे वीभत्स तरीका यही है कि उसे जिन्दा छोड़ दिया जाए।

शकील की बातें हमेशा अजीबोगरीब और दार्शनिक-सी हुआ करती थीं। वह कभी भी किसी बात पर टिककर बात नहीं कर सकता था। उसे हर खूबसूरत चीज़ से घृणा थी। बच्चे उसे नापसन्द थे और सुन्दर औरतों पर वह थूकता था।

वह जब हँसता तो बड़ा अश्लील लगता और संजीदगी उसे भाती नहीं थी। आप कोई बात करें, 'हत्या' उसका स्थायी भाव होता और वह घूम-फिरकर वहीं आ जाता। मैंने एक-दो बार उसे टोका भी लेकिन उस पर कोई असर नहीं हुआ। ऐसे मौकों पर वह अक्सर मुझे सर्द निगाहों से घूरता और बीड़ी सुलगाते हुए अपने कमरे मे चला जाता। मुझे उससे डर लगता था लेकिन मरता क्या न करता...। उसे झेलना अब मेरी नियति बन चुकी थी।

कामुक प्रेतात्मा का वह भीषण अट्टहास

शकील जब मेरे कमरे में नहीं होता, तो स्वाभाविक रूप से मैं खिड़की पर होता था जहाँ से उसकी भीगी हुई नंगी पीठ के अलावा भी बहुत कुछ दिखता था। चारों ओर बेतरतीब मकानों के बीहड़ और उनके बीच संकरी बदबूदार गलियाँ...। कुछ लोग गलियों में आ रहे होते...कुछ जा रहे होते। कुछ पता नहीं चलता था कि वे सब कहाँ से आते हैं और गली के अन्त में जाकर अचानक कहाँ गायब हो जाते हैं। सबके चेहरे एक जैसे सर्द और कठोर होते थे जैसे बेजान खिलौने हों और किसी ने उन्हें चाबी भरकर चला दिया हो।

गली की औरतों को देखकर मैं अक्सर सोचता कि ये रात को बिस्तर पर कैसे सोती होंगी या प्रेम के क्षणों में इन्हें चूमते हुए इनके पतियों को उबकाई क्यों न आती होगी। वे सब एक जैसी फूहड़ और मक्कार औरतें थीं जिनके शरीर और आत्मा को कोई कामुक प्रेतात्मा पके आम की तरह चूस रही थी। खिलती कली की तरह कोई मासूम-सी लड़की भी कब अचानक औरत बन जाती और कब उसे चूस लिया जाता—कुछ पता नहीं चलता था। स्थिति कुछ ऐसी थी कि उस कामुक प्रेतात्मा के बारे में मुझे न चाहते हुए भी विश्वास करना पड़ रहा था।

उसके बारे में तमाम सूचनाएँ जुटाकर मैं इसी नतीजे पर पहुँचा था कि यह प्रेतात्मा बहुत शक्तिशाली है और इसकी ऐशगाह में तमाम ऐसी औरतों की करुण कराहें जज़्ब हैं जिन्हें चूसकर फेंक दिया गया है। इस ऐशगाह में पुरुषों की स्थिति उन बधिया कर दिए गये नपुंसकों जैसी थी जो सुबह एक साथ उठते, खाते-पीते और मशीन की तरह काम पर चले जाते। उनके जीवन में कुछ भी अप्रत्याशित या जीवन्त नहीं बचा था सिवाय अखबार और व्यभिचार के।

अखबारी सूचनाओं के हिसाब से शहर बहुत छोटा था और सबको सबके बारे में लगभग सब कुछ पता था लेकिन शायद सतह के नीचे शहर की एक और दुनिया थी जिसके बारे में मुझे शकील ने बताया था। इस दुनिया के बारे में लोग जितना कम जानते थे उतनी ही ज़्यादा उसके बारे में सूचनाएँ थीं और पता नहीं क्यों उसके सब सूत्र खिड़की के उस पार उस भीगी हुई नंगी पीठ से जुड़ रहे थे। दरअसल उस कामुक प्रेतात्मा का सच भी यही था और रात घहराने पर मद्धिम रोशनी में मोहल्ले में आती कारों का रहस्य भी।

शकील ने एक रात शराब के नशे में कहा—'बुल्लन उस्ताद को जानते हो...'

मैंने जब मना किया तो वह उसी तरह झूमते हुए बोला—'हाँ, उसे तुम कैसे जानोगे...उसे कोई नहीं जानता लेकिन उसे सब जानते हैं।...साला गिरगिट...।' और इसी तरह वह काफी अंट-शंट बातें करने लगा। वह शराब के नशे में था। शराब के नशे में अक्सर आदमी खुद को केन्द्र में रख लेता है। दूसरे की आवाज उसे बहुत दूर से आती हुई लगती है और अपनी किसी गहरे कुएँ से...। कुएँ से आती आवाज में अनुनाद होता है। दीवारों से टकराकर वह वापस आपके पास आ जाती है और आपको लगता है कि यही सच है। शकील भी उसी सच को कह रहा था लेकिन वह मेरी समझ में नहीं आ रहा था क्योंकि उसमें करोड़ों अणुओं का अनुनाद और शोर शामिल था। वह हवा में काल्पनिक रिवाल्वर चलाता और किसी अनाम स्त्री को गालियाँ बकता। वह मुझे कुछ

समझाना चाहता था। समझाते-समझाते अचानक वह जोर-जोर से रोने लगा। मैंने जब उसे चुप कराने की कोशिश की तो वह उठ खड़ा हुआ। फिर अचानक खिड़की की ओर मुड़ा और थूक दिया। बाहर हल्का अँधेरा छाने लगा था। शकील का थूक अँधेरे में कहीं गुम हो गया। वह थोड़ी देर उसी तरह खड़ा रहा। फिर धीरे से बुदबुदाया...आदमी को अँधेरे से डरना चाहिए...।

उसकी मुट्ठियाँ भिंच चुकी थीं और चेहरा लाल था। एक अजीब तरह की बेचैनी ने उसे घेर लिया था। थोड़ी देर इसी तरह भटकने के बाद वह आकर बिस्तर पर लेट गया और बड़बड़ाने लगा—'...हाँ मैंने ही मारा उसे...मैं उसे ज़िन्दा नहीं देख सकता था।...और इस तरह खिड़की के बाहर पसरे अँधेरे का रहस्य खुलता जा रहा था। कहीं रोशनी की कोई मद्धिम किरण थी जो अँधेरे को चीर रही थी। शकील बार-बार चिल्ला रहा था—'...आदमी को अँधेरे से डरना चाहिए, दोस्त...आदमी को अँधेरे से डरना चाहिए।' पता नहीं यह भ्रम था या हकीकत लेकिन शकील की चीख अँधेरे को और गहरा रही थी। उधर खिड़की बाहर और भीतर के अँधेरे के बीच लैम्पपोस्ट बनकर खड़ी थी, जिसके नीचे कोई पगली सदियों से आदिम राग में कोई अबूझ-सा गीत गा रही थी।

इस लैम्पपोस्ट से गुजरने वाले सैकड़ों लोग थे जिन्होंने उसे सुना था लेकिन अब तक कोई भी उसे बूझ नहीं पाया था। इसी बीच उस अव्याख्येय क्षण को किसी ने खींचकर पूरे आकाश में तान दिया। बस्ती से गुजरने वाले हर व्यक्ति पर यह क्षण एक आतंक की तरह छाया था।

शकील ने कहा—'यह डायन है जो रात अँधेरे में यहाँ से गुजरती है।'

मैं एक पल को काँप गया। खिड़की से बाहर झाँककर देखा तो स्टीरियो पर एक गीत बज रहा था। मैं खुद को ढांढस बँधाया...'नहीं...कहीं कोई डायन नहीं...सब ठीक है...'

अँधेरे और रोशनी की एक फूहड़ सत्यकथा

शकील अब तक अपनी पूरी रौ में आ गया था। उसने बताया कि खिड़की के उस पार जहाँ वह रहती है... गोदामनुमा-सी जगह है। आठ-दस साल पहले चेतन के साथ वह यहाँ भागकर आई थी। तब उसके साथ दो छोटे-छोटे बच्चे भी थे। शकील ने विस्तार से उसके सौन्दर्य का बखान किया, फिर धीरे से कहा—'बहुत सुन्दर थी तब यह...चेतन हमेशा उसे सात तालों में बन्द रखता था। साल भर तक मुहल्ले में किसी ने उसका चेहरा तक नहीं देखा...हाँ, उसके दोनों बच्चे ज़रूर मुहल्ले के अन्य बच्चों के साथ खेलने बाहर आ जाते। उन्होंने ही मुहल्लेवालों को अपनी मम्मी-पापा और नए पापा के बारे में बताया। शकील को उन बच्चों से दोस्ती हो गई थी। बच्चों की बातों से उसे लगा कि चेतन एक शैतान है जिसने एक खूबसूरत राजकुमारी को सात तालों में कैद कर रखा है। राजकुमारी को इस कैद से निकालने के लिए बहुत सोच-विचारकर उसने एक रणनीति बनाई और चेतन से दोस्ती कर ली। अक्सर वह चेतन के साथ शराब पीने उसके घर जाने लगा। इन शराब पार्टियों में ही शायद तीनों के बीच वह भयानक खेल शुरू हुआ जिसने आखिरकार चेतन की जान ले ली।

शकील उन दिनों बुल्लन उस्ताद की गैंग में था। पैसों की आमद ठीक-ठाक थी। वह अक्सर राजकुमारी और उसके बच्चों के लिए कुछ-न-कुछ खरीद लाता। उसके लाए कपड़ों को राजकुमारी बड़े शौक से पहनती और चेतन कुढ़ता। चेतन की खीझ और कुढ़न कई बार विस्फोटक हो जाती और नौबत मारपीट तक आ जाती। राजकुमारी को भी यह सब बर्दाश्त नहीं होता। बहुत आत्मीय क्षणों में वह अक्सर शकील को सब बता देती और शकील बौखला जाता। आखिर एक दिन उसने चेतन को रास्ते से हटाने की योजना बना ही डाली।

शकील ने बताया कि वह एक भयानक रात थी जब मैंने चेतन को मारा...शराब के बहाने पहले उसे जंगल में ले गया। वहाँ मेरे दो साथी पहले ही इन्तज़ार कर रहे थे। हमने उसे शराब पिलाई फिर पेड़ से बाँध दिया। पूरी पाँच गोलियाँ उसके सीने में उतारी थीं मैंने...बहुत खुश था उस दिन...मैंने उसे उस राक्षस की कैद से आज़ाद करा दिया था।

'क्या राजकुमारी को पता था कि चेतन की हत्या किसने की?'

'नहीं, लेकिन उसे शक था। उसकी शक भरी निगाहें अब मुझे डराने लगी थीं। फिर मैं उसके घर कभी नहीं गया। अँधेरों से डर लगता है लेकिन अब उससे दूर भी नहीं रह सकता...मर जाऊँगा मैं...'

शकील अब खामोश हो गया। हालाँकि शकील द्वारा सुनाई गई कहानी किसी अपराध पत्रिका में छपी फूहड़ सत्यकथा जैसी ही थी। लेकिन इसमें अँधेरे और रोशनी का एक ऐसा कोना भी था जो आदमी की हर साँस के साथ उसके भीतर उभरता है और गुम हो जाता है। इसमें हजार-हजार छवियाँ एक साथ गुजरती हैं...किसी अनजान और अपरिचित दिशा की तरफ...।

तब शकील को मैंने बहुत झिंझोड़ा लेकिन वह कुछ भी बताने को राजी नहीं हुआ। उसकी खामोशी अँधेरे में अब मुझे डराने लगी थी। बाद में अलग-अलग सूत्रों से जो जानकारी मुझे मिली उसका कुल लब्बोलुवाब यही था कि एक दिन अचानक से राजकुमारी बुल्लन की हो गई और शकील को उसने झाड़ू मार-मार कर घर से निकाल दिया। अब मुझे नहीं लगता कि इसके बहुत विस्तार में जाने की ज़रूरत है क्योंकि अविश्वसनीय सही यह दुखद घटना शकील के साथ घट चुकी थी। इसका एकमात्र कारण जो शकील ने बताया वह यह था कि राजकुमारी को बुल्लन में अपनी मुक्ति का रास्ता दिखा था। शकील ने कहा–'वह है ही ऐसी...जिसे प्यार करती है बिच्छू की तरह उसे खा जाती है।'

(शकील को बातों पर विश्वास करते हुए भी मैं दुविधा में हूँ। समझ नहीं पा रहा हूँ कि आखिर राजकुमारी की चाहत के तर्क क्या थे?)

अब जो हो...सच या तो खुदा जाने या बुल्लन लेकिन शकील की पिटाई के बाद मुहल्ले में उसकी धाक जम गई थी। सरेशाम कई-कई चमचमाती गाड़ियाँ इस चिथड़े मुहल्ले में खड़ी होने लगीं। गोदामनुमा-सी वह जगह जो कभी वीरान थी और जहाँ सात-सात तालों में राजकुमारी बन्द रहा करती थी, अब रंगीन हो गई। शकील भी वहीं सामने कमरा लेकर रहने लगा। वह घण्टों उस गोदामनुमा-सी जगह के सामने खड़े होकर राजकुमारी को घूरता। राजकुमारी उसे गालियाँ देती और वह हँसते हुए उसे टाल जाता। चूँकि वह पेशेवर हत्यारा था, इसलिए अपने अनुभवों की जमापूँजी समेटकर उसने यह निष्कर्ष निकाला कि किसी की हत्या का सबसे वीभत्स तरीका यही है कि उसे ज़िन्दा छोड़ दो। राजकुमारी को भी उसने ज़िन्दा छोड़ दिया...उसके अपने भीषण भय के साथ...।

इस बीच शहर में कई और घटनाएँ भी घटीं। लोगों को कीरिंग से लेकर दर्पण तक में देवी दुर्गा के दर्शन हुए...गणेश ने दूध पिया...और शहर में बन्दरों का आतंक बढ़ा। शहर की एकमात्र रबर फैक्ट्री बन्द हो गई। हजार लोग एकसाथ बेरोजगार हुए। मुहल्ला वीरान हो गया। सर्द चेहरों वाले उन हजार लोगों के जीवन में शायद पहली बार कुछ अप्रत्याशित घटा था। उन सबकी भवें एक साथ फड़कीं...माथे की सलवटों और चेहरे की झुर्रियों के बीच अरसे बाद कुछ पिघलना शुरू हुआ। धरना-प्रदर्शन...नारेबाजी और फिर एक गहरी खामोशी...फैक्ट्री के मालिकान ब्लैकलिस्टेड हो गये और उन्होंने नए शहर में नए नाम से एक बड़ी साफ़्टवेयर कम्पनी खोल ली। इसी बीच फैक्ट्री में तालाबन्दी के खिलाफ लड़ रहे दो मजदूर नेताओं की हत्या हो गई और लोगों ने दबी ज़ुबान से इस मामले में बुल्लन उस्ताद का नाम लिया। और हाँ, इसी बीच सज्जन मियाँ का लड़का नसीम और लगभग हर शाम छत पर खड़ी रहने वाली वह लड़की शहर से ग़ायब हो चुके थे। काफी खोजबीन की गई। लड़की के घरवालों ने इस मामले में सज्जन मियाँ के खिलाफ़ एफआईआर भी दर्ज करवाई। पुलिस ने उन्हें पकड़कर मारा-पीटा भी लेकिन कुछ पता नहीं चला।

यह सब हुआ...कामुक प्रेतात्मा की उस दहशत के बीच जिसका उस मुहल्ले के चप्पे-चप्पे पर राज था। बन्दरों के उत्पात से शहर अलग त्रस्त था। कई चेहरे घायल हुए...कई घर लुटे। (फैक्ट्री की तालाबन्दी के बाद शहर में बन्दरों का आतंक और लूटपाट अन्त तक एक रहस्य रहा।)

उन दिनों भी शकील नशे में आकर एक ही बात कहता कि आदमी को चाहिए कि अँधेरों से डरकर रहे...! और सचमुच खिड़की बाहर अँधेरा घना होता जाता...वहाँ से दिखती इस्पात जैसी उसकी भीगी नंगी पीठ किसी लैम्पपोस्ट की तरह ही चमकती। कामुक प्रेतात्मा हँसती और तब तक हँसती जब तक कि सारा मुहल्ला थरथरा न उठता।

यह सब तब तक चला जब तक कि बुल्लन उस्ताद विधायकी का चुनाव जीतकर मंत्री नहीं हो गए और शकील एक गैंगवार में मार नहीं दिया गया।

हालाँकि उसके बाद भी अपनी खिड़की से सात तालों में बन्द उस राजकुमारी को मैं देखता रहा जो उस

गोदामनुमा-सी जगह में कैद थी और आधी-आधी रात को उठकर नहाने लगती थी। उसकी पीठ पर इतनी मैल थी कि छूटती ही नहीं थी। कभी-कभी वह जोर-जोर से चीखने लगती है। मैं डर जाता। फिर कोई राजकुमार उसे छुड़ाने नहीं आया। उसके दोनों बच्चे भी उसे छोड़कर चले गए। एक ने बुल्लन उस्ताद की चाकरी कर ली, दूसरा एक ट्रक में हेल्पर हो गया। कुछ दिनों बाद नसीम के साथ भागी हुई लड़की भी घर वापस आ गई। उसकी गोद में एक बच्चा था। उसने रोते हुए बच्चा सज्जन मियाँ की गोद में डाल दिया। सज्जन मियाँ सूनी आँखों से उसे देखते रहे। पता चला कि नसीम और उस लड़की ने भागकर बम्बई में शादी कर ली थी। कुछ दिन तो सब ठीक-ठाक चलता रहा। लेकिन बाद में आर्थिक तंगी से तंग आकर नसीम रेल से कट मरा। बम्बई सेन्ट्रल पर उसकी लाश के टुकड़े मिले थे। कपड़ों और जेब से मिली लड़की की फोटो से ही उसकी पहचान हो सकी।

सज्जन मियाँ अब भी उस शहर में अपने पोते के साथ हैं। लड़की का पता नहीं। घोड़ी मर चुकी है और वे रिक्शा खींचकर पेट पालते हैं। लेकिन बच्चे अब भी यह कहकर उन्हें छेड़ते हैं कि 'मियाँ, घोड़ी तो चंचल चाँदनी...क्या काबुल से आई?' मियाँ सोंटा लेकर अब उनके पीछे नहीं भागते। सूनी निगाहों से बस ताली पीटते बच्चों को देखते हैं और रिक्शा आगे बढ़ा लेते हैं। उनकी स्मृति भी कमजोर हो गई है। आँखों पर मोटा चश्मा लगाते हैं और सवारियों को कुरेद-कुरेदकर उनकी वंशावली के बारे में नहीं पूछते।

जहाँ तक उस कामुक प्रेतात्मा का सवाल है तो उसकी दहशत तो अब भी है लेकिन उससे डरने वाले उस मुहल्ले में अब नहीं रहते। टीवी के एंटीनों के रूप में दस-पन्द्रह साल पहले जो बर्छियाँ इस शहर के शरीर में धँसायी गई थीं, वे भी अचानक एक जादू की तरह ग़ायब हो गईं। केबिल नेटवर्क के तारों का जाल गली-कूचों में धमनियों की तरह फैल चुका है। बाल जीवन घुट्टी का वह होर्डिंग भी जो कभी शहर की शान हुआ करता था, बहुत पीछे छूट गया है। वहाँ अब एक शॉपिंग काम्पलैक्स है जिसकी छत पर बाल जीवन घुट्टी से चार गुना बड़ा इलैक्ट्रानिक होर्डिंग लगा है जिसमें रात-दिन सपनों की एक नई दुनिया खुलती है। शहर के लोग अब चौबीस घण्टे एक बुखार में रहते हैं। नाइट क्लब, पब और ब्यूटी पार्लरों में कुछ खोजती हुई-सी बेपहचान चेहरों की कतार लम्बी हो रही है। शहर विस्तार पा गया है। चमत्कारों की भी एक पूरी शृंखला है यहाँ जिन्हें खिड़की पर बैठकर बहुत तरतीब से समझना अब सम्भव नहीं। लोग उन्हें भकुए की तरह ताकते हैं। कई बार दिमाग सुन्न हो जाता है लेकिन...

अन्तहीन नहीं है सब...

मित्रों, कथा की शुरुआत चूँकि मैंने कथागुरु के सूत्र से की थी, इसलिए चाहता हूँ कि अन्त भी उन्हीं के सूत्र से करूँ। हालाँकि इस बीच कथागुरु के कई महत्त्वपूर्ण सूत्र मैंने छोड़ दिए हैं। खिड़की की खोज में इतना व्यस्त था कि कुछ याद ही नहीं रहा। कथागुरु की चेतावनियाँ अब मुझ पर भारी पड़ रही हैं। उहोंने कहा था कि किसी भी कथा का कभी कोई अन्त नहीं होता। हर कथा अन्तहीन है। अन्तहीन है इसीलिए कथा है। ईश्वर, प्रकृति और प्रेम की तरह...।

तो गुरु, क्या इस त्रासद कथा का भी कोई अन्त नहीं होगा? मैं गुरु से पूछता हूँ। गुरु खामोश हैं क्योंकि वे जानते हैं कि यह कथा ईश्वर, प्रकृति और प्रेम की तरह तो नहीं ही है।

फिर, कैसी है—भगवान जाने...!

रथ-क्षोभ

दीपक शर्मा

''आप नई हो?'' अपनी नब्ज़ पर एक नया, कोमल स्पर्श पाता हूँ तो अपनी आँखें खोल लेता हूँ।

''आप स्वस्थ हो रहे हैं,'' नई नर्स युवा है, सुन्दर है, कोमल है, ''नहीं तो इस आई.सी.यू. में किसी भी दूसरे रोगी को मेरा हाथ नहीं नया लगा...''

''वे बेसुध हैं,'' मैं हँस पड़ता हूँ, उसे नहीं बताता इधर अस्पताल में मैं अपने वकील हीरालाल की सलाह पर भरती हुआ हूँ, ''किसी ने एक बार कहा था अस्पताल में दाखिल होते ही ऐसा महसूस होने लगता है मानो आप किसी परिकथा के किसी दैत्य के अतिथि हैं और आपको यह नहीं मालूम आपको भोज लेने के लिए इधर बुलाया गया है या भोज बनने के लिए—''

''आप ज़रूर निरोग हो चुके हैं,'' नई नर्स हँसती है, ''बाहर बैठी आपकी बेटियों को यह शुभ समाचार तत्काल मिल जाना चाहिए...''

''मेरी बेटियाँ?'' मैं चौंकता हूँ। उनका साथ बैठना किसी भी तरह एक अचरज से कम नहीं। मधु का तालाब में डूबना बाकी रहा क्या?

''एक लड़की ग्यारह साल की है और दूसरी दस की,'' नई नर्स मुस्कराती है, ''मैं अभी-अभी उनसे मिलकर आ रही हूँ। मंजू और मधु दोनों आपकी बेटियाँ नहीं?''

''हैं तो...''

''लेकिन उनकी माँ कहीं दिखाई नहीं दी...''

''उनकी माँ सांझी नहीं। मंजू की माँ नीलिमा है और मधु की बृजबाला...''

''ओह! आपने दो शादी रचाई?''

''नहीं। बड़ी वैध है और छोटी अवैध...''

''ओह!''

''बैड मेन डू वाट गुड मेन ओनली ड्रीम,'' मैं मुस्कराता हूँ, ''बुरे व्यक्ति वह कर गुजरते हैं जिसके दायरे में अच्छे व्यक्ति केवल सपना देखा करते हैं...''

''आप अच्छे हैं या बुरे?''

''आप परखना। फ़ैसला देना अपना।''

''इस समय मैं बहुत व्यस्त हूँ,'' नई नर्स बेचैन हो उठी है, ''मैं बाद में आती हूँ। अभी आपकी बेटियों को इधर भेज रही हूँ।''

''आपका मुझे सूची में रखना कतई पसन्द नहीं,'' मैं उसे अभी बाँध लेना चाहता हूँ, ''यहाँ तक कि दूसरे स्थान पर भी नहीं। मुझे तात्कालिक सुनवाई चाहिए, बाद में नहीं...''

''आपकी बेटियों को आपकी निरोगता की खुशखबरी जल्दी ही मिल जानी चाहिए,'' वह अपने कन्धे उचकाती है और दरवाजे की ओर लपक लेती है।

''भैय्या जी,'' आह्लादित मधु मेरे पास आते ही मेरा बायाँ हाथ अपने हाथों से ढँक लेती है।

क्या मैं अपने अतीत में लौट रहा हूँ? अथवा मेरे भविष्य का कोई परलोक मेरे समीप चला आया है?

''मंजू कहाँ है?'' अपना वर्तमान मैं निश्चित कर लेना चाहता हूँ।

''वह यहाँ नहीं है,'' मधु हँसती है, ''अच्छा है, बहुत अच्छा है, वह यहाँ नहीं है। वरना वह मुझे फिर तालाब में

गिरा देती...''

जभी अपने स्कूल की लड़कियों के साथ दोनों जब पिकनिक पर गई रहीं और मंजू के साथ मधु लौटकर न आई रही और मैं मंजू से पूछे रहा, 'तुमने पिकनिक के समय मधु का ध्यान क्यों नहीं रखा?' तो उसका ज़वाब रहा, 'मैं उसका ध्यान क्यों रखती? अपना क्यों न रखती?'

''तालाब में तुम्हें मंजू ने गिराया रहा क्या?'' मैं चौकन्ना हो लेता हूँ।

''हाँ। उसी ने...''

''तुमने अपना ध्यान क्यों नहीं रखा?'' मैं उदास हो जाता हूँ।

''कितना भी ध्यान क्यों न रखती, मंजू मुझे तालाब में डुबो ही देती...''

''क्यों?'' मैं जानना चाहता हूँ खतरनाक इलाके के कितने घुमाव उसने लाँघ रखे हैं।

''ममा कहती हैं उसे मुझसे वैर है। तीखा वैर। दीदी को भी...''

रिश्ते में नीलिमा और बृजबाला माँ बेटी थी। बेशक सगी नहीं। सौतेली ही। इसीलिए मर्यादा बनाए रखने हेतु मधु मुझे 'भैया जी' कहती तो नीलिमा को 'दीदी'।

''तुम्हारे पापा को भी?'' अस्पताल और स्कूल में पिता वाला कालम नीलिमा के पिता, आनन्दमोहन, ही के नाम से भरा गया था।

''नहीं। उन्हें नहीं। वे मुझे बहुत प्यार करते हैं...''

''वे कहाँ हैं?'' मैं भौंचक हूँ।

आनन्दमोहन ने आत्महत्या नहीं की रही अभी?

''ममा से पूछती हूँ,'' मधु हँसती है।

''बृजबाला से?'' बृजबाला के संग मेरा दिखाऊ सम्बोधन कुछ भी न रहा था किन्तु उसका नाम खुलेआम मेरे होठों पर इस प्रकार कभी न आया था, ''वह यहाँ है? कहाँ?''

''ममा?'' मधु की उतावली फूट-फूट पड़ती है।

बृजबाला मेरे सामने है। अपनी पूरी ठसक के साथ। नीलिमा के विपरीत बृजबाला अच्छा पहनने-ओढ़ने और अच्छा खाने-खिलाने की शौकीन रही।

''कैसे हो?'' बृजबाला पूछती है।

''तुम कहाँ हो?'' मैं पूछता हूँ।

आनन्दमोहन के बाद नीलिमा ने दो बड़े काम किए थे। मेरे बैंक के लेखे और अविवेचित पंजीकरण मेरे शत्रुओं को अनाम चिट्ठियों की मार्फत उपलब्ध करवाकर जहाँ मुझे प्रदेश पुलिस के आर्थिक अपराध विभाग की न्यायिक हिरासत में पहुँचवा दिया था, वहीं कचहरी की सहायता लेकर बृजबाला को अपने मायके घर से उखाड़ बाहर फेंक दिया था।

''हीरालाल ने मुझे एक नया मकान खरीद दिया है,'' बृजबाला हँसती है, ''कस्बापुर रोड पर। दो बेडरूम हैं। तीन बाथरूम हैं। एक बड़ा हॉल है...''

''एक अकेली जान के लिए?'' मैं गम्भीर हो जाता हूँ।

''अकेली कहाँ हूँ?'' बृजबाला की हँसी कोलाहलपूर्ण है, ''जब तक तुम इधर हो, हीरालाल मुझे देखता रहेगा...''

''हीरालाल?'' चोटी से मैं नीचे गिरता हूँ।

''स्पन्ज,'' परिचित और कठोर एक स्पर्श मुझे मेरे एकाकी बिस्तर पर लौटा लाता है।

मैं अकेला हूँ।

डाक्टरों के आने से पहले अधेड़ वह नर्स इस आई.सी. यू. के सभी रोगियों को उनके निरीक्षण के लिए सुबह-सवेरे तैयार करने आती है।

''वह नहीं आई?'' मैं पूछता हूँ।

''उसका इन्तज़ार आप छोड़ दीजिए। वह कभी नहीं आएगी।''

''कौन कभी नहीं आएगी?''

''आपकी पत्नी कभी नहीं आएगी। मैं जानती हूँ। वह मुझे सब कुछ बता गई है। वह आपसे नाराज़ है। बेहद नाराज़...''

कहाँ से शुरू किया होगा नीलिमा ने? जब मैंने बारह साल पहले अख़बार में अपने विवाह का विज्ञापन दिया रहा : अट्ठाइस-वर्षीय आयकर अधिकारी को बीस-वर्षीया वधु चाहिए, ऊँचे घराने की, कान्वेंट शिक्षिता। और जब उत्तर में मिले सभी पत्रों में मुझे उसी का परिवार सर्वोपयुक्त लगा था। अपने इंजीनियर पिता की वह अकेली सन्तान थी जिन्होंने अपनी इंजीनियरी के बूते पर तगड़ी चाँदी काटी रही। या जिस दिन मैंने अपनी पूरी-की-पूरी तनख्वाह उसके हाथ में ला थमाई थी और उसने मुझे पहला पंजा मारा था, 'दिस पेटी कैश वोन्ट डू' (खुदरी यह रोकड़ नहीं पूरी पड़ेगी)। तुम्हें मेरे साथ रहना

है तो उधर मेरे मायके चले चलो...

और आनन्दमोहन के घर पर रह लेने के बाद ही मैं समझ पाया था नीलिमा को मेरा परिवार 'प्रौलिटेरियन' (सर्वहारा) क्यों लगता रहा था या फिर मुझे वह उनका 'प्लेज्जी' (रेहनदार) कहकर कई बार क्यों नीचा दिखाती रही थी।

या फिर जिस दिन सहज-सम्मोहित होकर मैं बृजबाला के प्रस्तावित उस अगाध गर्त में डूब-उतर लिया था जिसमें मुझे डूबने-उतराने की सम्भावना वह शुरू ही से दर्शाती रही थी। बेशक जिस नई सुखानुभूति का सिरा बृजबाला ने मेरे हाथ में आन थमाया था वह सुख न केवल विवाह की आचार-संहिता में वर्जित रहा था अपितु प्रत्येक समाज की नियमावली में भी। किन्तु इस सुख में नीलिमा को क्लेश देने की गुंजाइश भी सबसे अधिक रही थी क्योंकि यदि पारिवारिक कर्त्तव्यों की दाम्पत्तिक अपेक्षाओं की या फिर विशुद्ध मानवीयता ही की कोई संहिता बनाई जाती तो निश्चित रूप से नीलिमा ने उसका प्रत्येक नियम तोड़ा था, प्रत्येक सिद्धान्त ध्वस्त किया था।

और नीलिमा किनारे लग गई थी और हमारे विवाह के विस्तार का अन्त शुरू हो गया था। एकाकी हमारी सन्तान के जन्म से पहले ही।

या फिर जिस दिन बृजबाला ने भी गर्भ धारण किया था और मधु को हमने जन्म ले लेने दिया था।

या फिर जिस दिन मधु का शव तालाब से लौटा था और नीलिमा के आग्रह पर पैतृत्व परख के लिए डी.एन.ए. के तीन नमूने लिए गए थे : मधु के, आनन्द मोहन के और मेरे।

और परख का सच आनन्दमोहन के लिए निगलना चुनौतीपूर्ण रहा था। बृजबाला पर वे अथाह विश्वास रखते रहे थे। वह उनकी दूसरी पत्नी ज़रूर थी लेकिन अपने सभी झूठे हिसाब और कच्चे काम पिछले सत्रह वर्षों से वे बृजबाला की ओर से और उसी के पक्ष में करते चले आ रहे थे। और अपनी समूची सम्पत्ति नीलिमा के नाम दर्ज कर लेने के बाद वे अपने दफ्तर की छठी मंजिल से नीचे कूद लिए थे।

''मैं अपनी पत्नी की बाबत नहीं पूछ रहा,'' मैं कहता हूँ, ''मैं तो नई नर्स की बाबत पूछ रहा हूँ...''

''नई नर्स? अधेड़ नर्स अपना खाली हाथ नचाती है—उसके दूसरे हाथ में सूखा तौलिया है—''यहाँ तो कोई नई भरती नहीं हुई है—''

''अभी मुँह अँधेरे ही एक नई नर्स आई थी। कम उम्र की। कोमल। सुन्दर।''

''आप जैसे चालीस साल की जवान उम्र को ऐसी ही कम उम्र वाली नर्सों के सपने आया करते हैं,'' अधेड़ उस नर्स का स्वर तिक्त हो आया है, ''इधर हम सभी नर्सें पैंतालीस से ऊपर हैं, अनुभवी और ज़िन्दगी के करीब।''

अवसाद मेरे समीप आ खड़ा होता है।

नई वह नर्स मुझे मिली भी तो कैसे?

अनाहूत और अकस्मात?

सुस्पष्ट और असंदिग्ध अपने मनोहर वर्चस् के साथ?

उसे क्या मैं फिर बुला न पाऊँगा?

उस सपने के पास दोबारा जा न पाऊँगा?

''दस साल की कोई बच्ची इधर आई थी?'' धूमिल अपने कुहासे से मैं पूरी तरह बाहर आ जाना चाहता हूँ, ''सैंतीस साल की एक महिला के साथ?''

''इधर सभी को आपसे मिलने की मनाही है,'' अधेड़ नर्स हाथ के पाउडर के डिब्बे को बगली मेज पर टिका देती है, ''आपकी पत्नी और आपके वकील के अलावा।...''

हीरालाल का उल्लेख पहली बार मेरे कानों के आर-पार किसी तड़ित-झंझा की मानिन्द गड़गड़ाता है...

बेशक उसके वकीली मोहरे-रस्से मुझे शस्त्र-सज्जित करने में प्रभावी भूमिका निभाने की परास रखते हैं लेकिन मैं अब आगे बढ़ना चाहता हूँ...

नए किसी झरने की तरफ...

पीछे छोड़ आए काले उस भूभाग की तरफ पलटना नहीं चाहता...

जहाँ कँटीली झाड़ियाँ रहीं...

ऊँची पहाड़ियाँ रहीं...

मैं रथ बदलना चाहता हूँ...

दूसरे रथ पर पहुँचने के लिए मुझे छलांग लगानी होगी. ..

मैं देख सकता हूँ उस नए रथ के चकहे मेरे आगे आगे चल रहे हैं...

'कौन मार रहा है काशी को'

(काशीनाथ सिंह के उपन्यास 'काशी का अस्सी' पर)

शकील सिद्दीक़ी

पारम्परिक अवधारणाओं को चुनौती देता काशीनाथ सिंह का विशिष्ट उपन्यास 'काशी का अस्सी' बीते वर्ष की सर्वाधिक चर्चित कृति रही है। किसी उपन्यास के एक ही वर्ष में दो संस्करण साधारण घटना नहीं है। स्पष्ट ही इसके व्यापक रूप से पढ़े जाने और अति चर्चित होने के पीछे दो ही कारण हो सकते हैं, एक तो सामान्य पाठकों में काशीनाथ सिंह के प्रति आदरपूर्ण उत्सुकता का होना, जिन्हें कहानी के शिल्प में कई बार ज़मीन तोड़ने का श्रेय प्राप्त है, दूसरा इस उपन्यास के कथ्य की विलक्षणता।

काशीनाथ सिंह के कथाकार व ग़ैर कथाकार व्यक्तित्व के व्यापक स्वीकार का एक अन्य प्रमुख कारण उनकी काया में विन्यस्त वैचारिक आन्दोलनात्मकता व तुर्शी तथा वलियाटिक आभा की गंवईधार का होना भी है। कहना चाहिए कि वक़्त के बहुत बदल जाने के बावजूद आज भी हिन्दी कथा साहित्य तथा सन् पचास से पहले की कविता का सबसे बड़ा पाठक समूह भोजपुरी भाषा क्षेत्र से सम्बद्ध है। यही कारण है कि अपनी विलक्षण असामान्यता और पारम्परिक अवधारणाओं के ध्वंस में 'काशी का अस्सी' ढाँचे व अन्तर्वस्तु के स्तर पर पाठकों के सम्मुख उतनी बड़ी चुनौती नहीं बनता जितनी कि आलोचकों-समीक्षकों के सामने। पाठक तो अभिभूत है 'मैला आँचल' के बाद पाठ का वैसा देसी आस्वाद उसे बहुत दिन बाद मिला। यद्यपि निर्मल वर्मा मैला आँचल को इस कारण महत्त्वपूर्ण मानते हैं कि उसने प्रेमचन्द की कथा परम्परा का ध्वंस किया। यानी कथ्य व ढाँचे की बनी-बनाई प्रचलित लीक को तोड़ा। हिन्दी कथा जगत् की यह भी स्मरणीय घटना है कि 'काशी का अस्सी' उपन्यास के रूप में लिखा नहीं गया, बल्कि लिखते-लिखते उपन्यास हो गया। जैसे क़ुर्रतुल-ऐन-हैदर का "कारे जहाँ दराज़ हैं"। ऐसे में थोड़ा-बहुत विवाद तो होगा ही। कोई कहेगा उपन्यास है, कोई कहेगा नहीं है। निराला ने जब छन्द को तोड़ा था, कैसी हाय-तौबा हुई थी, आज इतनी लम्बी अवधि के बाद भी कविता के केन्द्र में छन्द नहीं, छन्द का ध्वंस है और समय की निर्मम सच्चाई। कौन जानता है कि कल का उपन्यास वैसा ही हो जैसे आज, "काशी का अस्सी"।

सच पूछिए तो काशीनाथ सिंह ने अपने कथा व्यक्तित्व के लिए बड़ा ख़तरा मोल लेकर बहुतों के लिए आसानियों की गुंजाइश पैदा कर दी है। 'संस्मरण' संज्ञा के सम्मोहन से बचकर उन्होंने संस्मरण व अपने को खतरे में डाता है और उपन्यास के लिए नई सम्भावनाओं के बीज रोपे हैं। इसे भी रोचक संयोग मानिए कि अस्सी के दशक में हाशिये की ओर खिसकती उपन्यास विधा को नब्बे के दशक में महिला उपन्यासकारों ने अपने उत्तेजक उपन्यासों से नई प्रासंगिकता व विश्वसनीयता प्रदान की, नई सदी के दूसरे साल में यह काम काशीनाथ सिंह ने किया। निश्चय ही यह वैसा दावा नहीं है जिसके कारण कभी 'यगाना-चंगेज़ी' को कहना पड़ा था—

ग़ालिब को मीर से बढ़ाने वाले
चोर को बाँस पर चढ़ाने वाले
अपने साथ दूसरों को भी ले डूबेंगे
दुन्या का उल्टा सबक़ पढ़ाने वाले

उपन्यास की प्रासंगिकता व विश्वसनीयता का विस्तार

निश्चय ही समय की अचूक पहचान के बिना सम्भव नहीं है! समय को जानकर ही अस्सी को जाना जा सकता है और राष्ट्रीय-अन्तर्राष्ट्रीय यथार्थ की विशिष्टताओं को। एक चौराहे के ज़रिए काशीनाथ दूर तक, कई दिशाओं में जाते हैं। उनका यह जाना किसी दुर्लभ यथार्थ की खोज के लिए नहीं बल्कि जो प्रकट है, उसकी निर्मम वीभत्सता, अव्यक्त करुणा और उसके वास्तविक सन्दर्भ को सामने लाते हुए उस पर बेलाग टिप्पणी करना है।

"...जिस देश में मुर्दा फूँकने के लिए घूस देना पड़ता हो, उसमें सिद्धान्त..."

"पूरा देश एक भयानक हादसे से गुज़र रहा है, आप यहाँ खड़े हैं और कौन जाने कोई आतंकवादी आपकी ताक में कहीं छिपा हो, आप यहाँ बैठे हुए हैं, कौन जाने आपकी सीट के नीचे बम रखा हो, आप यादव के समर्थन में बोलिए बाभन मार देगा बाभन के समर्थन में बोलिए यादव मार सकता है, आप दाढ़ी रखे हुए हैं, हो सकता है मदनपुरा या नई सड़क से गुज़रते हुए बच जाएँ, मगर हिन्दू मोहल्ले से भी बच निकलेंगे—इसकी कोई गारण्टी नहीं है...देखिए, उस पटरी पर केसरिया पट्टा बाँधे चीखते-चिल्लाते लोगों का जुनून। (पृ. 27)

"बच्चा बच्चा राम का लंड न कवनो काम का"(पृ. 36)

"ललुआ को झूठे बदनाम किया तुम लोगों ने, चारा घोटाले का अरबों रुपया तो यू.पी. खा गया है। गोसंरक्षण के नाम पर..." (पृ. 94)

"...दीन-बन्धु डॉलर अमेरिका की जीभ है। वह शुरू में ऐसे ही किसी मुल्क को चाटना शुरू करता है, जैसे गाय बछड़े को चाटती है—प्यार के साथ, बाद में जब चमड़ी छिलने लगती है, खाल उघड़ने लगती है, दर्द शुरू हो जाता है, जीभ पर काँटे उभरते दिखाई पड़ने लगते हैं, जबड़े चलने की आवाज़ सुनाई पड़ती है, तब पता चलता है कि यह जीभ गाय की नहीं किसी और जानवर की है..." (पृ. 112)

यानी कि उपन्यास केवल ढाँचे के उलट-पलट व कथ्य की विलक्षणता के कारण नहीं, कबीरी ठाठ वाली टिप्पणियों के लिए भी याद रखा जाएगा। और यह कि समय से अचूक पहचान का रास्ता जीवन से होकर गुज़रता है। जो जीवन को नहीं जानता वह समय को नहीं पहचान सकता। सफल उपन्यास अपनी पठनीयता में पाठक को कथात्मक आस्वाद ही नहीं देता, उसके विवेक को झकझोरता भी है, उसे नये ज्ञान से सम्पन्न करता है, उसे जीवन की समझ देता है, कभी-कभी चौंकाता व हतप्रभ भी करता है। ये सब करते हुए पाँच खण्डों में विभक्त, यह उपन्यास समकालीन समाज के भयावह चित्रों के जीवन्त अंकन के कारण पाठकों को कई बार शूल जैसा चुभता है और उनकी संवेदना पर गहरी चोट करता है।

उपन्यास समय की जितनी दूरियाँ तय करता है, उसमें वह 'अस्सी' के जनवादी वैभव की फक्कड़ मादकता से एक पौराणिक-ऐतिहासिक-सांस्कृतिक शहर की पतन गाथा तक जाता है। कह सकते हैं कि उपन्यास के केन्द्र में स्थान नहीं समय है। अस्सी क्या से क्या हो जाता है, बनारस में कितना कुछ टूट व बदल जाता है। इनमें सर्वमान्य सामाजिक (नैतिक) मूल्यों का विघटित होना भी है। प्रगतिशील जनवादी रचनाकार स्वाभाविक बदलाव को लेकर चिन्तित नहीं होते लेकिन अयाचित-सुनियोजित पतन का अवसाद उन्हें अवश्य सालता है। जैसा कि इस उपन्यास में कई बार अनुभव होता है। प्रश्न यह है कि अस्सी का बदलाव व वाराणसी का पतन क्या उतना ही एकालापी व एकरैखिक है जितना कि वह दिखाई पड़ता है। काशीनाथ सिंह का कौशल यह है कि वह इस बदलाव व पतन के वास्तविक सन्दर्भों को समूचे सामर्थ्य से पकड़ व उद्घाटित कर पाए हैं अपनी विशिष्ट खिलंदड़ी शैली में—

"सहोदर जी मैंने घूम-घूम कर जो जानकारियाँ की हैं, उनसे इस नतीजे पर पहुँची हूँ कि शायद ही ऐसा कोई संन्यासी या साधु हो जिस पर क़त्ल के दस-पाँच मुक़दमे न चल रहे हों, जिसके पास ढेरों अवैध असलहे और हथियार न हों, जो आश्रम व मठों के नाम पर दस-पन्द्रह एकड़ ज़मीन कब्ज़ियाए हो? संन्यासी किसे कहेंगे आप?"

"वाराणसी इज़ डाइंग! बनारस जिसे लोग पढ़ते, सुनते जानते थे—मर रहा है आज"

"घण्टे भर से सिर हिला रहे हैं आप और वह कह रही है कि बनारस मर रहा है। इसी बनारस में हम भी हैं,

आप भी हैं और यह अस्सी भी है, इसी बनारस के लिए सात समुन्दर पार से दौड़ लगा रहे हैं, भोंसड़ी के ये अंग्रेज़; लेकिन यह कह रही है और आप सिर हिला रहे हैं—सिर्फ़ इसलिए कि पाँच सौ रुपये दिहाड़ी पर घर बैठे आपको काम चाहिए, एक ऐसा विदेशी किराएदार चाहिए, जिसकी खातिरदारी में आपका पूरा परिवार लगा रहे। यह नहीं देख रहे हैं कि यही साले मार रहे हैं बनारस को और कह रहे हैं कि मर रहा है?'' (पृ. 110-111)

इस पतन गाथा में विनाश के अन्तर्राष्ट्रीय सन्दर्भ भी हैं तथा धार्मिक कर्मकाण्ड व सामन्तवादी-पूँजीवादी विसंगतियों की भूमिका भी। ये सब कहते हुए इसे ''पालिटिकल उपन्यास'' साबित करना नहीं है। स्थूल परिभाषा में यह पालिटिकल है भी नहीं। अवश्य ही जीवन पालिटिक्स से बड़ा होता है परन्तु हमारे समय का मुँह चिढ़ाता यथार्थ यह है कि जीवन चाहे जितना बड़ा हो, वह संचालित होता है समकालीन राजनीति से ही। राजनीति एवं जीवन की साधारण समझ रखने वाला कथाकार जटिल प्रश्नों से निर्विघ्न उलझने वाला ऐसा अनूठेपन में सार्थक उपन्यास लिख भी नहीं सकता। उपस्थित समय की इतनी सारी ज़रूरी चिन्ताओं (साहित्य, संस्कृति, राजनीति, धर्म, ग़रीबी, बेरोज़गारी, शिक्षा, जनसंचार, साम्प्रदायिकता, भ्रष्टाचार, मानवीय सामाजिक मूल्यों का विघटन और अमरीका) का बिम्बन, वह भी सहज प्रखरता में, ऐतिहासिक घटना भले न हो पर रोमांचक अवश्य है। यथार्थ की भीतरी तहों तक जाते हुए उन्होंने उसकी वृहत्तर सीमाओं को लाँघा है।

कहानी कहने के तरीक़े में खांटी देसीपन या उसकी आंचलिक सांस्कृतिक भंगिमा, जिसमें दास्तान गोई-क़िस्साबयानी की छवियाँ भी दिख जाती हैं, कथ्य को असंदिग्ध विश्वसनीयता देती है। निर्गुन की धार, लोकगीतों का माधुर्य, मुहावरों, लोककथाओं, लोकोक्तियों की चोट, मिथकों, क्षेपकों, निशस्त्र गालियों की सटीक उपस्थिति, व्यंग्य व परिहास की तीखी सहजता भाषा के अनिवार्य-स्वाभाविक संस्कार का बोध देती है। इस प्रकार 'काशी का अस्सी' के माध्यम से गँवारों की असभ्य, उपहासयोग्य मान ली गई तथा लोकजीवन तक सीमित कर दी गई, संघर्ष, विद्रोह प्रतिरोध, प्रेम, भक्ति व एकात्मकता के लम्बे अनुभव से गुज़री एक उपेक्षित भाषा की सामर्थ्य, क्षमता व शक्ति स्थापित हुई है।

उपन्यास में काशीनाथ सिंह ने अपना व परिजनों का भी उपहास उड़ाया है। कथ्य की चपेट में आए जिन-जिन लोगों पर हँसा जा सकता था वह हँसे हैं! गहरे आत्म-निषेध के निर्मम भाव के बिना ऐसा कर पाना सम्भव नहीं है। यह जीवटता सबके बन की नहीं है। जो कर पाया उसे बधाई!

काशी का अस्सी-काशीनाथ सिंह, राजकमल प्रकाशन नयी दिल्ली, 195/- रुपये

कविता का एक नया छन्द

(वीरेन डंगवाल के कविता संग्रह 'दुश्चक्र में स्रष्टा' पर)

ओम निश्चल

एक लम्बे अरसे बाद आए वीरेन डंगवाल के कविता संग्रह 'दुश्चक्र में स्रष्टा' ने कविता के आसान और तयशुदा समीकरणों को परे झटक दिया है और साथ ही समीक्षा के घिसे-पिटे प्रतिमानों के लिए भी एक चुनौती खड़ी की है। हमारे समय की अन्तर्ध्वनियों, देशी और कस्बाई जीवनबोध तथा दिन-ब-दिन बदलती राजनीतिक-सामाजिक प्रस्तावना को वीरने डंगवाल ने जनसंवेद्य भाषा में रचने का वह कौशल हासिल किया है जिसकी आहट तक उनके समकालीनों में सुनाई नहीं देती। कविता की ज़रूरत के तईं उन्होंने उसका छन्द रचने की कोशिश की है और एक ऐसी सरल, अक्खड़ और धारदार भाषा में चोट और कचोट दोनों पैदा कर उन्होंने कविता के बने-बनाए फार्मेट और प्रविधियों को एकाएक उलट दिया है और भाषा जिसकी ज़रूरत सबसे ज्यादा कवि को होती है, उन्होंने उस ज़मीन से उठाई है जिस पर गोबर, खून और पसीने के निशान हैं, जटाजूट घास-पात, टेंपोजनित भीड़ और बूढ़े-बीमार मवेशियों की रिहाइश है।

इससे पहले कि हम संग्रह की शीर्षक कविता 'दुश्चक्र में स्रष्टा' पर .र्चा करें वीरेन डंगवाल की कविता *'हमारा समाज'* सर्वप्रथम हमारा ध्यान खींचती है। एक कवि को समाज का अटपटापन कचोटता है। वह समाज से ओझल होते जा रहे आदर्श की खोज में रहता है। किन्तु हाल के वर्षों में समाज काफी बदल गया है। हमारे नैतिक प्रतिमान टूटे हैं। हमारे समय के अंधकार में सब कुछ काला-काला दिखता है। अचरज नहीं कि वीरेन डंगवाल समाज के बदलते हिंसक परिदृश्य को लेकर खासे चिन्तित दिखते हैं। *'हमारा समाज'* की पंक्तियाँ हैं–'पर मैंने यह कैसा समाज रच डाला है / इसमें जो दमक रहा, शर्तिया काला है / वह कत्ल हो रहा, सरेआम चौराहे पर / निर्दोष और सज्जन, जो भोला-भाला है।' कहना न होगा कि वीरेन की यह चिन्ता आज के कवियों की आम चिन्ता है। मंगलेश डबराल के कविता संग्रह *'आवाज़ भी एक जगह है'* की मूल चिन्ता भी यही है– *'जिसने कुछ नहीं रचा / उसी का हो चला समाज।'* यहाँ अरुण कमल भी सहसा याद आते हैं : *'प्रजातन्त्र का महा-महोत्सव / छप्पन विध पकवान / जिसके मुँह में कौर माँस का / उनको मगही पान।'* आज का सामाजिक यथार्थ है यह। हमारे नागरिक जीवन में घुस आए छद्‌म और अनय ने हमारी नैतिक शुचिता को हाशिए पर पटक दिया है, जिसके चलते भोला-भाला व्यक्ति सरेआम चौराहे पर जिब्ह हो रहा है। ये शक्तियाँ अपनी नैतिक हताशा में काले धन और काली करतूतों के जरिए काली इच्छाओं की बिसात बिछा रही हैं। कबीर ने कहा था, *'मैं केहिं समुझावहुँ ये सब जग अंधा।'* आँख के होते हुए भी कबीर ने दुनिया को अंधा कहा। वे तो *'आँखिन देखी'* के हामी थे। काले धन की माया इतनी सबल और समाजव्यापी है कि देखनेवाली आँखें भी आज इसे देख नहीं पा रही हैं।...और जब सारा भुवन ही कैनवस पर पसरी काली भयावहता से आँखें मूँदे सो रहा हो, तब भी कबीर की कवि-प्रजाति का वंशधर जागता है–*'दुखिया दास कबीर है, जागै अरु रोवै'*–और सीधे कहने की साहसिकता बरतता है : *'मोटर सफेद वह काली है। वे लाल गुलाबी काले हैं / चिन्ताकुल चेहरा–बुद्धिमान / पोथे कानूनी*

काले हैं / आटे की थैली काली है / हर साँस विषैली काली है / छत्ता है काली बर्रों का / वह भव्य इमारत काली है।'—कवि सावधान करता है कि ऐसी स्थिति में क्या कुछ करना है या काली शरबत पीते-पीते ही मर जाना है? प्रश्नाकुलता और चेतावनी की मिली-जुली भाषा में कवि का सरोकार पतन और सुविधा में डूबे समाज को जगाना है। वह बार-बार इस बात को उठाता है, *'हमने यह कैसा समाज रच डाला है!'* यह ऐसा समाज है जो अनीति के बल पर कमाई सुविधाओं के समक्ष नतशिर है, जो लिथड़े राजनीतिज्ञों को हमारे समाज का जननायक मान बैठा है, उन छद्म बुद्धिजीवियों से हतप्रभ हो चला है, जो चिन्ताकुल चेहरे के बावजूद नक्काल हैं। 'पोथे कानूनी काले हैं'—कहकर कवि ज्ञानमार्गियों की पूरी जमात पर निशाना साधता है। याद आती हैं, एक कवि की पंक्तियाँ—*'मूक न्यायालय कुबेरों ने खरीदे / न्याय की पोथी दलाली कर रही है।'* हमारे समय और समाज का आईना है यह।

कवि का देखना सिर्फ़ देखना-भर नहीं है, यह समाज के लिए किए-धरे की आलोचना है। केवल मानवीय ही नहीं, ईश्वरीय कृत्यों की भी तफ़्तीश है। जैसे लीलाधर जगूड़ी के यहाँ *'ईश्वर की अध्यक्षता में'* उसकी आस्था के प्रति विनतमाथ होना नहीं है, ईश्वर और उसकी समूची सृष्टि की व्यवस्थाओं को तार्किकता के दायरे में परखना है। उसी तरह वीरेन डंगवाल *'दुश्चक्र में स्रष्टा'* के बहाने ईश्वर तक को कटघरे में खड़ा करते हैं। लीलाधर जगूड़ी कहते हैं, कि 'मनुष्य ने जहाँ भाषा और विज्ञान का आविष्कार किया, वहाँ एक दुर्लभ आविष्कार और किया है जिसका नाम है ईश्वर है। ईश्वर मनुष्य होने का एक बेहतर और बृहत्तर रूप है। यह बेहतर मनुष्य जो साहित्य की चिन्ता के केन्द्र में बताया जाता है, मुझे हमेशा उस ईश्वर की तरह दिखायी देता है जो कहीं-न-कहीं अपने समय और अपने समाज की समस्याओं के बीच से निकला हुआ एक बेहतर मनुष्य हो। मेरा मानना यह है कि वह बेहतर मनुष्य जिसे अभी तक आज के साहित्य ने ठीक से नहीं पहचाना है, प्राचीन साहित्य ने उसे ईश्वर के रूप में पहचाना। बेहतर मनुष्य वह नहीं है जो यथार्थवादी मनुष्य है, बल्कि जिसमें यथार्थ की सबसे ज्यादा चेतना हो और फिर वह मनुष्योचित और न्यायोचित सौन्दर्य का साक्ष्य बन सके। सौन्दर्य और न्याय आज एक साथ नहीं दिखायी देते हैं। आज जितना सौन्दर्य दिखता है, उसके समानान्तर उतना ही अन्याय दिखता है। एक बेहतर मनुष्य सौन्दर्य और न्याय की मिली-जुली संवेदना से पैदा होगा।' *'दुष्चक्र में स्रष्टा'* ईश्वर से की गई एक मानवीय शिकायत है—कवि के सात्विक आक्रोश की उपज। किन्तु अन्त तक पहुँचकर तो कवि *'हे अरे अबे ओ करुणानिधान'* की फटकार—भरी भाषा तक पहुँच जाता है। इस कविता में कवि ईश्वर से कहता है कि ईश्वर तुम्हारे कारनामों की अनन्त सूची है जिसे बखानना मुश्किल है। कितनी अकल्पनीय चीज़ें तुमने बनाईं परन्तु अब यह समझ नहीं आता कि तुमने अपना यह इतना कामयाब कारखाना बन्द क्यों कर दिया? आखिर क्या बात है कि पिछली कई सदियों से कोई नदी नहीं निकली, कोई पहाड़, समुद्र नहीं बने? *'दुश्चर्क में स्रष्टा'* उस ईश्वर पर सवालिया निशान लगाने वाली कविता है जिसके नाम पर इस दुनिया में अनेक काले कारोबार चलाए जा रहे हैं। ईश्वर की सेवा-टहल में संलग्न कट्टरतावादी ज़मात अपनी सत्ता, अपने अहम् की सुरक्षा के लिए मानव-रक्त के गारे से ही सही, मन्दिर-मस्जिद के निर्माण पर आमादा दिखती है। कवि दैवी कृपा से ही सम्भव होनेवाली चीज़ों पर दृष्टि फेरता हुआ कहता है कि यह जो सदियों से बहती नदियाँ, पहाड़, पठार, समुद्र आदि तुम्हारी लीला का ही परिणाम हैं—उनका क्या हुआ, कि कई सौ बरसों से कोई नदी, कोई पहाड़ अथवा समुद्र नहीं बना। आईं तो सिर्फ बाढ़ें, अकाल, भूकम्प, चक्रवात, युद्ध, नरसंहार और प्राकृतिक आपदाएँ। कवि को इस बात पर हैरत होती है कि यह कैसी ईश्वरीय लीला है कि जहाँ सदियों से कोई नदी, पहाड़, समुद्र नहीं बने, वहीं ईश्वर के नाम पर निर्माण के बहाने ध्वंस का एक बड़ा कारोबार चलता रहा, जैसे ईश्वर ने अपना कारोबार किसी और को सौंप दिया हो। कवि के शब्द देखें—

प्रार्थनागृह जरूर उठाए गए एक से एक आलीशान
मगर भीतर से चिने हुए रक्त के गारे से
वे खोखले आत्माहीन शिखर-गुम्बद-मीनार
उँगली से छूते ही जिन्हें रिस आता है खून

—इस कविता में वीरेन निराला की-सी निर्भीकता

दिखाते हैं *'हे, अरे, अबे, ओ करुणानिधान'* कहने की शैली *'अबे ओ गुलाब'* से कितना मेल खाती है। आभिजात्य के विरुद्ध निराला के प्रत्याख्यान की तरह ही ईश्वरीय कारोबार के विरुद्ध वीरेन की इस पुकार, कचोट के पीछे अजस्र करुणा का आवेग है। कवि की आशंका ज़ाहिर है कि ईश्वर जैसे किसी कुचक्र में फँस गया है तभी उसके झंडाबरदारों से हिंसक मुद्राओं की बू आती है। सारी ईश्वरीय लीला हिंसा और धर्मोन्माद के कुचक्र में फँस गई है। यह कविता जितना ईश्वर को सम्बोधित है, उतना ही उसके निषेध में भी खड़ी है।

यथार्थ को अपने तरीके से रचने-समझने की यह प्रवृत्ति वीरेन डंगवाल के पहले कविता संग्रह *'इसी दुनिया में'* में भी सक्रिय रही है जिसमें समय के बहुविध घटनाक्रम को करीब से देखने की कोशिश मिलती है। उत्तरोत्तर जटिल होते गए समय के यथार्थ और वित्तीय सुधारों व उदारीकरण की मुहिम के फलस्वरूप हुए भूमंडलीयकरण व ग्लोबल विलेज की अवधारणा ने पूरे समय को उलट-पुलट दिया है। समाज एक 'पैराडाइम शिफ्ट' से होकर गुज़र रहा है। चीज़ों के आर-पार देखनेवाले जानते हैं कि अन्ततः विश्वग्राम का नारा बुलन्द करनेवाले भूमंडलीकरण ने पूँजीवादियों के हौसले ही बुलन्द किए हैं और उनके लिए आज पूरी पृथ्वी ही उनकी शक्ति व साम्राज्य को फैलाने के लिए बिछी है। प्रतिभा पलायन का उदाहरण देते हुए वीरेन डंगवाल *'मार्च की एक शाम में आईआईटी कानपुर'* कविता में जिन गर्वीली गरदनों वाले किशोरों की गुमशुदगी की बात करते हैं, वे कोई और नहीं, आई.आई.टी. से निकलने वाले प्रौद्योगिकी-दक्ष नवयुवक ही हैं जिनकी मेधा को उस्ताद हत्यारे एक लालच में बदल देते हैं, जिसका नतीजा सुनिश्चित है कि *'अन्त में बन जाएगी वह / बिल गेट्स का एक निर्जीव किन्तु दक्ष हाथ / आत्ममुग्ध फुर्ती से घुमाता स्टियरिंग / काटता खतरनाक मोड़।'* कवि विश्वग्राम के बारे में कुछ यों सोचता है : *'दुनिया एक गाँव तो बने / लेकिन सारे गाँव बाहर रहें उस दुनिया के / यह कम्प्यूटर करामात हो।'* पर क्या यह सम्भव है, शायद नहीं। यह कविता सिर्फ़ प्रतिभा पलायन ही नहीं, अन्त तक आकर यह उन पुलों के अभाग्य पर चिन्ता ज़ाहिर करती है जिसके नीचे से कोई नदी नहीं गुजरती। वंचितों के प्रति कवि की यह परोक्ष चिन्ता उसके लेखकीय सरोकारों का परिचय देती है।

कविता का काम केवल *'रमणीयार्थ'* का प्रतिपादन ही नहीं, यथार्थ के सौन्दर्य का अवलोकन-अन्वीक्षण भी है। सूखा तथा मानसून का पहला पानी ऐसी ही कविताएँ हैं, जिन्हें अगल-बगल रखकर पढ़ा जा सकता है। सूखे की दारुण वेदना कवि के इस अवलोकन में समाहित है जहाँ वह पाता है कि *'केवल कीचड़ में बच रही थी नमी / नामुमकिन था उसमें से भी निथार पाना चुल्लू भर पानी।'* मानसून के पहले दौंगरे को कवि काँसे की गागर पर बजती बूँदों के रूप में *'विज़ुअलाइज'* करता है। वीरेन ने संग्रह में जिन कवियों को याद किया है, वे हैं केदार, शमशेर, निराला। केदार को याद करते हुए लिखी कविता में बाँदा की कस्बाई और खपरैल छवि उभरती है तो शमशेर को याद करते हुए 'एक काँपती हुई कोमल जिद'। निराला को फैजाबाद-अयोध्या शीर्षक कविता में स्मरण करते हुए वे लगभग उसी सुसंस्कृत-संस्कारित पदावली में कहते हैं– *'जो दैन्यहीन जो विनयहीन, संशयविरहित, करुणापूरित / उर्वरा धरा-सा, सृजनशील संकल्पवान / जानकी प्रिया का प्रेम भरे जिसमें उजास / अन्याय क्षुब्ध कोटिशः जनों का एक भाव / जनपीड़ा-जनित प्रचंड क्रोध / भर देता जिसमें शक्ति एक। जागरित सतत् ज्योर्तिविवेक / वह एक और मन रहा राम का जो न थका / इसीलिए मरी नहीं हमारी अयोध्या। इसीलिए हे महाकवि टोहता फिरता हूँ / मैं इस अँधेरे में तेरे पगचिह्न।'* अयोध्या-यात्रा के बाद कवि की ये टीपें कविता की परम्परा में जाकर निराला को एक अनूठे तरह से याद करती हैं।

वीरेन की चित्रण बारीकियों और अछूते बिम्बों, प्रयोगों से भरे हैं। नारियल वृक्षों के गचे निर्जन द्वीप के चित्र उकेरता और *'डाउन द मेमरी लेन'* टहलता कवि देखता है– *'खेतों की मेड़ों से होकर पास की कालोनियों की तरफ / एक उदास फुर्ती से लपकती / बर्तन माँजनेवाली स्त्रियाँ।'* *'उदास फुर्ती'* में छिपा विपर्यय-बोध कामवालियों के एक विरस दिनारम्भ का अंकन है। संचार-क्रान्ति के इस घटाटोप में भी पोस्टकार्ड की महिमा कवि-दृष्टि में इसलिए बची है क्योंकि वे बूढ़ों के प्रिय सन्देशवाहक हैं। धीरे-धीरे बदलते मौसमों के साथ वे म्लान भले हुए हों, विलुप्त नहीं। ग़नीमत है, पोस्टकार्ड पर अभी सरकार की कुदृष्टि नहीं पड़ी, वे अभी भी 'गरबीली

गरीबी' से गुज़रते लोगों के लिए सम्पर्क माध्यम बने हुए हैं। जहीरुद्दीन डागर के ध्रुपद को सुनते हुए वे हवा की तन्वंगी लहर में खो जाते हैं जो समुद्र की छाती पर हौले-हौले बढ़ती है। उन्हें लगता है, जैसे हिरण एक साथ तालबद्ध चौकड़ियाँ भरते छूटे हों। *'अपना घर'* उस निम्नमध्यवर्गीय सपने की ख़्वाहिश है जिसकी तामीर में पूरी उम्र खप जाती है जिसके एक कोने में मार्क्स और ब्रेख्त की तस्वीरें हैं, एक में टेलीफोन, एक कोने भगवान। मुश्किल से किस्तों में मयस्सर घर जैसे पूरे जीवन-भर साथ चलता है। *'पाइप के पानी की नींद'* में रात-भर सोये पानी की लम्बी तरल नींद और सुबह धुँधलके में सबसे पहले नल खोलने का जायज़ा लेते हुए कवि को शहरी जीवन का यह अनिवार्य संगीत सुनाई देता है—'पाइप के पानी का रोता हुआ गीत सोते में सीखा हुआ।' तम्बाकू जीवन के लिए खतरनाक है फिर भी किसान कितनी लगन से इसे उगाते हैं। कवि कहता है, *'हमारे ही हाथों पैदा होते हैं कई बार / हमारे दुश्मन प्यारे-प्यारे।'* जहाँ कवि जायका बदल देनेवाले नींबू को सलाम पेश करता है, वहीं कम्प्यूटर कक्ष में जूते-चप्पल तथा सिगरेट की मनाही और पान थूकने के लिए फर्लांग-भर जाने की विवशता को देख कवि कम्प्यूटर जैसी नक्शेबाज़ मशीन पर लानत भी भेजता है, गो कि आज कम्प्यूटर-विहीन जीवन की कल्पना भी कठिन है। बम्बई जैसी सजी-सँवरी महानगरीय दुनिया में जहाँ थकान से भरी दिनचर्या में भी सजने की होड़ है, कवि इस सौन्दर्यप्रियता पर प्रसन्न होने के बजाय *'भाड़ में जा री अरी बम्बई—धिक्कार तेरी काव्य भाषा को'* कहकर आत्ममुग्धता में खोई नई पीढ़ी की जीवन-शैली को धिक्कारता है—लेकिन यह धिक्कार भी कोई मामूली नहीं, काव्यभाषा को धिक्कार कहना महानगर की समूची मानसिकता को लानत भेजना है। यह धिक्कार कोई कस्बाई मानस कवि के दिमाग़ की उपज नहीं, बल्कि कवि के गहरे जीवनावलोकनों का प्रतिफल है। यह कवि की ही निगाह है जो महानगर की बंकिम ग्रीवाओं और खिंची भृकुटियों से होती हुई बूचड़खाने की नाली तक पहुँचती है—खून, चरबी, रोयें और लोथड़े से लथपथ सुन्दरता के निषेध में प्रवाहित कालुष्य तक और एक ऐसे शहर का सपना भी बुन लेती है जो कहीं होता ही नहीं और नमक के स्वाद की दिव्यता और एक अकल्पित विश्रान्ति भी उसे वहीं नसीब होती है।

कवि अपने स्वप्नों और इच्छाओं का आभारी है और स्वीकार करता है कि ऐसे निर्मत सपनों ने ही उसे बचाकर रखा है। सपनों में ही जीवन धड़कता है पर स्वप्न में डरकर घिघ्घी भी बँध जाती है—खासकर तब जब किसी स्वजन को पुकारना चाहकर भी आवाज न निकल सके। कवि अपनी कविता के लिए अतीत और वर्तमान दोनों से रस ग्रहण करता है। कवि ने दसवीं में गणित और भौतिक विज्ञान पढ़ाते *'माथुर साहब को नमस्कार'* के बहाने नगण्यता में विनम्र गर्वीली ताकत को स्मरण किया है। नकली भव्यता के घटाटोप में लुप्त होती विनम्रता और नगण्यता को लक्षित करता हुआ यह कवि-कथन वास्तव में कितनी प्रामाणिकता और अनुभव बोध से उपजा है :

असल में लोगों में ही दीख जाते हैं लोग भी
लोगों में ही वे बच रहते हैं
किसी चमकदार सुघड़ मजबूत विचार की तरह
दीख जाते हैं कौंधकर जब लग रहा होता है सब खत्म हुआ
लोगों में ही प्रतिबिम्बित होता है भौतिक शास्त्र
का यह अविनाशी संसार

वीरेन की काव्यभाषा ने इधर अपनी सरणियाँ बदली हैं। जीवन के बहुतेरे लोक-स्वरों और जीवन-चर्या की अनिवार्य और सतत् अन्तर्ध्वनियों के समावेशन से वीरेन डंगवाल की कविताएँ बहुत सहज दीखती हैं। चूँ-चर्र-मर्र, चीं-चीं-चीं-टुट-पुट, चीं चीं-चिक-चिक, कट्ट-कट्ट, गुर्र-गुर्र, फुसकार, रूँ रूँ, धप्प-धप्प की जानी-पहचानी ध्वन्यात्मकता ने कविता के पूरे आचरण को जीवन-चर्या से जोड़ दिया है। वीरेन ने अपनी कई कविताओं को प्रगीतात्मक स्वरूप के साथ रचा है। यद्यपि ऐसी कविताओं—*'हमारा समाज'*, *'उजले दिन जरूर'*, *'सुअर का बच्चा'*, *'नूतन बाइस्कोप'*, *'घोड़ों का बिल्ली को अभिशाप'*, *'काम-प्रेम'*, *'गप्प-तबद'* व *'अकेला तू तभी'* में छान्दिक अनगढ़ता है, तो भी नई कविता के प्रेमियों का गीत और गीतात्मक सरसता की ओर लौटना सुखद है। ऐसे प्रयोग मानबहादुर सिंह, दिनेश कुमार शुक्ल, नरेश सक्सेना, कुबेरदत्त और देवीप्रसाद मिश्र जैसे बहुतेरे कवियों ने अपनाए हैं, जो खासा सराहे गए हैं। मंगलेश को लिखो एक चिट्ठीनुमा

कविता *'रात-गाड़ी'* में वीरेन डंगवाल ने इस तेज वक़्त के परिदृश्य को बखूबी आँका है, जहाँ कोमलता के अहेरी घूमते नज़र आते हैं, तमाम विसंगतियों के साथ प्राथमिक-शाला के प्रांगण में विश्व-बैंक के कार्याधिकारी और गाँव-गाँव, नगर-नगर रौंदते बावर्दी-बेवर्दी हत्यारे इस दृश्य में शामिल हैं। मौजूदा जीवन का एक भयावह कोलाज खींचते वीरेन आज के दौर में अख़बारों की भूमिका पर भी दृष्टिपात करते हैं। *'जितना खून सोखता था / उतना ही भारी होता था अख़बार'* कहकर अख़बार के पन्नों पर फैली हिंसापरक ख़बरों और हिंसापरक ख़बरों को उत्सुकता से परोसते अख़बारों के लिए उनकी नसीहत कितनी प्रासंगिक है : *'जीवन किन्तु बाहर था / मृत्यु की महानता की उस साठ प्वाइन्ट काली चीख़ के बाहर था जीवन / वेगवान नदी-सा हहराता / काटता तटबन्ध / तटबन्ध जो अगर चट्टान था / तब भी रेत ही था / अगर समझ सको तो, महोदय पत्रकार!'* वीरेन के इस संग्रह की एक अनूठी कविता है : 'एन जी ओ शब्द'—इस कविता की व्यंजना सुदूरसंवेदी है। समाज-सेवा के रास्ते चलते हुए कारोबारी हो चुके एनजीओ-जीवियों की पूरी चरितगाथा है चन्द शब्दों में। निष्ठापूर्ण सेवा की बुनियाद पर टिके *'एनजीओज़'* आज अनुदान पचाने वाली संस्थाओं में तथा राजनीति, समाजसेवा और तालीम तीनों कमाई के संसाधनों में तब्दील होकर रह गए हैं। कवि के इन शब्दों में कितनी चिन्ता है, देखें—

इन्हीं शब्दों के साथ
शुरू की थी उसने अपनी बात
इन्हीं से खत्म की
इन्हीं के साथ सम्पन्न किए
सारे ज़रूरी काम
इन्हीं से चलाए ज़रूरी संघर्ष
इन्हीं से चला रहा है आजकल एनजीओ

वीरेन डंगवाल जनवादी विचारधारा के पैरोकार कवियों में हैं। उनकी कविताओं में भी इसके प्रमाण मिल जाते हैं। वे जनसंघर्षों में नई संस्कृति की छाया देखते हैं तथा अचरज नहीं कि नक्सलवादियों से उनकी गहरी सहानुभूति है। उजाड़ बस्तियों में आकार लेते नूतन स्थापत्य की ओर इशारा करते हुए वे सड़क पर फैले खून को *एक नई किस्म की रोशनाई* कहते हैं। उनके अग्निचेता संघर्ष में उन्हें आग नहीं, एक सर्वथा नई राष्ट्रभाषा दिखाई देती है। एक अन्य कविता *'परम्परा'* में परम्परावादियों और धर्मधुरीणों के व्यवस्थापन पर मारक प्रहार किया गया है। एक नए स्वरूप के साथ गढ़े जाते सांस्कृतिक राष्ट्रवाद के सन्दर्भ में इस कविता का पाठ प्रासंगिक हो उठता है। कभी-कभी कवि अपनी कविताओं की खूबियों की ओर खुद ही इंगित करता है। *'जलेबी'* कविता में जलेबी की विशेषता बताते हुए कवि उसे सिंक कर खिली किसी फूल जैसी सुन्दर और गर्मागर्म पेचीदा सरसता के समतुल्य रखता है। यह *'पेचीदा सरसता'* वीरेन डंगवाल की कविताओं में भी बखूबी दिखाई देती है।

दुश्चक्र में स्रष्टा, वीरेन डंगवाल, राजकमल प्रकाशन, नई दिल्ली, 125/- रुपये।

तीन महत्त्वपूर्ण कहानी संग्रहों के बहाने

(मृदुला गर्ग, ध्रुव शुक्ल एवं धीरेन्द्र अस्थाना के कहानी-संग्रहों पर)

क्षमा शर्मा

देश की धरती और मृदुला गर्ग

मृदुला गर्ग को तब से पढ़ती आ रही हूँ जब दसवीं में पढ़ती थी और वह धर्मयुग-साप्ताहिक हिन्दुस्तान के पृष्ठों पर छायी रहती थीं। विवाहेतर सम्बन्धों को लेकर उनका उपन्यास 'उसके हिस्से की धूप' ने उन दिनों चमत्कृत कर दिया था। आज भी वह उपन्यास बहुत पसन्द है। 'चित्तकोबरा' को लेकर जो हल्ला मचा था, स्त्री विमर्श को सामने रखकर देखा जाए तो वह एक 'पुरुषवादी' हल्ला ही था क्योंकि स्त्रियाँ यदि लिखें तो वे वह लिखें जो उन्हें 'सती सावित्री' के खांचें में ही फिट करता हो। यदि वे 'देह' की बात करेंगी तो 'चालू', 'कुलटा', 'बोल्ड' आदि के सम्बोधनों से नवाज़ी जाएँगी।

अब इस लेखिका के सामने 'मेरे देश की मिट्टी, अहा' संकलन है। जैसा कि शीर्षक से ही स्पष्ट है कि संकलन की सभी जगह कहानियों में व्यंग्य की एक पैनी धार दिखाई देती है।

इन कहानियों के बारे में फ्लैप पर लिखा गया है--'पीड़ा में हँसना और हँसते--हँसते पीड़ा में संगमित हो जाना, यही इन कौतुक प्रधान कहानियों का सत्य है।'

पहली ही कहानी 'मेरे देश की मिट्टी, अहा' एक ऐसी बेसहारा लड़की लल्ली की कथा है, जो अपनी दादी के साथ गाँव में रहती है। घर में दादी के अलावा कोई नहीं है। लल्ली को बड़ी उम्र के जीजा से ब्याहा जा रहा है। उसने भागकर एक मुसलमान से ब्याह कर लिया और लल्ली से लैला बन गई। बाद में पता चला कि वह तो उसकी दूसरी बीवी है।'लैला के जीवन में संयोग हुए।' संयोग न हों तो कहानी कैसे बने? गुज़रा जमाना ही ठीक था। अपने यहाँ ही नहीं बाहर के देशों में भी किस्मत को सबसे ऊपर माना जाता था। लेखकगण काव्य-नाटक में होनी का होना दिखाकर यश बटोरते थे। जब से विज्ञान के अतिरिक्त मोह ने होनी की बैसाखी लेखक से छीन ली, बेचारा दो कौड़ी का होकर रह गया। (पृ. 6)

तो लल्ली के जीवन में भी वही हुआ जो होनी को मंजूर था, सब कुछ लीक से हटकर। दूसरी बीवी बनकर भी वह संतोष कर लेती अगर उसके साथिन बनने पर परिवार नियोजन की गोलियाँ बाँटने और खाने पर 'धर्म' की थेगती में न बाँध दिया जाता। बच्चा न होने के जुर्म में पति लैला को तलाक दे देता है और उसे उस बाँक नौजवान से विवाह करने का मौका मिलता है जिसे गाँव की मीटिंग में देखकर वह फ़िदा हो गई थी। तभी तो वह साबित कर सकती है कि उसने 'आपरेशन' नहीं करवाया है और जिस पर दिल आ गया, उससे बच्चा पैदा कर सकती है।

'किस्सा आज का', कहानी की शुरुआती पंक्तियाँ कुछ इस प्रकार हैं--'किस्सा आज का है। गुजरे वक़्त और आज में यही फर्क आया है। लफ़्ज बदल गए हैं। उनके मतलब वही हैं जो पहले थे।'

एक घर में एक सफल पुरुष रहता है। उसकी तराशी हुई पत्नी रहती है। एक बँगले में। वे बेऔलाद नहीं हैं। उनका एक बेटा भी है। पति वकील है। घर महल है तो उसकी पत्नी रानी हुई कि नहीं। अब रानी-महारानियों को सत्ता कैसे चले यदि आसपास हुक्म बजा लाने वाली दासी न हो। मालिश करने वाली अँगूरी को एक कम उम्र दासी लाने का हुक्म दिया

जाता है क्योंकि 'जितनी आयु कम होगी, उतना ही कर्त्तव्य नेभाने में आस्था अधिक होगी?' प्राचीन ग्रन्थ देख लीजिए। दूसरों को छोड़िए, बुरा वक़्त पड़ने पर, खुद अपने बच्चों को अपने सुख के लिए होम करते हुए हमारे राजा-महाराजा कभी नहीं झिझके, क्या राजा ययाति, क्या महाराजा शान्तनु और क्या राजा दशरथ। कवियों को पुत्रों का बलिदान खूब रास आया। किसी को महात्मा बना दिया, किसी को भीष्म और किसी को मर्यादा पुरुषोत्तम। सारी मौज-मस्ती पिताओं के हिस्से आई। तो खैर महारानी की आज्ञा का पालन हुआ। रामकली नामक एक बच्ची उनके सुपुर्द कर दी गई। जैसे-जैसे महारानी का आराम बढ़ा, रामकली का काम बढ़ा। और एक देन रामकली रुपए चुराकर भाग गई। पुलिस ढूँढती फिरी मगर अँगूरी ने इस डर से उसका पता नहीं बताया कि इन पुलिस वालों का क्या भरोसा। तो किस्सा हुआ यों कि रामकली की दादी दस में से आठ हजार लौटा गई, मगर रामकली का पता न मिला।

'छलावा' एक चिर-परिचित कथा है जो हम अपनी दादी-नानियों के मुँह से सुनते आए हैं। लेखिका ने लिखा भी है—'बचपन का किस्सा है।' जस का तस लिख रही हूँ।

वैद्यराज राजा की हीरे की अँगूठी को आग में जलाकर उसकी पुड़िया बनाकर राजा का इलाज करता है। फिर वैसे ही पाँच हीरे भूत अपने बेटे के इलाज को बदले में पाँच हीरे मिलते हैं। राजा को पता चलता है तो वह न केवल हीरे हड़प लेता है बल्कि जहाँ से वे मिले थे उसका पता भी पूछ लेता है। फिर लेखिका तब की कहानी को आज के सन्दर्भ से जोड़ती लिखती है—'राजा, कविराज भटके सो भटके, देश के तमाम प्रमुख उनके साथ भटक लिए। छलावे की तलाश में आज तक भटक रहे हैं। जहाँ कहीं धूल का बगूला चक्कर काटता दीख जाता है, दौड़ पड़ते हैं उसकी तरफ। यहाँ-वहाँ, जहाँ-तहाँ। देश की बाकी जनता, राजा और वैद्य के अभाव में जैसे-तैसे दिन काट रही है। बिना मुनासिब इलाज और बिना उचित राज-काज।'

'कानतोड़ उर्फ कर्णवीर' बहुत ही मजेदार कहानी है। एक चोर ऐसे सेठ के घर जाता है जहाँ उसकी बीवी सुन्दरी को चोर से कतई डर नहीं लगता। सेठ बाहर गया है। चोर इसे अपना अपमान समझता है कि वह एक मर्द की अनुपस्थिति में चोरी करे। चोर सेठ के सामने आता है। चोरी करता है। सुन्दरी शोर मचाकर लोगों को जमा कर लेती है। सेठ उसके कान उखाड़ लेता है। चोर शहर छोड़कर चला जाता है। किसी को पता न चले कि इसके कान नहीं हैं, इसके लिए हमेशा पगड़ी पहने रहता है। पगड़ी का असर होता है कि लोग उस पर भरोसा करने लगते हैं। व्यापारी वर्ग, काले धन, बेईमानियों और उनकी चोर बाजारी पर यह कहानी एक अच्छा कमेंट है।

लोकमानस में सतियों के मिथ किस तरह बैठे रहते हैं, लेकिन क्या वाकई सतियाँ होती हैं। उनके मर जाने से जहाँ पानी नहीं है वहाँ पानी निकल सकता है या सातवीं बेटी अपनी आकांक्षाओं के तहत ग्वाले के बेटे के साथ भागकर पवित्रता के इस मिथ को तोड़ देती है—'पर पूर्णिमा आने से पहले-पहले गाँव के नौजवानों में खुसर-पुसर शुरू हो गई। पहले यह कि भीमदेव चरवाहे का छोटा बेटा महादेव गायब था। फिर यह कि पिछली बार शहर से गाँव लौटा तो उसी अमावस की रात गायब हुआ, जब सतियों ने खाई में छलाँग लगाई थी। फिर यह कि वह कोई दिव्य पुरुष नहीं, यही आवारा महादेव था जो सातवीं कन्या को भगा ले गया था। अँधेरे में पूरे गाँव को भरमाकर कुलटा अपने यार के साथ भाग गई थी। ढुंढाई तो काफी की गाँव के सरगनों ने, पर न कुलटा मिली न उसका प्रेमी।' इसीलिए यों तो यह कहानी 'सात कोठरी' कहलाई। मगर छह कोठरियों के पानी को गाँव वाले ताले में रखते हैं, क्योंकि वही पवित्र है। छह लड़कियाँ जो मरी थीं। लड़कियाँ, जिन्हें जीवन भर अपवित्रता की लाठी से हाँका जाता है, देखिए कि मरते ही वे कितनी पवित्र हो जाती हैं, सती और देवी बन जाती हैं। जो मरने से इन्कार करती हैं, अपनी कामनाओं को सहेजती हैं, वह कुलटा कहलाती हैं।

'नेति-नेति' का श्यामल मास्टर एक शाश्वत सवाल के घेरे में है कि भगवान है या नहीं। जिसका सौ प्रतिशत सही जवाब किसी के पास नहीं है, जिसकी खोज में इतने धर्म बन गए जो एक-दूसरे का गला काट रहे हैं, फिर भी पता नहीं है कि ईश्वर है या नहीं 'जीवन बस इतना भर है। तारीख बदलती है, फिर तारीख बदलती है और कुछ नहीं बदलता है। जब बदलता है, तो विस्फोट की तरह। उसका सम्बन्ध किसी

तारीख से नहीं होता। तारीखों के बदलने को वही लोग तरज़ीह देते हैं जो उन्हें उत्सवों में तब्दील करके देखते हैं। वरना, क्या तो नया दिन, नया साल, नयी शताब्दी या नयी सहस्राब्दी' (पृ. 48) बिलकुल ईश्वर की खोज की तरह, ईश्वर तो सिर्फ अमीरों का दास है। जो गरीबों को संतोष का पाठ पढ़ाता है और अमीरों को स्वामी बनाकर इसी गरीब को 'स्वामिभक्ति' सिखाता है।

इस लेखिका को संग्रह की सबसे महत्त्वपूर्ण कहानी 'जीरो अक्स' लगी है। इसमें लेखक द्वारा एक लेखिका को 'मारने' का किस्सा है। लेखिका को मारने का अर्थ बड़ा गूढ़ है। हो सकता है कि वह सशरीर न मरी हो। यों ही मार दी गई हो। लेखक साजन भाई मेधा दी का 'कत्ल' कर देते हैं।

'साजन लेखक बना तो जितना पढ़ा गया, उससे ज्यादा चर्चित हुआ। और मेधा दी कितनी पढ़ी गयीं वे जानें या उनका प्रकाशक, चर्चा नहीं हुई तो यह आप कैसे जानेंगे?' (पृ. 50)

साजन भाई को सिर्फ मेधा दी से ही नहीं हर उस औरत से नफरत थी जो बुद्धिमती थी, जो अपनी पहचान बनाने की कोशिश करती थी और स्वायत्त थी—'उसका कहना था, नफरत प्यार से ज्यादा टिकाऊ होती है। उसने अंग्रेजी की एक किताब में पढ़ा था, नफरत में प्यार से ज्यादा ताकत होती है, क्योंकि नफरत उसूलों से आती है, प्यार दिल से। बकवास। ये सर्द देशों वाले क्या जानें, प्यार और नफरत के ताप को। उसकी नफरत का ताल्लुक किसी उसूल-वुसूल से नहीं दिल और दिमाग़ से था। दोनों से बराबर। जब आप हर सुन्दर चीज़, हर आला ख्याल, हर कामयाब इन्सान और हर खरे उसूल से नफरत करेंगे तो जाहिर है, आपकी नफरत का वजूद खुदा-सा बुलन्द हो जाएगा।' (पृ. 56) जैसे कि साजन भाई की नफरत।

'घृणा की निधि' को भुनाते हुए एक तरफ साजन भाई जहाँ लड़की-स्त्री पराओ फार्मूला अपनाते हैं दूसरी तरफ स्त्रियों की हत्या करने में अभूतपूर्व सुख पाते हैं। दुनिया के अधिकांश पुरुषों की तरह स्त्री से बदला लेने, उसे पीटने, उस पर अपना दबदबा कायम करने का साजन भाई का भी वही तरीका है—'उसका कहना था, हिकारत झेलकर औरत तिलमिलाएगी तो जो असला उसके पास होगा, उसी का इस्तेमाल करेगी। एक ही हथियार होता है उसके पास, उसका बदन। वही दाँव पर लगाकर हिंसा को पैशन और क्रूरता को वासना में बदल सकती है। बेचारी। सहवास को प्रेम का नाम देकर मैदान में उतरती है और हर बार मात खाती है।' (पृ. 58)

इस अद्‌भुत कहानी को लिखने के लिए मृदुला गर्ग को बधाई दी जा सकती है क्योंकि कहानी को पढ़कर लोग जान सकते हैं कि दरअसल मृदुला गर्ग कहना क्या चाहती है?

'मंजूर-नामंजूर' दो बहनों की कथा है। मंजूर वह जो परम्परावादी है फिर भी प्रेम कर लेती है, नामंजूर वह जिसे हर चीज़ का नकार पसन्द है, जिसे प्रेम करने के लिए कोई नहीं मिलता, माता-पिता के ढूँढे वर से विवाह कर लेती है। मंजूर का प्रिय वाक्य है—'जो घड़ी गुजर गई वह गुजर गई। कोई तिथि लौट कर नहीं आती।' मंजूर बहुत व्यवहार कुशल है, जहाँ जाती है वहाँ मोहल्लेदारी और बहनापा जोड़ लेती है। दो बच्चों की माँ फिर भी मेजर लतीफ से मोह जगता है, दोस्ती के लिए हाथ आगे बढ़ता ही नहीं क्योंकि कोई तिथि तो लौटकर आती नहीं, विवाहिता स्त्रियाँ और प्रेम! वे ज़िन्दगी भर एक सलीब को ढोने के लिए मजबूर होती हैं।

''दोस्ती से हाथ खींचते तुझे पहली बार जाना।''—झूठे सच से मैंने साफगोई को मिटाना चाहा।

''वह दोस्त नहीं अतिथि था। बिना तिथि आया, बिना तिथि लौट गया। बार-बार आता रहता तो मोह हो जाता कि तिथियाँ लौटकर आने लगे।''—मंजूर ने कहा।

जहाँ किशोरावस्था के बाँद लड़कियाँ बढ़ी हुई मान ली जाती है या कहिए कि परिस्थितियों की मार उन्हें बूढ़ा कर देती है वहाँ साठ वर्ष की उम्र में सुरभि घोष प्रेम करने की सोचती है। सुरभि घोष, एक लेखिका—'सुरभि घोष ने अपनी एक कहानी में लिखा था, साठ की होने पर औरत निरापद हो जाती है। कुछ भी करे लोकापवाद नहीं होता। कितनी बेवकूफी की बात थी। जैसे लोकापवाद न होना औरत को निरापद करने को काफी हो और जो लोक से इतर अपना मनोजगत है, उसका क्या?'

इक्कीस साल बाद सुरभि घोष इतिहास के प्रोफेसर डॉ. चन्द्र से मिल रही थी, जिन्हें पुरानी इमारतों से बहुत लगाव था। पाँच मंजिले गिरजाघर पर अलग-अलग सीढ़ियाँ चढ़ते हुए

सुरभि के मन में अदम्य लालसा जगी—'डॉ. चन्द्र उसे वहीं तभी फौरन प्यार करें। छाती पर भींचकर, मुँह ऊपर उठाएँ, चूमें, बार-बार चूमें। पागल कर देने वाली हसरत के साथ वह इन्तज़ार करती रही कि वे उसकी चाहत पर अमल करें। प्यार करें, पर वे करें। सुरभि पहल नहीं कर सकती थी। नीचे कूद कर जान दे देना एक बात है, भविष्य हीनता में निरापद और पुरुष को बाँहों में लेकर प्यार का आमंत्रण देना एकदम दूसरी।' इक्कीस साल पहले पहल न कर पाने के संकोच से दबी औरतें। और अब साठ साल की सुरभि घोष। दादी-नानी की उम्र में यह पाप। पाप और पुण्य की अनन्त परिभाषाएँ। स्त्रियों के लिए एक पुरुषों के लिए दूसरी। सुरभि घोष उन्हें क्यों मानें? वह बाँहें फैलाकर डॉ. चन्द्र को समेट लेती है। दुनिया ऐसा नया क्या कह लेगी, जिसे अब तक नहीं कहा गया।

'इक्कीसवीं सदी का पेड़' पर्यावरण के नाम पर खाने-कमाने वाले इस कहानी को पढ़कर जान सकते हैं कि दरअसल पेड़ होना होता क्या है? एक पेड़, प्रकृति, हमारे आसपास की बाजू की दुनिया जिसके बारे में हम बिलकुल नहीं जानते। पेड़ याद करता था—'रह-रहकर पेड़ को एक सर्द देश से आए प्रवासी पंछी के शब्द याद आ रहे थे। उसने कहा था, इन्सान क्या खाक चुनेगा, यही कि कैंसर से मरे या एड्स से। इन्सानगी से रुंधे पेड़ भी क्या चुनेंगे, यही कि कचरे से मरें या शोर से।' (पृ. 96)

'कलि में सत' कहानी आधुनिक रामायण है, कैसे मल्टीनेशनल महमूदाबाद को पंचवटी बनाते हैं, कुशीला को कौशल्या और आधुनिक उर्मिला को वृक्ष मित्र पुरस्कार के अलावा मैगसैसे अवार्ड से भी विभूषित किया जाता है। आखिर बहुराष्ट्रीय निगम अपने स्वार्थ यानी कि मुनाफा होने पर ही कोई पुरस्कार बाँटते हैं।

संकलन की कहानियाँ किसी लेखिका की कल्पना की उड़ान नहीं, बल्कि उनके अध्ययन और चीज़ों पर गहरी पकड़ का पता देती हैं।

ऐसी भौजी चाहिए जामे कुटुम समाय

ध्रुव शुक्ल के लिए निर्मल वर्मा ने उनकी किताब के फर्स्ट फ्लैप पर कहानियों की विशेषताएँ बताते हुए लिखा है—'गुरुत्वाकर्षण के सभी नियमों को तोड़कर कब उनकी कहानियाँ अचानक अपने पात्रों की मसखरी कल्पनाओं में उड़ने लगेंगी कहना असम्भव है।'...शब्दों में नहीं बिम्बों के सहारे अपना कथा संसार रचते हैं—ठेठ टटके देशज बिम्ब-जहाँ बेल का पेड़ है, पड़ोस में देवी का मन्दिर है, देवी का हाथ है, ये पर्व और अनुष्ठानों की भरी-पूरी दुनिया है, जिसके इर्द-गिर्द न जाने कितनी कथाओं और किंवदन्तियों की धूल-धूसरित झंडियाँ फहराती हैं।'

हिचकी संग्रह में दस कहानियाँ हैं। 'छिपने का खेल' पहली कहानी है जिसमें पति-पत्नी और दो बेटियाँ हैं। बेटियाँ शाम को छिपने का खेल खेलती हैं—'लड़कियाँ अपने छिपने की जगह कभी नहीं बतातीं।' (पृ. 9)

अगर बताएँ तो मारी ही जाएँगी, छिपना शायद लड़कियों के लिए एक सम्भावना है जिसके जरिए वे ज़िन्दा रहती हैं। वैसे भी प्रायः लड़कियों से बहुत कुछ छिपाया जाता है। इसीलिए जब छोटी लड़की आकर टी.वी. देखने लगती है तो पिता को लगता है—'घर में रखा यह डिब्बा सड़क पर खड़े उस गुंडे की तरह है जो छिपकर छुरा दिखाता है, मारता नहीं और चाहे जिसको अपने वश में कर लेता है।'

'बेल का पेड़' भी एक प्रतीकात्मक कहानी है जिसमें बेल का पेड़ माने बड़ी होती लड़की। जवा बड़ी हो रही है। उसके घर में बेल का पेड़ है। सूरज नाम का लड़का बेलपत्र लेने के बहाने आकर उससे बातें करता रहता है। जवा की माँ को लगता है कि सूरज किसी दिन उसके घर में आग लगा देगा। वह जवा के पिता से कहती है—'अरे मैं उस लड़के सूरज की बात कर रही हूँ। बेलपत्री लेने आता है और घण्टों खुसर-फुसर करता रहता है। जल्दी से कोई लड़का खोजो और इस लड़की के हाथ पीले करो नहीं तो अनर्थ हो जाएगा।' (पृ. 16)। कस्बों में लड़कियों के जीवन का एकमात्र एजेण्डा जैसे-तैसे विवाह। किसी लड़के से बात भी कर ली तो धरती हिल उठेगी। लेकिन माँ जवा की इस बात को नहीं सुन पाती जो वह सूरज से कहती है—'तुम मुझे बहुत अच्छे लगते हो।'

जवा की माँ को देवी आती है। सबको पता है कि स्त्रियों को कस्बों में देवी क्यों आती है? खुद को एक्सप्रेस न कर पाने पर औरतें इसी तरह अभिव्यक्त करती हैं। सही मायने में देवियाँ स्त्रियाँ ही होती हैं। हाड़माँस की औरत

स्पर्धा और घृणा के योग्य है। पत्थर की होते ही वह देवी हो जाती है—'जब लोग साक्षात् देवी का सामना नहीं कर पाते तो कामना करते हैं कि वे पत्थर की हो जाएँ। वे उनकी मूर्ति बनवाकर उन्हें मन्दिर में बिठा देते हैं।' (पृ. 1)

'हिरनी की माँ अपने बच्चे को कहानियाँ सुनाती हैं। एक बच्चा साथ सोता है। एक पेट में है। पिता मास्टरी करने बाहर गए हैं। कभी-कभी आते हैं। बेटा माँ से पूछता है कि जब वह सो जाता है तो माँ किसे कहानियाँ सुनाती है? माँ कहती है कि खाली घर को—'खाली घर में ही तो कहानियाँ भरी रहती हैं। जब उन्हें कोई नहीं सुनता, तब काल सुनता है।' (पृ. 26) उज्जैन महाकाल का मन्दिर। महाकाल, समय की अबाध गति जिससे कोई नहीं बचा, इसीलिए हर रोज कोई-न-कोई मरता है। महाकाल के मन्दिर का पुजारी कहता है—'काल के अभिषेक के लिए रोज किसी-न-किसी को मरना ही पड़ता है। सदियाँ बीत गईं आज तक ऐसा हुआ ही नहीं कि काल के अभिषेक के लिए जीवन की भस्म न मिली हो।' (पृ. 28)

स्कूल, बच्चे, मास्टर और स्कूल के बाहर सामान के बेचने वाली औरत यह हर स्कूल की सच्चाई है। बच्चे हैं जो स्कूल से ऊबे हुए हैं। मास्टर बच्चों से खफ़ा हैं। सामान बेचने वाली बच्चों की प्रतीक्षा करती है—'वह स्कूल के अहाते के बाहर बैठी रहती, जैसे युगों से प्रतीक्षा कर रही हो।' (पृ. 34)

यह 'हिचकी' कहानी है। चलती हुई साँस के बीच व्यवधान की तरह आती हुई एक 'हिचकी'।

नगर में चर्चा है कि एक स्त्री और पुरुष को हत्या के जुर्म में चौदह साल की सजा हुई। वहाँ स्त्री को गर्भ ठहर गया। तब अखबार वालों ने जेल की बखिया उधेड़ते हुए जेल को वेश्यालय और जेलर को रंडियों का दलाल कहा। कुछ ने गर्भ में पल रहे बच्चे को अवतार माना। आखिर जेल में देवकी के बच्चे की जन्म की कहानियाँ प्रचलित थीं। सरकार ने विवाद से बचने के लिए गर्भ गिरा दिया।

'कहते हैं, जब रात को जेल के पहरेदार सो जाते हैं तो जेल के भीतर किसी बच्चे का रोना सुनाई देता है।' (पृ. 36)

'किसान कुल्फी वाला'—सबको उसका इन्तजार रहता है। सब कुल्फी को अपनी-अपनी तरह से परिभाषित करते हैं। किसी के लिए वहाँ 'लपट' के बीच ठण्डी हवा का झोंका है। बच्चे सोचते हैं कि 'किसन दूध की नदियों से दूध भरकर लाता होगा।' एक दोस्त कुल्फी खाते हुए दूसरे दोस्त से कहता है—'समुद्र पिघली हुई खारी कुल्फी है।'

दोस्त बोला—'जानते हो समुद्र खारा क्यों है?' यह दुनिया जब से बनी है तभी से लोग रो रहे हैं, पसीना पोंछ रहे हैं। पसीना और आँसू दोनों खारे होते हैं। जब हम अपना रूमाल धोते हैं तो हमारे आँसू और पसीना नालियों में बह जाते हैं। नालियों के मुँह नदियों में खुलते हैं और नदियाँ समुद्र की ओर भागती हैं। समुद्र खारा होता रहता है।' (पृ. 43)

निर्मल ने ठीक लिखा है, समुद्र के बनने का अनोखा एक्सप्रेशन ध्रुव ही लिख सकते हैं जहाँ समुद्र बनने के वैज्ञानिक तथ्य को फैंटेसी के साथ जस का तस रखा गया है। 'चक्की' के गोविन्द बाबू अपनी विधवा बहन के साथ रहते हैं। जीविका चलाने के लिए वह चक्की चलाते हैं। आटा पीसते रहते हैं। कस्बे की ज़िन्दगी। दर्जी-औरतों के ब्लाउज सिलता। लक्ष्मी बच्चे को पीठ से बाँधे। किसी का सहारा तलाश करते सड़क पार करते गोविन्द बाबू। 'जब आँखें नहीं होनीं तो हाथ-पाँव देखने लगते हैं।' (पृ. 49)

कहानी में जितना ड्रामा है, विपन्नता की तस्वीरें हैं और बिम्बों का सही इस्तेमाल है—'एक दिन गोविन्द बाबू की चक्की चलते-चलते बन्द हो गई।' (पृ. 51) यानो कि उनका जीवन समाप्त हो गया। एक मामूली से जीवन का तमाम आपाधापियों, व्याधियों के बीच निरन्तर चलते रहना और एक दिन एकाएक समाप्त हो जाना। ऐसा जीवन या ऐसी मौत घर-घर में लिखी है—बेआवाज। ध्रुव की कहानियों में कस्बे हैं, उनके छोटे-छोटे सुख-दुख हैं मगर कस्बे का ग्लैमराइजेशन नहीं है। निर्मल ने उनकी पुस्तक का फ्लैप लिखा है। निर्मल भाषा का जो जादू बाँधते हैं आप उस भाषा के पीछे जाए बिना नहीं रह सकते, ध्रुव के पास भी वही जादू है। प्रतीकों का, शैली का, भाषा के बीच में एक और नई भाषा गढ़ने का।

'मकड़ी' जहाँ सास-बहू के शाश्वत झगड़ों की कहानी है—'तूने मेरा लड़का मुझसे छीन लिया...यह कहती हुई वह कमरे में चली गई।' (पृ. 53)

संकलन के चेहरे नाम से तीन कहानियाँ हैं—तीन खण्डों

में बँटी हुई। चेहरे-1 में कुत्ते पालने वालों के माध्यम से एक गतिहीन जीवन पर गहरा कटाक्ष है—'कुत्ते को हम अपनी हैसियत के मुताबिक ही पालते हैं, पर भ्रम चाहे जितने पाल लेते हैं, कुत्तों से भी ज्यादा। आप आखिर कितने कुत्ते पालेंगे। कुछ तो आवारा हो ही जाएँगे।' (पृ. 89)

चेहरे-2 में एक जादूगर सबको ऐसा आइना दिखाना चाहता है जिसमें सब कुछ ठीक-ठीक दिख सके। लेकिन दुनिया में कौन अपने बारे में सबको सब कुछ ठीक-ठीक दिखाना चाहता है। इसीलिए कोई आगे नहीं बढ़ता—'जादूगर चुप हो गया।' सामने बैठे लोगों की ओर टुकुर-टुकुर ताकता रहा, जैसे चिढ़ा रहा हो। लोग जादूगर की तरफ देखने से कतरा रहे हैं। उन्हें डर है कि कहीं वह उन्हें बुला ना ले। (पृ. 91)

चेहरे-3 में इस दौर में आदमी की अज़नबियत का बखान है। लोग जा रहे हैं, आ रहे हैं, खा-पी रहे हैं फिर भी अनजान हैं एक-दूसरे से।

''लोग अपने गुमने का बहाना खोजते फिरते हैं और बहाना मिलते ही दूसरों को गुमा हुआ कहने लगते हैं। मगर कोई दूसरा भी अपने गुमने का बहाना खोज ले तो दोनों एक-दूसरे के पड़ोसी हो जाते हैं और किसी को अपनी शिनाख्त तक नहीं होने देते, पड़ोसी को भी नहीं।'' (पृ. 97)

'महुबा' कहानी एक ऐसे नीम-हकीम की है जो आयुर्वेद की गाइड पढ़कर एक धुर गाँव में डॉक्टर बनकर पहुँच जाता है। उसका विश्वास था कि गाँव वाले उसकी रोटी पानी का इन्तज़ाम कर देंगे क्योंकि गाँव में पंचायत थी अस्पताल नहीं। कहानी बहुत ही प्रभावशाली है। गाँव में बसे साधनहीन, निरक्षर लोगों की बेबसी को बहुत अच्छे ढंग से चित्रित करती है।

लेकिन संकलन की सबसे महत्त्वपूर्ण और दारुण कहानी है—'भौजी की कहानी' लेखक का आब्जर्वेशन इन अकेली औरतों के बारे में कितना सटीक है, जरा देखिए—'ग्राम देवता की तरह हर गाँव में एक ग्राम भौजाई भी होती है। माँ, बहन, बेटी से ऐसे सम्बन्ध हैं इनसे मसखरी नहीं की जा सकती। मसखरी करने के लिए एक भौजाई चाहिए। घर की सगी भौजी से, एक हद तक ही मसखरी की जा सकती है। हद से आगे बढ़े तो लट्ठ चलने लगते हैं। सिर फुटौव्वल होती है। चूल्हे अलग हो जाते हैं। इस झगड़े से बचने के लिए ऐसी भौजी चाहिए जामे कुटुम समाय। कुटुम्ब तो क्या पूरा गाँव ही समा जाए। ऐसे पक्के कलेजे वाली चाहिए।' (पृ. 63)

गाँवों में ये भौजाइयाँ कौन-सी होती हैं? वे जिनके ऊपर प्रायः किसी आदमी की छाँव नहीं होती और सारे मर्द उसे अपनी मान लेते हैं। इस कहानी की भौजाई के पति को भी वैराग हो गया था। भौजाई को जीवित रहने के लिए सारे गाँव की सेवा-टहल करनी पड़ती है। नाइन का काम करती है। बच्चे पैदा कराती हैं और आदमियों के अश्लील मजाकों का जवाब उन्हीं की भाषा में देती है। एक स्त्री के अकेलेपन, दिलेरी और संघर्ष से भरी यह एक अद्‌भुत कहानी है।

नींद के बाहर कुछ नहीं छूटता

'नींद के बाहर' संकलन की पाँचों कहानियाँ 'नींद के बाहर, 'दुक्खम शरणम गच्छामि', 'मेरी फर्नांडिस क्या तुम एक...', 'उस धूसर सन्नाटे में' और 'उस रात की गन्ध' धीरेन्द्र के दस-ग्यारह साल के मुम्बई प्रवास की कहानियाँ हैं। 'नींद के बाहर' एक ऐसी कहानी है, जो नगरों में रहने वाले लोगों के जीवन में इन दिनों उमड़ी आती व्यथा-कथा को कहती है। स्थायित्व-चाहे वह सम्बन्धों का हो, नौकरी का हो खत्म हो चला है। 'पार्टनर तुम्हारी पालिटिक्स क्या है?' का नारा 'पार्टनर तुम्हारी उम्र क्या है?' क्योंकि नौकरियों में पैंतीस साल के बाद आदमी को खत्म हुआ मान लिया जाता है। कान्ट्रेक्ट की नौकरी ने आदमी का सुख-चैन सब कुछ छीन लिया है। जो पुराने लोग स्थायी नौकरियों पर बचे हैं उनकी गर्दनों पर वी.आर.एस. की तलवार लटकी है।

'उसी नरीमन प्वाइंट की अटलांटा बिल्डिंग के भीतर कुछ ही देर पहले धनराज की दुनिया ढहा दी गई थी और सब चुप थे। निर्वाक, क्योंकि धनराज भी हमेशा चुप ही रहा था। अपने माता-पिता, भाई-बहन सबको अकेला और पीछे छोड़ वह एक मायावी दुनिया में चला आया था किन्तु जिस दिन उसकी नौकरी गई...'लेकिन आज धनराज अकेला था और नींद के बाहर था। पूरे दस वर्ष से धनराज नींद के एक तिलिस्मी बाजार में बैठा जाग रहा था।'

और धनराज करता भी क्या, सफलता अपने तर्कों के साथ आदमी को जहाँ ले जाती है और अकेला करती है,

धनराज के साथ ऐसा ही हुआ था। एक वक़्त में उसके फोन की घण्टी लगातार बजती थी। मित्रों से मिलने की फुरसत नहीं थी। अड़ोस-पड़ोस में क्या हो रहा है, पता नहीं था। सुबह जब सोकर उठता तो बेटा चला गया होता था और रात बारह साढ़े बारह जब घर पहुँचता था तो बेटा जा चुका होता था। नौकरी से इतर, घर-बाहर की पूरी दुनिया को उसकी पत्नी सरिता ने सँभाला हुआ है। क्या सचमुच अब तक वह जागते-जागते सो रहा था।

'नींद के भीतर की दुनिया बहुत विराट् थी।' उस नींद के भीतर एक महानींद थी। उस महानींद की दुनिया महाविराट् थी। उस दुनिया में नींद के बाहर पड़े हुए लोगों का प्रवेश वर्जित था। इस दुनिया में कोई किसी का दोस्त नहीं था। वहाँ सम्बन्ध नहीं कारोबार टिकता था। वहाँ एक महाबाजार लगा हुआ था, जिसमें लोग या तो उपभोक्ता थे या विक्रेता। इस दुनिया के सारे रास्ते बाजार की तरफ जाते थे। और इस बाजार में धनराज की कोई ज़रूरत नहीं थी।'

और तब जब नौकरी छूट गई। विक्रेता और उपभोक्ता के नियम ने धनराज को खदेड़कर स्पर्धा की दुनिया से बाहर कर दिया तब दस साल बाद धनराज का छोटा भाई उससे मिलने आया। वह अपने परिवार के साथ, माँ और बहन को पाल रहा था। अब बहन की शादी करनी थी...जिसे धनराज न जाने कब का भूल चुका था। और सबसे छोटा भाई बबलू जिसे धनराज ने मुम्बई में सैटिल होते ही बुलाने की बात कही थी, नक्सलवादी हो गया था। अपने परिवार के हालात जानने के बाद धनराज को लगा कि वह तो बहुत ही बुरा आदमी निकला।

दुनिया की सबसे छोटी कविता लोकप्रियता के सर्वोच्च शिखर पर खड़ी अट्टाहास कर रही थी—'आई व्हाई।'

नौकरी जाने के बाद तमाम तरह के अपमान और उपेक्षा को झेलता धनराज एकाएक गायब हो जाता है। वह कहाँ गया—'यह अकेला धनराज एक रात गौतमबुद्ध की तरह सरिता और रोहित को सोता छोड़ कहीं अँधेरे में गुम हो गया। कुछ लोगों का कहना है कि उन्होंने धनराज को हाथ में एक ईंट लिए अयोध्या के रास्ते पर पैदल-पैदल जाते देखा था।'

एक रोजगार शुदा आदमी जब बेरोजगार होता तो वह भी शिलादान के लिए दौड़ेगा। मन्दिर बनवाने की पंक्ति में सबसे आगे खड़ा होगा, यही एक रोजगार सही।

'दुक्खम शरणम् गच्छामि' का नायक जो एक लेखक है अपनी बीमारियों और दुखों से मुक्ति के लिए जयपुर में एक जगह दस दिन बिताने जाता है। यहाँ न चाय है, न अखबार, न टी.वी. न रेडियो...यहाँ आधुनिक दुनिया को झाड़-बुहारकर एक तरफ कैद कर दिया गया है।

धीरेन्द्र की सभी कहानियों का नायक प्रेम करने को आतुर बैठा रहता है। लेकिन उनकी कहानियों में परिवार की स्मृति बहुत मधुर है। यह नायक नई कहानी के दौर के नायक से अलग है जो अक्सर परिवार को शत्रु की तरह देखता है। उसे अपनी सफलता में रोड़ा मानता है और पत्नी से ऊबकर हर बार एक नई औरत की तलाश में भागता है। और लेखन में परिवार और स्त्री को एक अनिवार्य बुराई की तरह पेश करता है।

'दुक्खम् शरणम् गच्छामि' का नायक परिवार से दूर परिवार को ऐसे याद करता है—'घर बेतरह याद आया। घर में बीवी थी। चिड़चिड़ाती और पस्त होती हुई। दो बेटे थे—तेज-तेज कदमों से जवानी की तरफ जाते हुए—अपने-अपने सपनों और जिदों और सूचनाओं के साथ। उन सपनों और जिदों और सूचनाओं में माँ के गठिया का दर्द और पिता की हताशा तथा वेदना और एकाकीपन के लिए कोई जगह नहीं थी। वहाँ लड़कियाँ थीं, फोन थे, कम्प्यूटर थे। धन था और गति थी।'

धीरेन्द्र की कहानियों में पत्नी रोती, गिड़गिड़ाती एक कमजोर औरत नहीं बल्कि एक मज़बूत औरत है जो हताशा के दौर से गुजरते नायक को सहारा दे सकती है, उन्ने सँभाल सकती है। यह इस दौर की स्त्री है जिससे पुरुष दूर नहीं भागता, जिससे घृणा नहीं करता जिसके आकर्षण में बँधा खिंचा चला जाता है। इस हिसाब से धीरेन्द्र की स्त्रियाँ बड़े-बड़े प्रगतिशील रचनाकारों की स्त्रियों को मात देती हैं।

हाल ही में धीरेन्द्र ने एक साक्षात्कार में कहा था कि अपने पात्रों में वह खुद को देखते हैं। उन्हें जानने वाले बता सकते हैं कि उनके नायक सचमुच उनके आसपास से निकल जाते हैं। उनका नायक किसी सुन्दर कम उम्र लड़की से अक्सर प्रेम निवेदन करना चाहते हुए भी रह जाता है क्योंकि उसे अपने परिवार से लगाव है। वह एक हद से आगे नही बढ़ सकता।

'नींद के बाहर' की सकीना और 'दुक्खम् शरणम् गच्छामि' की निशा दोनों ही मुसलमान लड़कियाँ आत्महत्या कर लेती हैं। ऐसा क्यों है कि जो लड़कियाँ अपने आसपास को, अपनी स्थितियों को बदलना चाहती हैं उन्हें अक्सर मरना पड़ता है? वे इतनी अकेली क्यों हो जाती हैं? उनके दुखों की कोई पड़ताल क्यों नहीं कर पाता?

'बाहर जो दुख है, शोक है, दैन्य है, रोजी-रोटी की मशक्कत है, भूख है, संताप है, अपहरण, बलात्कार, हत्याएँ, तालाबन्दी, हड़तालें और लाठीचार्ज हैं, चौबीस घण्टों की भागदौड़ और तनाव है, झुग्गी-झोंपड़ियों का नरक और जीवन का विराटी तथा अनवरत संग्राम है और जिसके कारण ही बड़े-बड़े रोग हैं, लाचारियाँ हैं, आत्महत्याएँ हैं...'

'मेरी फर्नांडिस क्या तुम एक...' की नायिका मेरी दुनिया से बदला लेने को निकल पड़ी है क्योंकि उसे इस भरी-पूरी दुनिया के सामने वेश्यावृत्ति के नरक में धकेला गया—जहाँ हर दिन बढ़ता अँधकार है। उसे एक अरब शेख से एड्स लगा है और जो भी पुरुष उसके पास आता है वह उपहार में उसे एच.आई.वी. पाजिटिव दे देती है—

'मैंने किसका क्या बिगाड़ा था?' मेरी आक्रामक थी, जिस अरब शेख ने मुझे यह तोहफ़ा दिया, मैंने उसका क्या बिगाड़ा था? एक सुखी जीवन के वास्ते मैं कुछ समय के लिए इस दुनिया में आई थी। मुझे क्या मिला? मेरी पर जैसे दौरा पड़ गया था—'जितना भी समय मेरी भाग्य में है उसे मैं तुम पुरुषों का भाग्य नष्ट करने में लगा दूँगी। सुना तुमने तुम नष्ट हो चुके हो।' नायक जो मेरी की सुन्दरता से खिंचा चला आया था एकाएक उसे अपनी मृत्यु दिखाई देने लगती है—'अचानक अपनी यातना के दारुण अँधकार में मैं बहुत-बहुत अकेला छूट गया था। मेरा डर हर रोज बड़ा हो रहा था। मेरी फर्नांडिस क्या तुमको मेरी आवाज सुनाई देती है? अगर हाँ तो सुनो, तुम खुश न हो, दूसरे को टूटते-हारते हुए देखकर संतोष होता है, एक क्रूर संतोष। पर कितना कमीना है यह संतोष। मेरी फर्नांडिस, तुम सुन रही हो न! अपने दुखों का हिस्सेदार किसे बना सकता हूँ मैं? कितना बेचारा और निरीह बना दिया है तुमने मुझे?'

'उस धूसर सन्नाटे' में जहाँ संस्थान के एक अधिकारी साहित्यप्रेमी ब्रजेन्द्र बहादुर सिंह की मौत की खबर कोई खबर नहीं है। नायक उनकी कही गई बातों को याद करता है—'यंगमैन' मोमबत्तियों के उस अपाहिज उजाले में ब्रजेन्द्र बहादुर सिंह का भर्राया और गीला स्वर गूँजा—'किस करुणा की बात कर रहे हो तुम? करुणा की ज़रूरत किसे है आज? नौ महीने इस शहर में नहीं था मैं...क्या मेरे बिना इस दुनिया का काम नहीं चला।'

और सचमुच ब्रजेन्द्र बहादुर सिंह की मौत की कोई खबर नहीं है, वह किसी में कोई उत्तेजना नहीं जगाती। किसी डान या हत्यारे से नेता बने किसी ब्लैकमेलर की खबर, खबर बन सकती है। जो बिक सके वही तो खबर है। बिकनी, ब्रा, पेंटी सब बहुत बड़ी खबरें हैं इन दिनों, दहेज के लिए जलाई जाती स्त्री कोई खबर नहीं है।

इसीलिए 'उस रात की गन्ध' में जहाँ समुद्र तट पर बहुत थोड़े-से रुपयों के लिए माँ की उम्र की एक स्त्री नायक के साथ जाने को तैयार है। तब नायक दोस्त कमल से कहता है—'मुझे घर ले चलो। आई....आई हेट दिस सिटी। कितनी गरीबी है यहाँ।'

धीरेन्द्र की कहानियों का नायक देवता नहीं है, न ही किसी से देवता होने की माँग करता है। एक कहानीकार के रूप में वे बहुत बदल गए हैं। शुरुआती आक्रोश और दुनिया से बदला लेने की तमन्ना गायब हो गई है। वह अपने आसपास चारों ओर नजर डालते हैं। उनकी भाषा का प्रवाह चकित कर देता है। एक सतत् मैच्योरिटी उनके लेखन में नजर आती है। वह कहीं नहीं रुकने देते। आप पढ़ते चले जाते हैं और जहाँ रुकते हैं पलटकर देखने के लिए तो वहाँ एक नई कहानी जन्म ले रही होती है।

मेरे देश की मिट्टी अहा-मृदुला गर्ग, नेशनल पब्लिशिंग हाउस, नयी दिल्ली, 120/- रुपये
हिचकी—ध्रुव शुक्ल, वाणी प्रकाशन, नयी दिल्ली 150/- रुपये
नींद के बाहर—धीरेन्द्र अस्थाना, वाणी प्रकाशन, नयी दिल्ली, 100/- रुपये।

जड़ता के खिलाफ : लोक का लोकतन्त्र

(पीयूष दईया की सम्पादित पुस्तक 'लोक' पर)

—अरविन्द मोहन

भारतीय परम्परा में लोक न तो अज्ञात शब्द है न अपरिभाषित; पर यह पद इतना छोटा या भिन्न अर्थ वाला भी नहीं है कि उसे बहुत ही हल्के ढंग से या सरल फार्मूले के रूप में परिभाषित किया जा सके। गौर से देखेंगे तो मामला अकेले 'लोक' का नहीं है—वेदों में अग्नि 'वृहत' की भी कहानी कुछ ऐसी ही है। ईश्वर यानी प्रकाश का भाव-रंग-गंध-ध्वनि की तरह सर्वव्यापी या सबको समाहित करने वाली इन कुछ चीज़ों को कैसे परिभाषित करने की कोशिश नहीं हुई है। और अगर बहुत बारीक ढंग से सोचें तो हमारे समाज का या हमारे जैसे समाजों का यही व्यवहार लोक-व्यवहार की परिभाषा में आएगा।

जैसा पहले कहा गया है ये चीजें अपरिभाषित भी नहीं हैं, ईश्वर को परिभाषित करने में 'नेति-नेति-नेति' वाला जो नज़रिया है वही नज़रिया अनेक ऐसे सर्वव्यापी पदों के मामले में दिखता है। ज़ाहिर तौर पर प्राचीन ग्रन्थों में लोक कई रूपों में परिभाषित है जिनमें 'इहलोक' और 'परलोक' जैसी व्यापक व्याख्याएँ शामिल हैं। और परिभाषा का यह प्रयास लोक और शास्त्रीयता या नागर (मन) के बीच एक विभाजक रेखा खींचता है जिसे हम लक्ष्मण रेखा नहीं कह सकते। बल्कि यह इतनी बारीक रेखा है कि भारतीय सन्दर्भों में तो इसे साफ़ देख पाना या बता पाना भी अक्सर मुश्किल ही होता है। हमारे लिए अगर भीम बल का पर्याय बने पौराणिक पात्र हैं तो उसी दौर या पुराकथा वाले श्रीकृष्ण आज तक 'जीवित' पात्र हैं। हमारे भाई, हमारे माँ-बाप-अध्यापक हमें जीवन के विभिन्न पड़ावों पर उतनी मदद नहीं करते जितने श्रीकृष्ण करते हैं या उनकी गीता करती है तिथियों और ग्रहों की गति भौतिक भी है और आध्यात्मिक भी। वह वैज्ञानिक गणना की भी चीज़ है और सारे सामाजिक-पारिवारिक और व्यक्तिगत कर्मों को संचालित करने की भी। खैर! यह सूची लम्बी है।

पर बीती कुछ शताब्दियों से दुनिया में और पश्चिम के सम्पर्क में आने के बाद हमारे यहाँ 'लोक' एक अलग सन्दर्भ में भी आने लगा है—'फोक' की तरह भी। असल में जब पश्चिमी व्यापारी और लुटेरे समुद्री यात्रा करने बाहर निकले और नए स्थानों के सम्पर्क में आए तो वे उन्हें गंवार, अशिक्षित, असंस्कृत ही मानते रहे, भले ही इसमें से अधिकांश समाजों की संस्कृतियाँ अधिक उन्नत हों। पर भौतिक ताक़त और सभ्यता-संस्कृतियों की टक्कर में रोमनों (जिन्होंने यूनानी सभ्यता को नष्ट किया) से लेकर आज तक भौतिक ताक़तों की ही जीत होती आई है। आज भी दुनिया में जो कुछ चल रहा है वह पश्चिम-केन्द्रित विकास ही है। और इस क्रम में सारा कुछ बदला है। इतिहास बनाम मिथक में इतिहास जीता है, शास्त्रीयता या नागर (मन) बनाम लोक में पहले पक्ष का पलड़ा भारी हुआ है, मशीन और आदमी के बीच मशीन का महत्त्व बढ़ा है।

अब ऐसे दौर में जब न तो हम पश्चिमी अवधारणाओं से अलग रह सकते हैं न ही अपनी संस्कृति और सभ्यता को हीन मान सकते हैं, इस 'लोक' वाली चर्चा को विस्तार से चलाना एक तरह की ज़रूरत है और इसमें यह समझ रखनी भी ज़रूरी है कि हम कहाँ थे, क्या थे और अभी क्या हैं।

अगर शहरीकरण को, शास्त्रों की रचना को, विज्ञान की प्रगति को, विकास को भी पैमाना बनाएँ तो हम यूरोप या पश्चिम के लोगों की 'फोक' वाली अवधारणा में नहीं आते उलटे उस दौर में वे कहाँ थे इसका हिसाब उन्हें लगाना चाहिए। और इसे शुभ मानना चाहिए कि एकदम युवा बुद्धिजीवी, कवि व सर्वाधिक चर्चित संपादक पीयूष दईया ने भारतीय लोक कला मण्डल, उदयपुर के लिए 'लोक' नाम से जिस भारी-भरकम ग्रन्थ का सम्पादन किया है उसमें यह सन्तुलन और तीक्ष्ण समझ साफ़ दिखती है।

किताब में एक नहीं अनेक लेख हैं जो 'फोक' को लोक मानने जैसी सीमित व्याख्या को बेमानी बताते हैं और इसे पश्चिमी सीमित दृष्टि की पैदाइश मानते हैं। अनेक लेख लोक और शास्त्र के बारीक अन्तर को भी साफ़ करते हैं। (राममूर्ति त्रिपाठी) एक नहीं अनेक लेख हैं जो लोक की बातों को शास्त्र में समेटने या उनके बुनियादी गुण को जानने की महत्त्वपूर्ण भूमिका देते हैं। कोमल कोठारी का लेख लिखित और मौखिक कथाओं के भेद को बहुत ही सुन्दर ढंग से सामने लाता है। जी.सी. कर्क जैसे कई लेखक इस बात को बताते हैं कि दन्तकथाओं या लोक कलाओं को अनुष्ठानों और लोक-जीवन को संयमित करने वाली पूरी दृष्टि से अलग करके नहीं देखा जा सकता।

यहाँ बात को आगे बढ़ाने से पहले इस किताब की एक अखरने वाली कमी की तरफ़ इशारा करके चलें तो अच्छा होगा। कुल 71 लेखों और 724 से ज़्यादा पन्नों वाली इस किताब में काफ़ी विश्लेषण ब्यौरे और कहानियाँ हैं पर यह बताने का प्रयास नहीं किया गया है कि आखिर लोक का इन लोक-कथाओं, मिथकों, कर्मकाण्डों, चित्रकला, गानों, पुराकथाओं से क्यों रिश्ता है और भले ही इस पश्चिमी समाज की 'फोक' वाली अवधारणा को ग़लत या शरारतपूर्ण मानें पर यह सच्चाई तो बनानी ही होगी कि क्यों अर्जुन, भीम, युधिष्ठिर और राम शास्त्र की चीज़ हैं तथा आल्हा, लोरिक, ऊदल, तुलसी, कबीर सदृश और इन जैसे अनेक पात्र लोक-कथाओं में ही रहते हैं। यह ज़रूर है कि हमारे यहाँ अर्जुन, भीम और श्रीकृष्ण भी लोक-कथाओं में हैं पर एक अन्तर के साथ। ज़ाहिर है लोककथाओं या मिथकों के पात्र छोटे समाजों, पराजित और कमज़ोर समूहों, हाशिए पर ला दिए गए समूहों के नायक हैं। और ये सब गाना-बजाना, पूजा-पाठ, या नानी-दादी की कहानियों के माध्यम से इन समूहों के मानस में न सिर्फ़ जीवित हैं बल्कि उनकी रोज़-रोज़ की परेशानियों, उनकी भौतिक मुश्किलों से मुक्ति देते हैं, उन्हें जीवन का संघर्ष करते जाने की प्रेरणा देते हैं। हिन्दी के वरिष्ठ उपन्यासकार रांगेय राघव की रचना 'कब तक पुकारूँ' बंजारा समाज की इस जद्दोज़हद और पुराकथा से मिलने वाली मदद का बेहतरीन उदाहरण है। जीवन सभी जी रहे हैं, सबमें आगे बढ़ने, अपनी स्थिति सुधारने की इच्छा होती है, पर कोई क्यों हिटलर बन जाता है और कोई क्यों कुछ और बना रहता है, इस भेद को समझे बिना लोक-जीवन की इन चीज़ों का महत्त्व समझना मुश्किल है। हालाँकि पुस्तक में इतिहास और मिथक के अन्तर और इतिहास लेखन में मिथकों या मौखिक तथ्यों के उपयोग की चर्चा हुई है—पर यह एक बुनियादी कमी है जिस पर ध्यान दिया जाना चाहिए।

इस बुनियादी चीज़ को रेखांकित करते ही हमें किताब में आई कई चीज़ों का मतलब ज़्यादा स्पष्ट होकर समझ में आता। पीयूष ने अनेक नए लेखकों से लिखवा कर या पुरानी प्रकाशित चीज़ों से ही कम-से-कम दो दर्जन भारतीय लोक-कथाओं और लोक-परम्पराओं की विस्तार से चर्चा कराई है। इनमें दो-तीन बातें तो साफ़ होती हैं। पहली तो यही बात है कि क्षेत्रीय और कबीलाई विविधता के बावजूद भारतीय जन-संस्कृति के मूल स्वर एक ही हैं। यहाँ रमेश थानवी जैसे कई लेखकों के लेख से कुछ संकेत तो मिलते हैं, पर यह बात ज़्यादा साफ़ ढंग से बतानी चाहिए थी कि लोक-जीवन में रची-बसी या उसे संचालित करने वाली कथाओं, रचनाओं, अनुष्ठानों और रीति-रिवाज़ों का कितना साफ़ सम्बन्ध स्थानीय पर्यावरण और चीज़ों से रहा है। चूँकि पूरे भारत में कई तरह की बुनियादी समानताएँ हैं इसलिए भी लोक परम्पराओं का एक ही मूल स्वर है। अगर विविधता है तो मूल में नहीं, शाखा-प्रशाखाओं की विविधता है। अब राजस्थानी-गुजराती पोशाक में बहुत रंग हैं तो उसका सम्बन्ध वहाँ की मरुभूमि या कम हरियाली ही है। अगर बंगाल-बिहार में हर रस्म में मछली का प्रयोग होता है, दक्षिण में केले का होता है तो यह स्थानीकरण से ही जुड़ाव है।

पुस्तक में आई कथाओं और परम्पराओं की चर्चा से यह

भी साफ़ होता है कि वहाँ औरतों से ज़्यादा भेदभाव नहीं है उलटे औरतों से जुड़े रीति-रिवाज़ों में पौराणिक महिला पात्र ज़्यादा सशक्त ढंग से उभरे हैं। आन्ध्र प्रदेश की लोक-कथा में लक्ष्मण की पत्नी उर्मिला को नायक बनाने का काम हमारे राष्ट्रकवि मैथिलीशरण गुप्त से काफ़ी पहले ही हो गया तो इसका कारण औरतों की ज़्यादा संवेदनशीलता के साथ लोक-कथाओं और लोक-परम्पराओं से औरतों का ज़्यादा नजदीकी सम्बन्ध होना भी है। और जैसा पहले कहा गया है अगर समूहों और समाजों से लोक-कथाओं और कलाओं के सम्बन्धों को ढंग से परिभाषित कर दिया जाता है तो इस चीज़ को ज़्यादा अच्छी तरह लिया जा सकता था। तीसरा और अपेक्षाकृत कम पहलू है सारी दुनिया की लोक-कथाओं या लोक-चिन्तन में समानता वाला पहलू। ज़ाहिर तौर पर विषय की विराटता और भारत की विराटता, दोनों के सामने पूरी दुनिया के मसलों को एक किताब में समेटना सम्भव नहीं था। पर कनाडा के प्रशान्त क्षेत्र की 'आसदीवाल' की कहानी के कई रूपों पर प्रसिद्ध नृशास्त्री क्लोद् लेवी स्त्रॉस की विस्तार और बारीकी से की गई चर्चा ने बाक़ी कई चीज़ें तो समझाई ही, हमारे जैसे पाठक के मन में बार-बार आल्हा या लोरिकायन के कई रूपों की तुलना करने की इच्छा जगाई। लगता ही नहीं कि आसदीवाल कोई पराया पात्र है। यहाँ एक अन्य की हल्की चर्चा करनी होगी, कथा-महाकथा, गीत और बड़े गीत के आकार-प्रकार और विषय-वस्तु का स्थानीय समाज से जो रिश्ता है उसकी चर्चा भी होनी चाहिए थी। इससे हमें दो-एक बातों का ज़्यादा ढंग से पता होता। अब क्यों हमारे यहाँ या खेतिहर समाजों में छोटी कथाएँ चलती हैं और मछुआरों या मुश्किल भौगोलिक स्थितियों में जीवन गुज़ारने वालों के यहाँ लम्बी कथाएँ, इसका अन्तर समझ आता है।

पर किताब में सिर्फ़ लोकथाएँ, लोक-साहित्य, संगीत, चिन्तन वग़ैरह की चर्चा नहीं हुई है। यह चर्चा भी काफ़ी है--बल्कि एक हद तक बिखरी और अराजक थी। पर इसी में रायकृष्ण दास का भारतीय चित्रकला और कमलादेवी चट्टोपाध्याय का लोक-चित्रकारी पर अद्भुत लेख है। ये दोनों लेख भारतीय चित्रकला का काफ़ी कुछ बता देते हैं। फिर गुलाम मोहम्मद शेख का शेखावटी के भित्ति-चित्रों पर बहुत अच्छा लेख है। अब कुछ नाम गिनाने का मतलब बाक़ी को घटिया बताना नहीं है। पर कई लेख छोड़े जा सकते थे या हर जगह की लोक-कला की अलग-अलग चर्चा कराने की जगह एक बड़ा लेख दिया जा सकता था। कविताओं-कहानियों वाले खण्ड में यह देखना सुखद है कि हर भाषा, हर क्षेत्र का प्रतिनिधित्व हुआ है, सभी भाषाओं से अनुवाद हुआ है, पर एक किताब का इतना बड़ा हिस्सा इन पर देना थोड़ा अखरता है।

लेकिन किताब में यही सब नहीं है। इसमें विस्तार से सैद्धान्तिक बहस हुई है, उन चर्चाओं को समेटा गया है, दुनिया भर की बातें आई हैं और खुद अपने यहाँ की कुछ अचर्चित रह गई कृतियों के अंश दिए गए हैं। क्लॉद् लेवी स्त्रॉस के तीन महत्त्वपूर्ण निबन्ध तो दिए ही गये हैं स्वयं उनके ऊपर प्रसिद्ध लातिन अमेरिकी कवि और विद्वान आक्टोवियो पाज़ का लेख भी दिया गया है। यह कुछ अचर्चित-सी किताब से ली गई एक विलक्षण रचना है जिसमें स्त्रॉस के मूल्यांकन के साथ उनकी कुछ स्थापनाओं पर सवाल भी उठाए गए हैं। स्त्रॉस की रचनाओं में 'आसदीवाल की कहानी' के विभिन्न रूपों की विशद चर्चा के साथ इसके निहितार्थों को बताने वाला चर्चित शोधपत्र तो है ही 'प्रजाति के रूप में व्यक्ति' और 'जब मिथक इतिहास बन जाता है' नामक दो और निबन्ध भी हैं। पर पुस्तक की अधिकांश सामग्री की तरह इनका स्रोत भी नहीं बताया गया है जबकि अनेक लेखों में दुनिया भर के सन्दर्भ और टिप्पणियों को जगह दी गयी है। पुस्तक में आए वेरीयर एल्विन के दो लेखों की चर्चा न करना एक बड़ी भूल होगी। भारतीय समाज को उन्होंने उसी पश्चिमी नज़रिए से देखा जिसमें 'फोक' वाला चश्मा चढ़ा है, पर हमारे कबीलों और आदिवासी समूहों का इतना व्यापक और बारीक अध्ययन सम्भवतः आज तक नहीं हुआ है। उन्होंने लिखा भी खूब है। 'बैगा जनजाति में यौन चेतना का विकास' और 'साओटा' जनजाति में मृत्यु से सम्बन्धित अनुष्ठानों पर उनका लेख उन सभी को पढ़ना चाहिए जिनकी इस विषय में दिलचस्पी है या जो जनजातियों से जुड़े किसी मिथक का अध्ययन करना चाहते हैं।

मामला सिर्फ़ बाहरी लोगों के सैद्धान्तिक लेखों का नहीं है। ज़ाहिर तौर से उससे 'लोक' और 'फोक' वाला अन्तर मिट

जाता है। सम्पादक पीयूष दईया इस मामले में विलक्षण हैं। उन्होंने लोक की भारतीय परिभाषा और चर्चा को भी विस्तार से समेटा है। राममूर्ति त्रिपाठी, हेतुकर झा, पूरनचन्द्र जोशी, जया परांजये, मानसेंदु कुण्डु, टैगोर का सन्दर्भ देते हुए दिव्य ज्योति मजूमदार वग़ैरह में लोक 'लोक' के कई पहलुओं को उजागर करने के साथ ही उस पर आसन्न ख़तरे का एहसास भी कराते हैं। राममूर्ति त्रिपाठी ने बात को ज़्यादा साफ़ ढंग से परिभाषित करने का प्रयास किया है—ज़ाहिर है वह बीज लेख की तरह है।

पर जैसे ही आप लोक को शास्त्र से बाँधने का प्रयास करते हैं एक द्वैत उभरता ही है। शास्त्र के अपने बहुत सारे कठोर नियम हैं, ये उसे कई मायनों में बहुत मदद करते हैं और उसमें आई चीज़ों को मजबूती देते हैं। हम मानें न मानें इसका आग्रह बढ़ता जा रहा है और लोक-कथाओं की कौन कहे आल्हा और लोरिकायन को भी छापे में या फ़िल्म में या टेप में बन्द करने की ज़रूरत सभी महसूस करने लगे हैं। जाहिर तौर पर 'लोक' पर इतनी भारी-भरकम किताब सम्पादित करने का पीयूष का प्रयास भी इसी ज़रूरत के चलते है। अब यह अलग बात है कि लोक के अनिवार्य बुनियादी चरित्र को समझते हुए पीयूष ज़्यादा लोकतान्त्रिक बने हैं और जो रचना-सामग्री जैसे मिलती गई है उसे ज़्यादा सख़्त सम्पादन से समेटते गए हैं। इस ख़ास विषय की किताब के साथ यह बात अच्छी लगती है। कई लोगों को पीयूष द्वारा अपनी तरफ़ से कुछ भी नहीं लिखना (सम्पादकीय टिप्पणी भी नहीं) अखर सकता है। पर लोक जैसे विषय में अपनी राय अलग से ज़ाहिर न करना ही ज़्यादा समझदारी का लगता है।

लेकिन जैसे ही हम शास्त्र वाले पहलू पर जाते हैं और इस भारी-भरकम किताब को उस कसौटी पर कसते हैं कई कमियाँ साफ़ दिखने लगती हैं। जैसा कि प्रसिद्ध लेखक निर्मल वर्मा ने अपनी टिप्पणी में भी ज़ाहिर किया है। कुछ कमियों की तरफ़ पहले भी इशारा किया गया है। सन्दर्भ और लेखकों का परिचय न देने से अजीब-सी मुश्किल होती है। अब लेवी स्त्रॉस और विभा रानी के आलेख साथ आएँ यह तो सम्मान की बात है, पर यह बातना ज़रूरी है कि दोनों क्या और कौन हैं। यह लोक के लोकतन्त्र की नहीं शास्त्र की शास्त्रीयता की माँग है और जब आप शास्त्र पर आते हैं तो इसका ज़िक्र ज़रूरी है।

यहाँ आकर एक चर्चा और करनी चाहिए। प्रसिद्ध नृशास्त्री क्लॉद् लेवी स्त्रॉस लोक और शास्त्र के भेद को भारतीय नज़रिये से नहीं देखते, ना ही वे इनके अन्तर को परिभाषित करते हैं। पर यह विलक्षण समाजशास्त्री 'फोक' का अध्ययन करते-करते उसके आगे जाने या बिला जाने की दिशा देखना नहीं चूकता। कुछ ऐसी ही बातें इस संग्रह में आई मानसेन्दु कुण्डु के लेख में हैं। स्त्रॉस मानते हैं कि एंथ्रोपोलॉजी एक स्तर पर इंट्रोकोलोजी है—जड़ता की तरफ़ बढ़ने वाली विकास-प्रक्रिया का अध्ययन। हम चाहे न चाहे लोक वाले पक्ष की ज़्यादातर चीज़ों की दिशा वही दिखती है। अब यह किताब लोक की चर्चा विस्तार से करते हुए उस तरफ़ इशारा करें न करें, इस विषय में दिलचस्पी जगाने का बरक़रार रखने की कोशिश ज़रूर करती है। यह इस 'इंट्राफी' से लड़ने या इसके प्रति सचेत करने का प्रयास है। कहना न होगा, इसके लिए पीयूष दईया साधुवाद के पात्र हैं।

लोक, सं. पीयूष दईया, भारतीय लोक कला मण्डल, उदयपुर, कवि प्रकाशन, बीकानेर, 750/- रुपये

आख़िर उन्हें जागना पड़ेगा

(आशुतोष दुबे के कविता संग्रह 'असम्भव-सारांश' पर)

सर्वेन्द्र विक्रम

सन् 1996 के अपने नोबेल अभिभाषण में विस्साव शिम्बोर्स्का कहती हैं, "अन्तःप्रेरणा जो भी हो, उसका जन्म एक निरन्तर गूँजते रहने वाले वाक्य से होता है—मैं नहीं जानता।" आशुतोष दुबे की कविताएँ पढ़कर यह स्मरण हो आना अकारण नहीं है। कविता जैसे दरवाजे के उस तरफ है, कूट-शब्द हैं जिनसे दरवाजा खुलता है। और इस घटित में आशुतोष कंटेन्ट की नई समझ विकसित करते हैं, पाठक के लिए भी और अपने कवि के लिए भी। उनकी कविताओं के साथ थोड़ी मुश्किल भी है कि उनसे कुछ पंक्तियाँ उद्धृत करना मुश्किल है क्योंकि कविताओं में जैसे रीढ़ की हड्डी से जुड़ी संवेदी तन्त्रिकाओं की-सी बुनावट है जिसे बीच से या कहीं से तोड़ पाना कठिन है। खंडित कर देख पाना मुश्किल है।

कवि की मानसिक-भावनात्मक बुनावट का पता या उनके उद्गम की जड़ें कहाँ तक जाती हैं इसकी पड़ताल, इसका ब्यौरा दे पाना भी किंचित् आसान नहीं है। आशुतोष जीवन में शक्ति के उन पारम्परिक स्रोतों की तलाश करते हैं जो मानवीय गरिमा और जीवन को रचने जैसी महान सृजनात्मकता को बचाए हुए है। उनकी कविता आसान भी नहीं है, वे सरल और सहज के गान में रुचि तो लेते हैं लेकिन जितना जटिल यथार्थ है उसका रूपक भी उतना ही जटिल दिखता है। यह भी ध्यान देने योग्य है कि वे 'स्मृति' और 'उम्मीद' की बखान चालू मुहावरे में या किसी नुस्ख़े की तरह नहीं करते। फिर कैसी हैं ये कविताएँ? 'अक्षर पर्व' के मार्च 2003 के अंक में आशुतोष की कविता 'उत्खनन' से ही इस सवाल के क्रम में विचार की शुरुआत की जा सकती है : "पृथ्वी के इस सिरे से/उस सिरे तक/फैलती चली गई है दरार एक/टूटकर गिर रही है जिसमें/हमारी शक्लें, हँसी, लय, नमी।"

इतनी तेजी से इतने कम समय में हमारे आसपास इतना कुछ बदल गया है, हमारे औजार शायद अभी वही हैं, पुनरुत्थानवादी ताकतों और बाजार का प्रहार है, बहुत कुछ को उदरस्थ करता हुआ। और हम दरवाजे के इस तरफ हैं, याद करने पर भी याद नहीं आते हैं वे कूट-शब्द जिनसे यह दरवाजा खुलता है।

आशुतोष शेक्सपियर के बहाने से और अपनी विनम्रता में कहते हैं कि भाषाओं के भोज में वे जा सके और उन्होंने बचे-खुचे में से थोड़ा-सा चुराया। वे अपने लिए जगह बनाते हैं, छूटी हुई खाली जगह थोड़ा-सा अवकाश। इसमें कई परिचित स्वाद हैं, प्रसंगों की 'अनिर्वच पुलक' है। देखते-देखते स्वाद के अर्थ बदलने लगते हैं। अनबन के बाद की अबोला है जिसमें 'जमीन के नीचे/जड़ों की तरह/हमारी उँगलियाँ/फँसी रहती थीं आपस में' (पृ. 78)। उसका आसमान है। कुछ खुले हुए से होठों पर ठिठका हुआ अनकहा है, उड़ती हुई खुशबू है, पीली पड़ चुकी तस्वीर में झुकी हुई आँखें हैं और वह गमकती हुई खुशबू भी जो उस समय में है। अकेलेपन की छाया है तो अपने साथ में अपना वास करना भी है। रोजमर्रा के बेशुमार कामों के बीच अपने में कुछ टूटने और फिर उसके डूबने की आवाजें हैं। एक अत्यन्त जटिल संकुल संसार में बनी हुई जगहें हैं, अनुपस्थिति भी बुनती है एक जगह। अवकाश

है जिसमें नक्षत्र जगमगाते हैं। परिवार हैं जिसमें सदस्य बरसों से पास-पास बैठे तक नहीं हैं। क्योंकि सीधी धूप आँखों को चुभने लगी है/संवाद खत्म होते जा रहे हैं।

आशुतोष की कई कविताओं के केन्द्र में स्त्रियाँ हैं। जागती, एक दूसरे से छुपती-ढूँढती, एक दूसरे को और खुद को खोजती-पाती, अपनी कृति को ईश्वर की नज़र से देखती (पृ. 91)। और अन्ततः आशुतोष का मानना है ''आख़िर उन्हें जागना पड़ेगा।'' चीजें दृष्टि में आती हैं, पाठक की दृष्टि में भी और कवि की दृष्टि में भी। लेकिन कविता में वे चीज़ें आती हैं तो वहीं नहीं रह जातीं, थोड़ा-सा बदल भी जाती हैं।

इन कविताओं में समय को हम बीतता हुआ देख पाते हैं। बीज से पेड़, डिम्ब से भ्रूण से प्रेम तक। पल-भर में गुजरे जन्म की कौंध में बहुत कुछ घटित हो जाता है, जो लबालब भर जाता है। फिर भी (पुनरपि) ''पता नहीं कितना वक़्त लगेगा, एक साफ स्लेट की तरह होने में, एक बीज की तरह उगने में, काँसे के बर्तन की तरह बजने में, अपनी तरह होने में, हरेपन पर स्थगित बूँद की तरह थमने में, राग की तरह पकने में, जंगली फूल की तरह निर्ब्याज खिलने में, शिशु की तरह सोते हुए हँसने में'' (पृ. 59-60)। यह अपनी तरह होना कितना कठिन है, यह छिपा हुआ भी नहीं है। ''मैं जब भी अपनी असली आवाज में कुछ बोलता हूँ, मुझे/लगता है मेरा गला खराब हो गया है।'' इन पंक्तियों के अर्थ दूर तक जाते हैं जब हम याद रखें कि हममें से अक्सर चुप रहे, जब हमें बोलना चाहिए था। (सन्दर्भ : आशुतोष की कविता—'चुप्पी' : हंस, मई 2003)

आशुतोष कहते हैं 'भटकती हैं निरानन चिन्ताएँ' (पृ. 26) लेकिन उनकी चिन्ताएँ बहुत स्पष्ट हैं। जो डूब गया, लुप्त हो गया, जो जीवन का आश्रय था, एक पूरी दुनिया थी जिसके आसपास, 'कहाँ मिलेगा उसका बीज' (पृ. 11)

बार-बार आकार लेता धूसर निर्णय है (पृ. 26), तेजी से खत्म होते जा रहे हैं विकल्प (पृ. 17), रेत हो रही नदी के कानों में नावों का शोकगीत है, बुहार के खिलाफ बनते जाते हैं जाले (पृ. 26), कब बन्द हो जाएगा दिखाई देना, हम कब गूँगे हो जाएँगे और कैसे (अभिज्ञान, पृ. 27) तब वे सुनना चाहते हैं :

जो संवाद कहता है
पहला निवाला भूख से
डिम्ब, विजेता शुक्राणु से
बरसात की पहली बूँद
ज़मीन के तपते हुए तवे से
सुनना चाहता हूँ उसे (सुनना चाहता हूँ, 23)

आशुतोष के यहाँ स्मृतियों का पुनर्जन्म है। वे ग़नीमत की तरह भी हैं :

चूँकि विस्मरण की तमाम हिकमतों के बावजूद
स्मृति जीवित है अभी भी
और विचार करता रहता है घुसपैठ जब-तक (पृ. 30)

आशुतोष ने अपने इस कविता-संग्रह 'असम्भव सारांश' को पाँच हिस्सों में रखकर उनके शीर्षक दिए हैं : 'चीज़ें किस तरह बदलती हैं पाठक की निगाह से देखने पर', 'और इस तरह एक परिचित स्वाद फिर प्रवेश करता है', 'अनुपस्थिति बुनती है एक जगह जो प्रतीक्षा करती है', 'याद नहीं आते वे कूट-शब्द' और 'आवाज एक काया है जिसमें असंख्य आत्माओं का वास है'। ये शीर्षक संग्रह की कविताओं को व्यापक अर्थ देते हैं और इसे पढ़ते वक़्त कविताओं के अर्थ की पूर्वछायाएँ-सी प्रस्तुत करते हैं। संग्रह की कुछ कविताएँ बार-बार पढ़ने योग्य हैं : अश्वमेध, सुनना चाहता हूँ, अभिज्ञान, लगातार, माघ की उतरती धूप में, सारांश, पुनःप्रवेश, पुनरपि, सर्गारम्भ, उसका आसमान, तारीखें, समवाय, आवाज़, विन्यास। 'विरुद्ध' और 'असाध्य' कविताएँ भी हैं जो मेरे जैसे पाठक के लिए फिर भी असाध्य लगती हैं। एक रोचक तथ्य यह भी है कि संग्रह की कविता 'पार' (पृ. 67) 'हंस' के मई 2003 अंक में प्रकाशित हो गई है, संग्रह का वर्तमान संस्करण 2002 है।

आशुतोष की कविताओं में आत्मीयता का जो शिल्प है वह धीरे-धीरे बाँधता है और फिर बाँध लेता है, जैसे हम प्रेम में पड़ जाते हैं, बँध जाते हैं और फिर उसमें डूबते जाते हैं। यहाँ आशुतोष की कविता 'सुख गर्भजल की तरह ऊष्म था' को पूरा का पूरा उद्धृत करना प्रासंगिक होगा, संग्रह के आस्वाद के लिए भी :

सुख गर्भजल की तरह ऊष्म था

सुख गर्भजल की तरह ऊष्म था
जिसमें तैरता रहा मैं अनगिनत वर्ष
एक आदिम अँधेरे में सुनते हुए
रोशनी की तरह चमकती आवाज़ें
जैसे कोई सुनता है नींद में बारिश
या रेल की पटरियों से लगाता है कान
और जागता है आता हुआ समय सुनकर

कहीं तकलीफ के निशान ढूँढे से नहीं मिलते थे
हवा में कहीं नहीं धँसी थी कोई चीख
जब जन्म दिया माँ ने मुझको
मुझे याद है, मैं बिलकुल रोया नहीं
मुस्कुराया उसकी ओर देखकर ऐसे
जैसे पुराने दोस्त मिलने पर मुस्कुराते हैं

फिर वह सो गई सम्पूर्ण सुख की थकान में
पुलक में डूबी हुई आकण्ठ

और मैंने प्रेम किया
पास बैठी हुई उस प्रसन्न स्त्री से
जिसकी उँगली थाम मैं दाखिल हुआ इस दुनिया में
यहाँ आने और प्रेम करने के दरमियानी साल
रात की ओस की तरह घुल गए थे दिन के बादलों में

उसके होठों के ऊपर पसीने का नमक था
उसकी गन्ध ऐसी थी
जैसे पहली फुहार से भीगी धरती

और यह सब घटित हुआ पलभर में
आषाढ़ की एक साँझ
जब दुनिया बारिश के गाढ़े पर्दे की ओट हो रही थी
मैं बैठा था एक पत्थर पर बिलकुल खाली
कि किसी गुज़रे जन्म की यह कौंध
मुझे इस तरह भर गई लबालब
कि मैंने फिर से सीखा अपना
पैदा होना और प्रेम करना

असम्भव सारांश—आशुतोष दुबे, वाणी प्रकाशन नई दिल्ली, 100/- रुपये

आलोचना की आत्मीयता

(प्रयाग शुक्ल की पुस्तक 'अर्धविराम' पर)

अनन्त विजय

प्रयाग शुक्ल हिन्दी के ऐसे बहुआयामी लेखक हैं जो अपनी सृजनात्मकता के अनेक आयामों से हिन्दी साहित्य को समृद्ध कर रहे हैं। प्रयाग शुक्ल पिछले लगभग चार दशकों से कविताएँ लिख रहे हैं। लेखन के अपने आरम्भिक दिनों में उन्होंने कुछ बहुत ही अच्छी कहानियाँ भी लिखीं। कविता कहानी के अलावा प्रयाग शुक्ल का दो उपन्यास भी आया था—कल और आज तथा गठरी—जिसकी तब हिन्दी जगत् में खासी चर्चा हुई थी। पर कालान्तर में प्रयाग शुक्ल ने कहानी और कविता से मुँह मोड़ लिया। इस निर्णय के पीछे सम्भवतः साहित्य की वह गन्दी राजनीति है जो अपनी उपेक्षा से किसी भी लेखक को न सिर्फ आहत करता है बल्कि उसके अन्दर के लेखक को मार भी डालता है। उदाहरण देने की आवश्यकता नहीं। प्रयाग शुक्ल ने भी कथा लेखन के प्रति समीक्षकों की उदासीनता को लेकर अपने लेखन को निबन्ध, कला समीक्षा तथा पुस्तक समीक्षा की ओर मोड़ दिया। कला समीक्षा के अलावा प्रयाग शुक्ल ने सिनेमा व रंगमंच पर भी लगातार लिखा। मुझे यह कहते हुए जरा भी संशय नहीं है कि प्रयाग शुक्ल आज भारतीय कला व संस्कृति पर लिखने वाले दो-तीन श्रेष्ठ लेखकों में से एक हैं।

कविता भी प्रयाग शुक्ल के लेखन का प्रिय क्षेत्र है। अब तक उनके आठ कविता संग्रह प्रकाशित हो चुके हैं। पिछले दिनों प्रकाशित उनका आठवाँ कविता-संग्रह 'यह कहाँ थी छाया' में तो हिन्दी कविता की पूरी-की-पूरी परम्परा ही जीवन्त हो उठी है।

अभी हाल ही में प्रयाग शुक्ल के समीक्षात्मक लेखों का एक संग्रह 'अर्ध-विराम' प्रकाशित हुआ है। यह प्रयाग शुक्ल के समीक्षात्मक लेखों का पहला संग्रह है। प्रयाग शुक्ल का समीक्षात्मक लेखन पिछले तीन-चार दशकों तक फैला हुआ है। ऐसे में इतने सालों बाद समीक्षाओं का एक संग्रह यह बताता है कि इसमें प्रयाग शुक्ल जी का लिखा सारा समीक्षात्मक लेख नहीं है। इसलिए तो यह अर्ध-विराम है।

लेखक इस संग्रह की भूमिका—आरम्भ में—लिखते हैं, "कृतियों और कृतिकारों पर टिप्पणीमूलक कुछ लिखने की शुरुआत आज से कोई चालीस वर्ष पहले हुई थी। और मुझे यह स्वीकार करने में कोई संकोच नहीं है कि इस पुस्तक में संकलित सामग्री या इसी किसी अवसर विशेष पर लिखी गई थी या फिर सम्पादकों संस्थाओं के आग्रह या दबाव पर। पर इसी के साथ यह भी जोड़ना चाहता हूँ कि यह सामग्री चाहे जिस प्रसंग में लिखी गई हो, उसे लिखते हुए मैंने भरपूर आनन्द उठाया है और उस आनन्द का साझा करना भी इनके प्रकाशन का उद्देश्य रहा है।" इस संग्रह को पढ़ते हुए मुझे जिस प्रकार का आनन्द आया उससे लगता है कि लेखक अपने उद्देश्य में सफल रहा है। इस संग्रह की भाषा इतनी सहज-सरल है और इसमें जो एक प्रकार का अबाधित प्रवाह है वो इसे समीक्षा/आलोचना के अन्य संग्रहों की तुलना में श्रेष्ठ साबित करता है। इसे पढ़ते समय यह लगता है कि काश आज समीक्षा/आलोचना ऐसी भाषा अपना सकती। आज तो समीक्षा आलोचना की भाषा इतनी दुरूह हो गई है कि पाठक या तो उसे श्रमपूर्वक पढ़ने का साहस जुटाते हैं या फिर छोड़ देते हैं। समीक्षा तो पढ़ी भी जा सकती है

पर आलोचना इतनी कठिन हो गई है कि पाठक उससे आतंकित तो हो रहे हैं पर पढ़ते नहीं हैं।

प्रयाग शुक्ल के इस संग्रह की विशेषता यह है कि इसके लेख रचना के पाठ पर आधारित हैं न कि वैचारिक आग्रहों या दुराग्रहों पर। प्रयाग शुक्ल की निष्ठा लेखक संगठनों की बजाय लेखकों में रही है, परिणाम यह हुआ कि पार्टी लाइन पर काम करनेवाले लेखक संगठनों से जुड़े औसत लेखकों कवियों को तो महान घोषित कर दिया गया वहीं प्रयाग शुक्ल जैसे लेखक-कवि उपेक्षित रह गए। पर इस उपेक्षा से विचलित हुए बिना प्रयाग शुक्ल लगातार लेखन में सक्रिय रहे।

इस संग्रह की एक और विशेषता यह भी है कि एक ओर प्रयाग शुक्ल इसमें अपने पूर्ववर्ती लेखकों के लेखन को बिना किसी राग-द्वेष के उसको अपनी विरासत समझकर सहजरूप से सरल भाषा में मूल्यांकन करते हैं। इस संग्रह के लेख आकार में भले छोटे हैं पर इसमें आकार कभी भी कहीं भी लेखक की सीमा के रूप में नहीं उभरता है। इसमें सूरदास घनानन्द से लेकर प्रसाद, पन्त, अज्ञेय, जैनेन्द्र कुमार, मुक्तिबोध का मूल्यांकन है वहीं दूसरी ओर अलका सरावगी तथा नीलेश रघुवंशी भी हैं। यह एक अच्छी बात है कि कोई वरिष्ठ समीक्षक नए लेखक पर तो लिख रहा है वर्ना लोग तो अभी तक निराला से आगे बढ़ ही नहीं पाए हैं। मुक्तिबोध पर ज़रूर गम्भीरतापूर्वक लिखा गया है। आज तो हालात ये हैं कि वरिष्ठ आलोचक से पूछ कर देखिए कि क्या लिख रहे हैं तो उनका जवाब होगा अभी तो मीरा का मूल्यांकन कर रहा हूँ फिर तुलसीदास पर लिखूँगा।

प्रयाग शुक्ल के इन समीक्षात्मक लेखों में रचना के पाठ या उसमें अन्तर्निहित गुणग्राहकता को मूल्यांकन का आधार बनाया है। पर साथ ही प्रयाग जी ने यह ध्यान भी रखा है कि इसमें रचना के उत्तर आधुनिक पाठ का शोर न हो।

अर्ध-विराम में संकलित लेखों का कोई निश्चित थीम तो नहीं है पर हम यह कह सकते हैं कि इस संकलन के लेखों की जो विषयवस्तु है वह बहुआयामी है। इनमें से कई तो इतने अच्छे हैं जिसे पढ़कर संस्मरण का भी आनन्द उठाया जा सकता है। साहित्यिक पत्रिकाओं पर लिखे एक लेख में प्रयाग शुक्ल ने साहित्यिक पत्रिकाओं की विरासत और उसकी विशेषताओं पर प्रकाश डाला है। कल्पना पत्रिका के बारे में वो कहते हैं—"कल्पना पर ही दृष्टि टिकाएँ तो हम देख सकते हैं कि किस प्रकार हिन्दी की एक पत्रिका केवल नए पुराने को लेकर ही साथ नहीं चल रही थी, वह विभिन्न प्रवृत्तियों और मत-मतान्तरों को भी साथ लेकर चल रही थी।" इस लेख में प्रयाग शुक्ल हिन्दी की साहित्यिक पत्रकारिता के बहुविध कोण से एक कोणीय बनते जाने पर दुःख प्रकट करते हैं। आज की साहित्यिक पत्रिकाओं में अपनी भाषा की धरोहर से संवाद के अनुपस्थित होने या फिर उस पर बहुत ही चलताउ ढंग से टिप्पणी करने को लेकर भी प्रयाग शुक्ल अपना क्षोभ प्रकट करते हैं। उस दौर में जब बड़ी प्रसार संख्या वाली व्यावसायिक पत्रिकाएँ यथा धर्मयुग, दिनमान, सारिका आदि भी निकलीं तो उन्हें भी रचनागत को ही केन्द्र में रखना पड़ा। इसके पीछे उस समय हिन्दी की साहित्यिक पत्रिकाओं की सफलता एवं प्रतिष्ठा ही थी।

इस पुस्तक में प्रयाग शुक्ल ने श्रीपत राय के दिल्ली प्रवास पर विस्तार से लिखा है—"अपने बारे में चुप"। इस लेख में प्रयाग शुक्ल ने बहुत ही आत्मीयता से श्रीपत जी के व्यक्तित्व के विभिन्न पहलुओं को उजागर किया है। इसमें उन्होंने श्रीपत जी के हौजखास वाले मकान में होनेवाली साहित्यिक अड्डेबाजी पर भी लिखा है।

प्रयाग शुक्ल के लेखन की एक अन्य विशेषता, जिसका संकेत मैं ऊपर भी कर चुका हूँ, यह है कि वो समीक्षा लिखने के क्रम में उसमें संस्मरण का एक ऐसा तत्त्व मिला देते हैं जिससे समीक्षा काफी पठनीय हो जाती है। उदाहरण के तौर पर समीक्ष्य संग्रह के एक अन्य समीक्षात्मक लेख—कहानीकार रामकुमार—को देखा जा सकता है। इस लेख में प्रयाग शुक्ल ने रामकुमार की कहानियों की चर्चा के साथ-साथ वो रामकुमार से जुड़े संस्मरणों को भी याद करते चलते हैं इससे होता यह है कि प्रयाग शुक्ल अपनी समीक्षा को सैद्धान्तिक समीक्षा की बोरियत से बचा ले जाते हैं। प्रयाग शुक्ल के लेखों को पढ़कर यह भी लगता है कि उस ज़माने में लेखकों/कलाकारों के बीच कितनी सहृदयता थी कि सिर्फ़ एक बार के मुलाकात के बाद एक लेखक दूसरे लेखक को अपना स्टूडियो रहने के लिए दे देता है। इस तरह का व्यवहार या अपनापन अब तो शायद ही मिल पाए। अब तो बड़े-से-बड़ा और छोटे-से-छोटा लेखक भी सिर्फ़ तिकड़मों एवं स्वार्थ की

राजनीति करता नज़र है।

इस संग्रह में कुछ ऐसे लेखकों को भी याद किया गया है जो साहित्य के केन्द्र क्या उसकी परिधि पर भी नहीं हैं, पर वो हैं महत्त्वपूर्ण। अशोक सेकसरिया जिन्होंने गुणेन्द्र सिंह कम्पानी के नाम से कई कहानियाँ लिखी तथा तात्कालिक हिन्दी समाज का ध्यान अपनी ओर खींचा था। बाद में वो अपने असली नाम, अशोक सेकसरिया, से लिखने लगे। अशोक सेकसरिया की कहानियों की श्रेष्ठता का अंदाज़ इसी बात से लगाया जा सकता है कि जब विजयमोहन सिंह ने सन् साठ के बाद की कहानियों का एक संकलन/चयन किया तो उसमें अशोक सेकसरिया की कहानी भी शामिल की। अशोक सेकसरिया का कहानी संग्रह 'लेखकी' जब सन् 2001 में प्रकाशित हुआ तो उसका भूमिकानुमा लेख—लेखकी के प्रकाशन पर—प्रयाग शुक्ल ने लिखा था जो अब इस संग्रह में संकलित है।

इस संग्रह के कई लेख वस्तुतः पुस्तक समीक्षा तो हैं पर वो सम्बन्धित पुस्तक तक सीमित न रहकर सम्बन्धित लेखक को प्रयाग शुक्ल की नज़रों से देखने का माध्यम भी है। अगर हम समग्रता में इस संग्रह पर विचार करें तो यह एक ऐसा संग्रह नज़र आता है जिसमें प्रयाग शुक्ल ने साहित्यकारों की स्थापित छवि से इतर उनके कम परिचित रूप पर ज्यादा और गहराई में जाकर अपनी चिरपरिचित आत्मीय शैली में लिखा है। जैसे मुक्तिबोध और रामकुमार की कहानियों पर। यहाँ यह द्रष्टव्य है कि मुक्तिबोध की स्थापित छवि कवि की है और रामकुमार की एक चित्रकार की। इसी प्रकार कुँवर नारायण की कविताओं पर न लिखकर प्रयाग शुक्ल ने उनके समीक्षात्मक लेखन की विशेषताओं को रेखांकित किया है।

आमतौर पर हिन्दी में प्रकाशित पुस्तकों के ब्लर्ब झूठ से भरे होते हैं पर इस संग्रह के ब्लर्ब के अन्तिम पैरा में पूर्ण सच्चाई है तथा उससे असहमत नहीं हुआ जा सकता है। मैं उसी को उद्धृत करते हुए अपनी बात समाप्त करता हूँ—''इस पुस्तक में पहली बार प्रयाग शुक्ल के कुछ चुने हुए समीक्षा लेख प्रकाशित हुए हैं जो उनके विविधवर्णी अध्ययन का पता तो देते ही हैं, यह भी बताते हैं कि समीक्षा-आलोचना से ललित और सरस की मैत्री के बहुतेरे लाभ हैं, और इस मैत्री में खुलकर जिस प्रकार की बातें की जा सकती हैं वे किसी अन्य प्रकार से सम्भव नहीं हैं। निश्चय ही उनके ये समीक्षा लेख पिछले दशकों की हिन्दी गद्य-पद्य की कई उपलब्धियों और नई रचना-विधियों को रेखांकित करने वाले भी हैं।

अर्धविराम-प्रयाग शुक्ल, वाग्देवी प्रकाशन बीकानेर, 120/- रुपये